Alena Schröder

Junge Fra
Abenc

C000184260

In Berlin tobt das Leben, nur die 27-jährige Hannah spürt, dass ihres noch nicht angefangen hat. Ihre Großmutter Evelyn hingegen kann nach beinahe hundert Jahren das Ende kaum erwarten. Ein Brief aus Israel verändert alles. Darin wird Evelyn als Erbin eines geraubten und verschollenen Kunstvermögens ausgewiesen. Die alte Frau aber hüllt sich in Schweigen. Warum weiß Hannah nichts von der jüdischen Familie? Und weshalb weigert sich ihre einzige lebende Verwandte, über die Vergangenheit und besonders über ihre Mutter Senta zu sprechen? Die Spur der Bilder führt zurück in die 20er Jahre, zu einem eigensinnigen Mädchen. Gefangen in einer Ehe mit einem hochdekorierten Fliegerhelden, lässt Senta alles zurück, um frei zu sein. Doch es brechen dunkle Zeiten an.

Alena Schröder, geboren 1979, arbeitet als freie Journalistin und Autorin in Berlin. Sie hat Geschichte, Politikwissenschaft und Lateinamerikanistik in Berlin und San Diego studiert und die Henri-Nannen-Schule besucht. Nach einigen Jahren als Redakteurin in der ›Brigitte‹-Redaktion arbeitet sie heute frei u. a. für die ›Brigitte‹ und das ›SZ-Magazin‹. Gemeinsam mit Till Raether spricht sie in ihrem Podcast »sexy und bodenständig« über das Schreiben. Sie ist Autorin mehrerer Sachbücher sowie fiktionaler Bücher.

ALENA SCHRÖDER

Junge Frau, am Fenster stehend, Abendlicht, blaues Kleid

Roman

dtv

Ungekürzte Ausgabe 2022
2. Auflage 2022
© 2020 dtv Verlagsgesellschaft mbH & Co. KG, München
Umschlaggestaltung: dtv nach einer Vorlage
von FAVORITBUERO, München
Umschlagmotive: shutterstock.com
Satz: Fotosatz Amann, Memmingen
nach einer Vorlage von LVD GmbH, Berlin
Druck und Bindung: Druckerei C.H.Beck, Nördlingen
Printed in Germany · ISBN 978-3-423-22028-6

Für meine Eltern

1.

Bevor sich ihre Großmutter weiter mit dem Sterben beschäftigen konnte, musste Hannah die Sache mit der Jalousie erledigen.

Es war ein deprimierendes Ritual zum Ende ihres wöchentlichen Besuchs im Altenheim, die immer gleiche Bestätigung der Gewissheit, in den Augen der Großmutter nicht mal die simpelsten Dinge auf Anhieb richtig machen zu können, immer einen zweiten und dritten Anlauf zu brauchen. Aber gut, sie konnte großzügig sein. Nichts leichter, als einer alten, des Lebens überdrüssigen Frau in einem Pflegeheim ein paar Momente reinen Überlegenheitsgefühls zu schenken.

Evelyn saß eingesunken in ihrem Ledersessel, der sich wie ein Schildkrötenpanzer um ihren krummen Rücken legte, beobachtete ihre Enkeltochter mit wachsender Frustration und gab mit ausgestrecktem Zeigefinger Anweisungen zur korrekten Einstellung der Jalousie.

»Weiter runter! Das ist zu weit! Und jetzt schräg stellen. Noch schräger! Herrgott, Kind!«

Hannah fummelte an der Fadenschlaufe und dem Acrylstab herum, bis die Oktobersonne, die durch die weißen Plastiklamellen schien, das Zimmer in besonders fahles

Licht tauchte. In diesem mittleren Grau würde Evelyn den Rest des Tages sitzen, dem Ticken ihrer vielen Wanduhren lauschen oder fernsehen und auf den Tod warten, während sie gleichzeitig Vitaminbonbons lutschte und all die lebensverlängernden Pillen und Pulver zu sich nahm, die Hannah ihr in der Apotheke besorgt hatte.

Wenn sie ehrlich war, war es dieses Zusammenspiel aus Todessehnsucht und Überlebenswillen, das Hannah an ihren Besuchen bei der Großmutter festhalten ließ. Es war ein Gefühl, das sie beide verband. Mit dem Unterschied, dass Hannah die Tage an sich vorbeiziehen ließ, als würde sie die Welt durch eine Milchglasscheibe betrachten, während Evelyn mit ihren 94 Jahren wütend, trotzig und unzufrieden am Leben festhielt, so als hätte es noch Schulden bei ihr.

Immer dienstags fuhr Hannah in den äußersten Berliner Westen, wo ihre Großmutter seit einigen Jahren residierte. Das war auch der Tag, an dem sie nur bis zum frühen Nachmittag in der Bibliothek sitzen und so tun musste, als würde sie ihre Doktorarbeit schreiben. Der Tag, an dem sie nach stundenlangem Starren auf die leere Seite ihres »Diss_Fassung1.doc« betitelten Dokuments die Tasche packen und mit einem klaren Ziel vor Augen die Bibliothek verlassen konnte.

Sie überquerte den Potsdamer Platz, fuhr mit der U2 zum Theodor-Heuss-Platz, ging dort in die Apotheke direkt neben Blume2000, kaufte Doppelherz, Folsäuretabletten, Vitaminbonbons und Ginsengkapseln, stieg in den Bus in Richtung Stadtrand und überantwortete sich der eingespielten Choreografie dieser Besuche.

Das Seniorenpalais lag ein Stück die Heerstraße runter, hatte die Havel vor der Nase und den Soldatenfriedhof im

Rücken und gab sich alle Mühe, nicht wie ein Altenheim, sondern mehr wie ein Vorstadthotel zu wirken. Der Eingang des dreigeschossigen Zweckbaus war mit einem ausladenden Glasvordach versehen worden, unter dem jahreszeitlich wechselnde Blumenarrangements wie auch Deko-Utensilien drapiert werden konnten, jetzt im Oktober ein Dutzend Zierkürbisse neben einer alten Milchkanne. Hannah grüßte den Pianisten, der an einem Flügel im Foyer das immer gleiche Richard-Clayderman-Medley spielte, und auf dessen Instrument man ebenfalls eine Ladung Zierkürbisse drapiert hatte. Sie lächelte die beiden älteren Damen an, die dem Geklimper lauschten, und griff sich einen Flyer mit den wöchentlichen Aktivitäten und Events vom Tresen der Anmeldung: Klavierkonzerte und wissenschaftliche Vorträge im hauseigenen Auditorium, Chorproben unter der Leitung eines pensionierten Domkantors, Aquarellkurse, Lesezirkel und Wassergymnastik im Therapiebecken sollten das Seniorenpalais von einer normalen Altenpflegeeinrichtung abheben.

Evelyn nutzte keines dieser Angebote, aus einer Art Trotz heraus, so wie sie auch ein bisschen stolz war, wenn sie trotz ihres Wohlstands nicht heizte. An einem der diversen Zerstreuungsangebote teilzunehmen wäre Evelyn wie eine Kapitulation vorgekommen, wie eine billige Ablenkung von der Zumutung ihrer Existenz. Dass das Essen einigermaßen genießbar war, dass an ihrem Türschild »Dr. med. Borowski« stand und das Personal sie auch bei der Fußpflege immer mit »Frau Doktor« ansprach, das allein rechtfertigte für sie den Betrag, den sie monatlich für ihr Zimmer im Seniorenpalais entrichtete.

Hannah fuhr mit dem Fahrstuhl in den zweiten Stock, den Geruch von Urin, Desinfektionsmitteln und Kantinenessen in der Nase. Verrückt, dachte sie, dass man in einem Altersheim mit ein wenig Landhausdeko und hochwertigem Mobiliar wirklich vieles übertünchen konnte, nur den elenden Anstaltsgeruch nicht. Sie ging den Flur entlang bis zur letzten Tür, klingelte und lauschte, wie ihre Großmutter sich stöhnend und mithilfe ihres Gehstocks aus ihrem Sessel stemmte, um ihr die Tür zu öffnen.

»Du bist spät!«, sagte Evelyn zur Begrüßung, auf die schneidende Art, die sie über die Jahre perfektioniert hatte, schon um davon abzulenken, dass ihre Augen etwas anderes sagten.

Hannah wusste, wie sehr ihre Großmutter tagelang von diesen Besuchen zehrte, sie herbeisehnte und genoss, auch wenn sie versuchte, so zu tun, als gewähre sie ihrer Enkeltochter die Gnade einer Audienz. Sie küsste Evelyn auf die Wange, hakte sie unter und brachte sie langsam zu ihrem Sessel zurück. Stellte ihre Apothekenausbeute auf den Couchtisch, zog sich den Mantel aus und setzte sich Evelyn gegenüber für die wöchentliche Ansprache.

»Kind, es reicht, ich will nicht mehr. Ich weiß nicht, warum dieses Elend hier noch so lange dauert. Ich hab alles satt. Ich guck auch schon keine Nachrichten mehr. Nur Schrott.«

Hannah schenkte ihrer Großmutter ein Lächeln, das Verständnis und Zuversicht ausstrahlen sollte. Sie war ein wenig gerührt, weil Evelyn sich offenbar schick gemacht hatte für ihren Besuch. Der mobile Friseur hatte ihr die dünnen weißen Haare in Form geföhnt und mit Haarspray fixiert, das hatte Hannah schon bei der Begrüßung gerochen. Und die Pflegerinnen hatten Evelyn am Morgen eine von den korallenfarbenen Blusen angezogen, die Hannah ihr einmal im KaDeWe gekauft hatte. Rund um die goldene

Ginkgoblattbrosche prangte ein Sternbild aus Bratensoßenspritzern, und Hannah freute sich still über die Vorstellung, wie einer der jungen Männer, die im Rahmen ihres »Freiwilligen sozialen Jahres« im Altenheim aushalfen, »weil alte Leute total interessant sind«, beim Mittagessen versucht haben könnte, ihrer Großmutter die Serviette nicht etwa auf den Schoß zu legen, sondern um den Hals zu knoten, und wie Evelyn dem jungen Mann dann einen ihrer Todesblicke zugeworfen hätte, denn einer wie ihr band man kein Lätzchen um wie einem kleinen Baby.

»Sie haben einen neuen Pfleger eingestellt, die reinste Plaudertasche, du glaubst es nicht. Als bräuchte ich einen, der mit mir redet. Sollen mich einfach in Ruhe hier verrecken lassen, wofür bezahle ich die sonst. Warum hast du mir nicht die Folsäuretabletten gebracht, wo auch gleich noch Vitamin B12 mit bei ist? Die hatten doch immer so eine Kombi?«

»War aus, Omi. Ich hab dir den Veranstaltungsplan mitgebracht.«

»Brauch ich nicht. Was soll ich da? Basteln und singen wie im Kindergarten, mit lauter alten Leuten. Muss die ja alle schon beim Essen sehen, das reicht. Hast du jetzt endlich deinen Doktor?«

»Ich arbeite dran, Omi, das dauert noch.«

Evelyn hatte vor einiger Zeit einmal nach dem Thema von Hannahs Dissertation gefragt, und Hannah hatte es ihr widerstrebend verraten: »Transzendenz und Utopie im Frühwerk Georg Distelkamps«. Evelyn hatte leise geschnaubt, das Thema schien ihr albern, genau wie das ganze Vorhaben. Ein Doktortitel, der kein medizinischer war und für den man jahrelang in irgendwelchen germanistischen Bibliotheken und Archiven herumkriechen musste, war in ihren Augen vollkommen sinnlos. Und Hannah gab ihr insgeheim recht, das ganze Unterfangen war albern und sinnlos, aber es war besser als nichts. Und es war der einfachste Weg, ein Teil des Lebens ihres Doktorvaters zu bleiben, mit dem sie einmal geschlafen hatte und es jederzeit wieder tun würde.

Evelyns Lamento, ihre Inspektion der Apothekengaben, die kurze Nachfrage nach der Dissertation waren nun also abgehakt, als Nächstes folgte das Aufziehen der fünf im Zimmer verteilten Uhren, dann das vorsichtige Gießen der auf der Fensterbank aufgereihten Orchideen, schließlich das große Finale, der Endgegner: die Jalousie.

Und damit war Hannahs Besuch eigentlich beendet, normalerweise hätte sie sich von ihrer Großmutter mit einer kurzen Umarmung verabschiedet und hätte mit einer Mischung aus Erleichterung und Beklemmung die Zimmertür hinter sich zugezogen, aber ihr Blick fiel auf das niedrige Glastischchen neben Evelyns Sessel. Dort lag wie immer die *Hörzu*. Und in der Zeitschrift steckte wie ein Lesezeichen ein Brief mit ausländisch anmutenden Briefmarken und einem Poststempel mit hebräischen Schriftzeichen.

»Wer schreibt dir denn aus Israel, Omi?«

»Niemand.«

»Wie, niemand? Hast du den Brief nicht gelesen?«

»Doch.«

»Ja, und? Was steht drin?«

»Alter Kram.«

»Was für Kram?«

»Ich will damit nichts zu tun haben.«

»Warum nicht?«

»Mach mir den Fernseher an.«

»Omi, was für Kram?«

Evelyn fixierte Hannah für einen kurzen Moment, prüfend, abwägend, müde. Sie hätte ihn einfach wegwerfen sollen, diesen Brief, nun war es zu spät. Hannah würde ohnehin nicht lockerlassen, sollte sie sich doch kümmern um diesen ganzen alten Dreck. Diesen Trümmerberg aus Erinnerungen, den sie über die Jahrzehnte ihres Lebens so sorgsam begrünt und bepflanzt hatte, so wie der Berliner Senat den Teufelsberg, eine Müllhalde aus Weltkriegsschutt, dessen Spitze aus weißen Kuppeln der alten amerikanischen Abhöranlagen sie an klaren Tagen von ihrem Fenster aus sehen konnte.

»Den Fernseher, Kind.«

Hannah begriff das Tauschgeschäft, drückte den abgegriffenen »On«-Knopf der Fernbedienung und zappte bis zu einer Doku über die im Frühjahr geborenen Tierbabys der beiden Berliner Zoos.

»Bis nächste Woche. Bitte stirb nicht bis dahin, okay?«, flüsterte sie Evelyn ins Ohr, als sie ihr die Fernbedienung in den Schoß legte und im Gegenzug den Brief an sich nahm. Ungerührt starrte Evelyn auf die flimmernden Bilder von Eisbärenbabys und Zebrafohlen auf ihrem Flachbildschirm, und als Hannah sich zum Gehen wandte, stellte sie den Ton lauter, damit sie nicht hören musste, wie ihre Enkeltochter die Tür hinter sich schloss.

2.

Warnemünde 1922

Ein Septembernachmittag von brutaler Schönheit, der Himmel blau, das Meer ölig wogend und die Möwen ein höhnischer Chor.

»Ablandiger Wind«, dachte Senta. »Geschieht mir recht.«

Gerade hatte sie sich zum zweiten Mal in eine kleine Sandkuhle im Schatten ihres Strandkorbes erbrochen, und solange der Wind nicht drehte, würde ihr bis auf Weiteres statt salzig-algiger Meeresluft der säuerliche Geruch ihres Elends in die Nase steigen.

Ulrich hatte es natürlich einfach nur gut mit ihr gemeint, als er für sie an der Strandpromenade von Warnemünde eines dieser grauenhaften Korbmöbel gemietet hatte, in denen kein Mensch bequem sitzen konnte. Sie hatte matt protestiert, aber er hatte das auf seine ritterliche Art abgetan, so als habe sie nicht etwa einen Wunsch geäußert, sondern nur bescheiden sein großzügiges Angebot ablehnen wollen. Eine Dame, dazu eine schwangere, noch dazu seine Verlobte, hatte nicht auf dem Boden zu sitzen oder gar zu liegen, sondern sich aufrecht zu halten, das bauchkaschierende Spätsommerkleid ordentlich um sich zu drapieren und die gute Seeluft zu genießen. Im Strandkorb. So ein guter Mann war er nämlich, umsichtig und edelmütig. Ein ganz großer Fang.

Was für ein Glück sie hatte, dachte Senta matt.

Und wie unglücklich sie war.

Einfach liegen, das wäre das Schönste. Weit weg vom Strandkorb und viel näher am Wasser, ohne Decke, flach auf dem Bauch. Ein Ohr in den Wind und eins auf den warmen Sand gedrückt, dem Rieseln der Körner lauschen, die Zehen eingraben bis zu dem Punkt, an dem die Sonne den Sand nicht mehr wärmte. So wie früher mit Lotte. Als es noch keinen Tag und erst recht keinen Strandausflug ohne ihre beste Freundin gegeben hatte. Als ihre Leben und ihre Gedanken noch so verwoben waren, dass sie sich keinen Tag ohne einander vorstellen konnten. In der unbefestigten Straße ihrer Kindheit am Rand von Rostock, nicht weit von den Werften, da, wo die Klinkermietskasernen aufhörten und die geduckten Vorstadthäuser anfingen, waren sie die beiden Kinder ohne Väter gewesen, Sentas Vater war an der Grippe gestorben, Lottes beim Fischen ertrunken. Und sie waren die beiden einzigen Mädchen mit schwarzen Haaren gewesen, die beiden »Schwatten« in einer Kindermeute aus nordisch-blonden Wollköpfen.

»Das war doch derselbe Zigeuner bei euch!«, hatte der alte Strihlow ihnen einmal hinterhergebrüllt, als er sie dabei erwischt hatte, wie sie in seinem Garten Johannisbeeren klauten. Und mehr noch als Wut oder Scham empfanden sie nach diesem Ausbruch eine kribbelnde Freude bei der Vorstellung, der alte Strihlow könnte recht haben und sie wären tatsächlich Schwestern.

Und nun hatte Lotte am Morgen den Zug nach Berlin genommen. Allein. Hatte eine kleine Reisetasche, ihren Schreibmaschinenkoffer und ihr Erspartes dabei und im

Kopf die Adresse einer älteren Dame, die irgendwo in der Nähe des Halleschen Tors ein Zimmer vermietete.

Als Erstes würde sie sich die Haare kurz schneiden lassen, hatte sie Senta zum Abschied gesagt. Und versprochen, ganz oft zu schreiben. Und spätestens zur Hochzeit in ein paar Wochen würde sie wieder da sein, falls sie bis dahin genug Geld für die Zugfahrkarte verdient hatte.

Senta war nicht mit zum Bahnhof gekommen, zu elend fühlte sie sich und zu furchtbar war ihr die Vorstellung, Lotte in dem Zug davonfahren zu sehen, in dem sie eigentlich mit ihr zusammen hatte sitzen wollen. Stattdessen hatte Ulrich sie in seinem offenen Adler mit nach Warnemünde genommen, wo er sich mit einem alten Jagdflieger-Kameraden am Strand treffen wollte. Die Fahrt und die frische Luft würden ihr guttun, hatte er gesagt, und vor allem seinem Sohn. Denn dass das Kind in Sentas Bauch ein Sohn werden würde, daran bestand für ihn kein Zweifel. Einer wie er, ein Fliegerass und Kriegsheld, Träger des Eisernen Kreuzes und Mitglied im Orden Pour le Mérite, ein Patriot und Abkomme eines stolzen preußischen Junkergeschlechts, einer wie er zeugte Söhne. Und dass Senta nun schon seit Wochen speiübel war, sei ein eindeutiges Zeichen dafür, dass in ihrem achtzehnjährigen Körper ein kräftiger Knabe heranwachse. So hatte seine Schwester es ihm erklärt, und die musste es wissen.

Schon die Fahrt über die holprige Straße in Richtung Küste war für Senta eine Tortur gewesen. Das Geschaukel und der eigentümliche Benzingeruch, den sie immer so geliebt hatte, verschlimmerten jetzt ihre Übelkeit, sie mussten zweimal anhalten, damit sich ihr Magen beruhigen konnte. Ulrich, der sonst so sicher fuhr, schien nervös und aufgekratzt und krachte die Gänge ins Getriebe, als wolle er den

Motor für die angespannte Stimmung bestrafen, die zwischen ihnen herrschte. Dabei waren diese Autofahrten vor Kurzem noch ihr größtes gemeinsames Vergnügen gewesen. Senta hatte die Geschwindigkeit genossen, den Fahrtwind, die lang ausgefahrenen Kurven, den Blick auf den blonden, selbstsicheren Mann an ihrer Seite. »Hättest mich mal fliegen sehen sollen, Kleene!«, hatte er zu ihr gesagt, wenn er ihren Blick bemerkte.

Und das hatte ihr gefallen.

Kleene.

Wo sie doch noch nie klein gewesen war, sondern immer die Große. Die älteste von fünf Schwestern, immer einen Kopf größer als ihre Schulkameraden, das »lange Elend« mit den hohen Wangenknochen, die »schwatte Köhler«.

Nichts an Senta war klein und puppig oder besonders mädchenhaft und sie hatte sich angewöhnt, sich immer ein bisschen krumm zu machen, die Schultern hängen zu lassen und den Kopf einzuziehen, damit es nicht so auffiel. »Halt dich gerade!« war ein Satz, den ihre Mutter ihr täglich zum Abschied hinterherrief. Manchmal gelang es ihr auch. Dann, wenn sie sich das Leben ausmalte, das sie einmal führen wollte. Wenn sie mit der Schule fertig sein und mit Lotte nach Berlin gehen würde. Um Geld zu verdienen, nicht mehr heimlich hinterm Hühnerstall rauchen zu müssen, damit ihre jüngeren Schwestern sie nicht dabei sahen. Nein, in der großen Stadt würden sie mit ausladender Gestik rauchen, und jeder sollte es sehen. Sie stellte sich vor, wie Lotte und sie mit kurzen schwarzen Haaren und einem dieser Hosenanzüge, die sie in der Zeitung gesehen hatte, in Cafés und Salons sitzen würden. Sie würden Shimmy tanzen lernen und all die Dinge tun, über die man in Rostock die Nase rümpfte. In Berlin wären sie nicht mehr

»die Schwatten«, sondern zwei junge Frauen mit geheimnisvoll düsterer Aura, sie würden sich über Kunst und Politik unterhalten und an sonnigen Tagen auf dem Kurfürstendamm flanieren oder ein Pferderennen besuchen. Eine Weile würden sie als Bürofräulein arbeiten, ihre Mütter hatten lange gespart, um ihnen je eine Schreibmaschine zu kaufen, auf denen sie sich selbst das Tippen beigebracht hatten. Aber irgendwann würden sie Schriftstellerinnen sein. Oder Schauspielerinnen. Oder beides. Und während sich Senta in ihr zukünftiges Ich träumte, streckte sich ihr Körper, hob sich ihr Kinn und manchmal nahm sie, ohne es zu merken, einen Zug aus einer imaginären Zigarette, den Arm genau im richtigen Winkel, die Finger leicht gespreizt, den Blick theatralisch in die Ferne gerichtet. Wie auf einer Fotografie.

Ungefähr so musste es gewesen sein, als Ulrich Senta das erste Mal sah, in einem Moment der Selbstvergessenheit nach zwei oder drei Eierlikör, auf der Silvesterfeier im Marinefestsaal. Zwei Schulkameraden mit familiären Verbindungen zur Marine hatten Senta und Lotte mitgenommen, und ihre Mütter hatten nur schwach protestiert, mehr aus Prinzip als aus Überzeugung, denn es war ja nun Silvester und warum sollten sich zwei Mädchen nicht amüsieren, zumal in guter Gesellschaft. Sie hatten sich rausgeputzt, sich gegenseitig die Haare hochgesteckt und zu viel Rouge aufgetragen, hatten ihre beiden Begleiter schnell abgeschüttelt, die sich ohnehin lieber betrinken wollten, und lauschten nun der Kapelle, die Schlager spielte und von der es hieß, sie spiele auch Jazz, später vielleicht.

Eine ganze Weile schon hatten sie die dürftigen Balzversuche eines betrunkenen Jungen in Matrosenuniform ignoriert, als Ulrich auf sie zumarschierte, auf diese etwas gestelzte, soldatische Männerart, Brust breit, Kinn oben, und fragte, »ob die Damen belästigt« würden. Er wartete die Antwort gar nicht ab, sondern schob den Kerl einfach beiseite, der Lotte und Senta mit erfundenen Abenteuergeschichten aus dem Krieg gelangweilt hatte, für den er noch viel zu jung war. Ulrich dagegen, das war schnell klar, kannte den Krieg. Und nicht nur das. Er war einer seiner Helden, einer von denen, deren Dienst am Vaterland heller strahlte, als die Niederlage schmerzen konnte. Schnell schob sich die Gruppe aus jungen Männern und Frauen, die sich schon zuvor um ihn geschart hatte, hinter ihm her durch den Raum, nahm Senta und Lotte mit auf in ihren Kreis und forderte Ulrich lautstark auf, doch bitte noch mal zu erzählen, wie es denn nun gewesen sei, damals bei der Fliegertruppe, beim Richthofen-Geschwader, bei den großen Luftkämpfen über Flandern. Nur einmal winkte er kurz bescheiden ab, er wolle »die Damen nicht langweilen«, heiteres Gelächter, zu komisch, wen könnte es langweilen, wenn ein Fliegerheld, ein Kampfgefährte des »roten Teufels« Richthofen, von seinen Luftsiegen berichtete, von seinen mehr als dreißig Abschüssen und wie er noch als einer der Letzten aus der Hand des Kaisers den »Pulämmeritt« bekommen habe.

Und so erzählte Ulrich vom Fliegen, vom eisigen Wind im Gesicht, vom Trudeln und Abfangen der Maschine, von der Anspannung, wenn im Luftkampf das knarzende Rattern des gegnerischen MG-Feuers hinter einem erklang, und von der Euphorie des Abschusses, wenn man den elenden Engländer oder Franzosen endlich vor der Flinte hatte, eine Hand am Steuerknüppel, die andere am Maschinengewehr seiner Fokker, das Dröhnen des Motors, wenn die gegnerische Maschine abschmierte, Feuer fing, unter ihm im Nichts verschwand, die Erleichterung, wenn er als Staffelführer alle seine Männer wieder heil auf den Boden gebracht hatte.

»Ein Hoch auf unsere tapferen deutschen Soldaten«, rief einer der Zuhörer, und alle erhoben ihr Glas.

Lotte rollte ein paarmal dezent mit den Augen und versuchte Senta wegzuziehen, sie hatte keine Lust auf Soldatengeschichten. Doch Senta ignorierte sie, hatte sich berauscht am Likör und an Ulrichs kitschigen Fliegergeschichten vom Sonnenuntergang über den Wolken und den Sternen und den Lichtern der Städte beim nächtlichen Überflug, und dann tanzten sie und Senta genoss die Blicke der anderen Mädchen. Wieso die? Wieso durfte gerade die mit dem Fliegerhelden tanzen? Senta hatte sich gerade gemacht, wie ihre Mutter es ihr eingetrichtert hatte, hatte die Schultern nach hinten gedrückt und den Kopf gehoben, während sie sich von Ulrich etwas steif übers Parkett schieben ließ.

Erst als kurz vor Mitternacht alle vor die Tür gingen, um das Feuerwerk anzuschauen, bemerkte Senta, dass Lotte verschwunden war. Und im Rückblick schämte sie sich, wie egal ihr das gewesen war. Sie stand schließlich neben dem begehrtesten Mann des Abends, sie, die »schwatte Köhler«, und er legte den Arm um sie und begrüßte mit ihr das Jahr 1922 und bot dann an, sie im Auto nach Hause zu fahren.

»Können wir doch öfter machen, Kleene«, sagte er zum Abschied, und sie sagte »Gern«, und so war es dann gekommen.

Ulrich holte sie dann häufiger mit seinem Adler ab, grün, mit roten Ledersitzen, todschick und immer auf Hochglanz poliert, er war nach dem Krieg bei einem Rostocker Autohändler mit eingestiegen, denn klar, als Flieger kam nur die Marke Adler infrage und als Kaufmann musste man sich identifizieren mit seiner Ware.

Sie unternahmen lange Autofahrten ans Meer und küssten sich in den Dünen, und Senta vergaß Berlin und Lotte und ihren Plan und fand Gefallen an der Vorstellung, für jemanden wie Ulrich die »Kleene« zu sein. Zuerst fragte Lotte noch nach, wenn sie sich trafen, wie es denn so laufe mit dem »Fliegerhelden«, aber Senta missfiel ihr spöttischer Unterton und sie warf Lotte vor, sie sei ja nur neidisch, und danach ging Lotte ihr aus dem Weg. Das war ihr ganz recht, Senta hatte keine Lust auf Erklärungen und ein schlechtes Gewissen, sie wollte es genießen, wie alle große Augen machten, jedes Mal, wenn Ulrich mit seinem Auto vor ihrem Haus hielt und die Nachbarsfrauen die Köpfe zusammensteckten und sich bestimmt fragten, was der Herr Fliegerleutnant denn wohl an dem langen dürren Elend fand.

Und sie machten wieder einen Ausflug ans Meer, an einem der ersten wirklich warmen Frühlingstage, und sie fragte ihn, warum er sich ausgerechnet für die Fliegerei gemeldet habe, damals im Krieg. Da veränderte sich Ulrichs Blick, er räusperte sich ein paarmal, so als klammerten sich die Worte in seiner Brust fest und wollten nicht ins Freie. Aber dann erzählte er doch, von seinen ersten Monaten an der Front. Wie sie ihn erst nicht gewollt hatten beim Heer, weil er mit sechzehn eigentlich noch zu jung war, um fürs Vaterland zu kämpfen. Wie sein Vater interveniert hatte an oberster Stelle, damit sie ihn doch nahmen. Wie er als Feldartillerist im Schlamm gelegen hatte, durchnässt und die Füße offen und entzündet vom Marschieren. Wie überall die Ratten an den Toten genagt hatten, die unbegraben im Feld lagen, und wie er nachts beim

Wacheschieben einmal einen verwilderten Hund beobachtet hatte, der einen Arm im Maul trug, da steckte noch ein Siegelring am Finger. Und wie er so bei sich dachte, hoffentlich verschluckt der sich nicht an dem Ring, der arme Hund. Und wie um ihn herum die jungen Männer im MG-Feuer nach ihren Müttern schrien und ungläubig auf ihre aufgeplatzten Bäuche schauten und ihre Gedärme festhielten und wie er nichts anderes wollte als endlich weg aus dem ganzen Dreck und der Nässe und dem Gemetzel, am besten nach oben, in die Luft, so weit weg von dem ganzen schlammigen, blutigen, stinkenden Chaos wie nur möglich.

Und dann bot sich die Gelegenheit: Ein wohlmeinender Offizier, der seinen Vater kannte, empfahl ihn zur Fliegertruppe, und so sei er schließlich zum hochdekorierten Fliegerhelden geworden, dabei fühle er sich wie ein Feigling.

»Die, die unten im Dreck verrecken, das sind Helden, Kleene. Ich flieg da einfach drüber, und wenn es mich erwischt hätte, dann wär es schnell vorbei gewesen, und sie hätten mich mit militärischen Ehren begraben und nicht einfach nur irgendwo verscharrt.« Und dann war ihm die Stimme gebrochen, und er hatte ein Schluchzen durch die Kehle gewürgt, und Senta hatte sich ihm in die Arme geworfen und ihn festgehalten. Oh, wie sie sich im Nachhinein verachtete für diesen Impuls, für die klebrige, falsche Rührung, die sie ergriffen hatte, weil dieser scheinbar so starke Mann sich ihr geöffnet und Männertränen an ihrem Hals geweint hatte, von ihr getröstet werden wollte und schließlich seine Hände mit Bestimmtheit unter ihr Sommerkleid schob. Sie waren in den Dünensand gefallen, hatten umständlich an ihrer Kleidung herumgezogen, alles wurde warm und weich und dann eng, heiß und drängend, Senta fixierte die Halme des Strandhafers über sich, um nicht in Ulrichs verheultes, angestrengtes Gesicht schauen zu müssen, und fragte sich, ob es das nun also sei, diese Sache, um die alle so ein Aufhebens machten und die sich wenig überwältigend anfühlte, dafür, dass sie so ungeheuerlich und verboten war.

Als sie an diesem Abend die Haustür öffnete, bekam Senta von ihrer Mutter die allererste Ohrfeige ihres Lebens. Die schepperte so, dass kleine Ostseesandkörner aus ihrem zerzausten Haarknoten auf den Dielenboden rieselten, und Senta fragte sich, warum ihre Mutter ihr Gesicht lesen konnte wie ein schriftliches Geständnis.

Als Sentas Regel nicht kam und ihr langsam schwante, was das bedeutete, heulte sie zusammen mit Lotte hinterm Komposthaufen. Dumm, dumm, dumm war sie gewesen, und jetzt war es zu spät. Lotte hatte von Tränken gehört, die man sich brauen konnte, damit das Kind wegging, Rizinusöl, Scheuerpulver und Minze, aber in der richtigen Mischung, das war wichtig, sonst vergiftete man sich. Sie wusste auch von einer Engelmacherin, aber die verlangte viel Geld und am Ende verblutete man noch. Das war es nicht wert. Sie würde es Ulrich sagen müssen und wer weiß, vielleicht heiratete er sie ja. Nur aus Berlin, da würde eben nichts draus. Nach Berlin würde Lotte dann wohl allein gehen.

Als Senta Ulrich sagte, dass sie schwanger sei, drehte er sich wortlos um und ging. Er ließ sie stehen, mitten auf dem Doberaner Platz, über den sie zusammen spaziert waren, und das hatte sie nicht weiter überrascht. Sie würde eben doch nicht seine »Kleene« sein, und obwohl ein größeres Maß an Verzweiflung angemessen gewesen wäre, empfand sie nicht viel. Sie fühlte auch keine Erleichterung, als drei Tage später der grüne Adler mit den roten Ledersitzen vor ihrer Tür hielt und Ulrich ausstieg, ganz seriös, im Anzug, um Sentas Mutter seine Aufwartung zu machen und um Sentas Hand zu bitten.

»Na, wenn meine Tochter das will,« sagte Sentas Mutter. Ulrich antwortete: »Sie will!«, und Senta nickte stumm. Natürlich wollte sie, sie hatte ja kaum eine Wahl, jetzt, mit dem Kind in ihrem Bauch, von dem sie ihrer Mutter gar nicht hatte zu erzählen brauchen. Die hatte den Braten ohnehin gerochen und es unbewegt hingenommen. Sie hatte fünf Töchter allein großgezogen, mit ihrer schmalen Witwenrente, diversen Aushilfsarbeiten, und hatte mit einem Talent für Börsenspekulation noch alle einigermaßen satt durch die Jahre der Inflation bekommen, da käme es zur Not auf ein vaterloses Kind mehr oder weniger auch nicht an.

»Mein armes, dummes Mädchen«, nannte sie Senta abends beim Gute-Nacht-Sagen und streichelte dabei ihre Wange. »Biste denn wenigstens richtig verliebt?«

Aber das wusste Senta schon nicht mehr so genau. Sie war verliebt in Ulrichs Blick auf sie. Dass er sie gesehen hatte, so wie ein Teil von ihr sein wollte und sie doch eigentlich gar nicht war. Dass er in ihr kurz das Gefühl geweckt hatte, sie könne sich entscheiden zwischen zwei Leben. Einem mit Lotte in Berlin, frei und nur für sich selbst verantwortlich. Und einem Leben, in dem sie nur die Beifahrerin sein musste, weil sich um all die komplizierten und schwierigen Dinge der Mann an ihrer Seite kümmern würde. Jetzt hatte sie keine Wahl mehr und, schlimmer noch, sie würde ihm dankbar sein müssen. Für immer. Er hätte es besser treffen können, stattdessen verhielt er sich anständig und mannhaft, er übernahm die Verantwortung für sein Handeln, fügte sich in sein Schicksal. Was für ein

Glück sie hatte. Mehr als sie verdiente. Und alle konnten es sehen. Sie, die »schwatte Köhler«, hatte sich einen Kriegshelden geangelt. Einen, der noch alle Gliedmaßen besaß und keine schlimmen Kriegswunden davongetragen hatte und der sie hier dekorativ in einen Strandkorb platziert hatte, sodass sie die freie Sicht auf ihn und seinen Kameraden genießen konnte. Zwei Männer, die vorn am Wasser Steine nach den Möwen warfen und herumalberten wie zwei Kinder.

Endlich drehte der Wind und kam von vorn. Senta schloss die Augen, schmeckte das milde Salz der Ostsee und dachte an Lotte, deren Zug längst in Berlin eingefahren sein musste. Lotte, die bald im Gewimmel der großen Stadt verschwinden und sich auflösen würde in dieser geheimnisvollen neuen Welt. Die sich in die Arbeit stürzen konnte und sicher nicht zu ihrer Hochzeit kommen würde, die schon in drei Wochen stattfinden sollte, schnell, bevor ihr Bauch nicht mehr zu kaschieren wäre. Lotte würde sie bald vergessen haben, und sie würden zwei unterschiedliche Leben leben, und niemand würde verstehen, wie sehr Senta Lotte um ihres beneidete.

Das Kind in ihrem Bauch fühlte sich an wie ein kleiner Goldfisch, der rechts und links an sein Glas stupste. Senta zog die Seeluft tief in ihre Lungen und kämpfte gegen eine weitere Welle aus Übelkeit und Trauer.

»Was machst du für ein Gesicht, Kleene?«, hörte sie Ulrich fragen, der fröhlich und außer Atem auf sie zugelaufen kam, barfuß, die Hose bis zu den Knien hochgekrempelt. »Es ist wegen dem Kleid, oder? Machst dir Sorgen um dein Hochzeitskleid, was? Wird schon alles rechtzeitig fertig, zerbrich dir nicht deinen kleinen Kopf. Und jetzt komm, wir fahren nach Hause.«

3.

Hannah hatte den Brief noch im Fahrstuhl aus dem aufgerissenen Umschlag genommen und war versehentlich bis runter in die Tiefgarage des Seniorenpalais' gefahren. Erst der scharfe Geruch nach Gummi und Benzin, der durch die geöffnete Fahrstuhltür drang, ließ sie von dem Brief aufsehen, den sie eilig überflogen hatte und nun verständnislos anstarrte. Es war das Schreiben einer israelischen Anwaltskanzlei mit Sitz in Tel Aviv, das sich in gewähltem Englisch an Mrs. Evelyn Borowski richtete und in dem die Kanzlei ihre Dienste in einer Restitutionssache anbot. Sie seien bei Recherchen zu enteigneten jüdischen Kunsthändlern in Berlin auf den Kunsthandel Goldmann gestoßen, dessen Inhaber Itzig Goldmann 1942 von den Nationalsozialisten deportiert und ermordet worden sei. Sie, Dr. Evelyn Borowski, sei die einzige lebende Erbin des konfiszierten und nunmehr verschollenen Kunstvermögens. Sofern sie – Dr. Evelyn Borowksi – den beigefügten Vertrag unterschreibe und die Kanzlei damit offiziell mit der Abwicklung des Restitutionsverfahrens beauftrage, würde man mit den Recherchen fortfahren. Die Kanzlei arbeite auf eigenes finanzielles Risiko, eine Provision würde nur dann fällig, wenn ein Kunstwerk tatsächlich gefunden und zurückgegeben werden könne.

With best regards,
Aaron Cohen.

Die Fahrstuhltür vor Hannah schloss sich, und sie drückte auf den Knopf, der sie ins Erdgeschoss befördern sollte. Kurz überlegte sie, mit dem Brief schnurstracks zurück zu ihrer Großmutter zu marschieren und sie zu fragen, ob das alles ein schlechter Witz sei. Jüdische Kunsthändler? Evelyn, Erbin von Naziraubkunst? Das alles konnte nur ein Scherz oder eine Verwechslung sein, andererseits: Hätte Evelyn den Brief dann nicht mit Sicherheit weggeworfen? Niemand nahm Evelyn auf den Arm, sie ließ sich nichts andrehen und für dumm verkaufen ließ sie sich erst recht nicht. Hannah war als Kind einmal mit ihrer Mutter und ihrer Großmutter in Marokko gewesen, eine Versöhnungs- reise sollte es werden, Hannahs Mutter hatte sich ausbe- dungen, das Reiseziel auszusuchen, Evelyn hatte alles be- zahlt. Und während Silvia und Hannah in den Souks von Marrakesch umlagert wurden von Händlern, die ihnen Tücher, Teppiche, Schmuck, Taschen und Gewürzmischun- gen andrehen wollten, schritt Evelyn vollkommen unbe- helligt durch den engen Markt, mit der Aura einer Königin, die jedem persönlich den Kopf abbeißen würde, der es wagte, sie anzusprechen.

Wenn Evelyn diesen Brief aus Israel aufbewahrt und ihn Hannah nur widerwillig gezeigt hatte, dann, weil das, was darin stand, möglicherweise wahr war.

Im Bus Richtung Theodor-Heuss-Platz zog Hannah das Handy aus der Tasche, um nach Andreas zu sehen. Sie öffnete WhatsApp und tippte auf sein Profilbild, das nur einen abfotografierten Buchstaben zeigte, ein großes, mit der Schreibmaschine getipptes A. Ein bisschen ärgerte es Hannah, dass Andreas Sonthausen, ihr Doktorvater, eine Literaturtheorie-Koryphäe und einer der bekanntesten Germanisten des Landes, ein so affiges WhatsApp-Profilbild gewählt hatte.

A wie Andreas. A wie Anfang, wie Alphatier, wie »An mir kommt keiner vorbei!«.

Vor allem aber hätte Hannah gern ein Foto von Andreas gehabt, das sie unverfänglich betrachten konnte, während sie im Bus auf ihr Handydisplay starrte. Es wäre leichter gewesen, sich an sein Gesicht über ihrem zu erinnern, an das dünne grau-braune Haar, durch das sie mit den Fingern gefahren war und das er etwas zu lang trug, dafür dass es schon recht licht war. An ihre Verblüffung über die Jungenhaftigkeit seines Gesichts, das sie zuvor nie ohne die schwarz eingefasste Brille gesehen hatte, und über die Tatsache, dass sie wirklich mit ihrem Professor in dessen Hotelbett gestolpert war. Und dass es ihr gefallen hatte. Dass er ihr gefallen hatte, obwohl er optisch wirklich nicht ihr Typ war und mit Ende vierzig sowieso weit außerhalb ihres Altersspektrums. Kein Vergleich mit den Bar- und Club-Jungs, die sie sich manchmal mit in ihre aufgeräumte Wohnung nahm, um ein bisschen Körperchaos in die aseptische Atmosphäre zu bringen. Diese namenlosen, aber wohlriechenden Start-up-Boys mit ihren Projekten und Illusionen und fein abgezirkelten Bärten, für die Sex eine Cardio-Einheit war und die hinterher noch ein paarmal Nachrichten schickten, bevor sie weiter an ihren Plänen arbeiteten, sich von Google kaufen zu lassen und sehr reich zu werden.

Andreas hatte genau eine Nachricht geschickt nach der Sache in Marbach vor zwei Monaten und die klebte nun wie eine kryptische Inschrift unter dem blöden »A«:

»na sowas«

Er hatte sie am nächsten Morgen geschickt, als Hannah längst wieder in ihrem eigenen Bett lag, und den Rest der Exkursion hatte er so getan, als wäre nichts passiert.

»Leck mich doch!«, dachte Hannah jedes Mal, wenn sie auf die »na sowas«-Sprechblase schaute. »na sowas«. Was sollte das denn heißen?

Huch, ich schlafe sonst ja nicht mit meinen Studentinnen, weiß auch nicht, wie das passieren konnte? (Wer's glaubt …)

Hey, das war toll, lass uns das bei Gelegenheit wieder machen? (Hätte er dann ja aber auch genau so schreiben können.)

Haha, interessanter kleiner Zwischenfall gestern, aber auch nicht der Rede wert, bitte mach mir keine Szene? (Hätte sie ohnehin nicht, sie hatte ja nicht einmal geantwortet.)

Du, ich bin vollkommen überwältigt und muss das jetzt alles erst mal einordnen? (Ach, leck mich doch.)

Vom ersten Semester an hatte Hannah Andreas Sonthausen bewundert, ohne jeden Hintergedanken. Sie bewunderte ihn für seinen melancholischen Witz, die Art und Weise, wie er sich im Hörsaal in Rage reden konnte, überhaupt dafür, dass er ein Thema hatte, das ihn so brennend interessierte, und dass er in der Lage war, seine Zuhörer ebenso dafür zu interessieren. Sie bewunderte die amüsierte Herablassung, mit der er die üblichen Schleimer und Schwätzer in seinen Seminaren auflaufen ließ, sie mochte, wie er sich beim Nachdenken mit Mittel- und

Ringfinger die Augenbrauen glatt strich. Und sie mochte sein freundliches Interesse an ihr. Sie hatte keine Ahnung, was sie nach ihrem Abschluss tun sollte, und hatte eher halbherzig über eine Promotion nachgedacht – und er hatte sie ermutigt. Dabei war Halbherzigkeit wirklich Gift für jedes Promotionsvorhaben, das wusste Hannah. Und Andreas, ihr Doktorvater, wusste es erst recht, hatte ihr aber trotzdem ein besonders freundliches Gutachten für ein Promotionsstipendium geschrieben. Sie hatte sich kaum Chancen auf die Mitarbeiterstelle bei ihm ausgerechnet, denn sie war nicht gerade eine seiner präsentesten oder besten Doktorandinnen – und sie hatte die Stelle trotzdem bekommen.

Nie war Andreas Sonthausen auch nur eine Spur zweideutig gewesen, nie hatte er Hannah in einer Weise angesehen, die ihr merkwürdig vorgekommen wäre, nie hatte sie sich zweideutige Gedanken über ihn gemacht. Alles war gut und vollkommen normal gewesen. Bis sie Andreas auf diese Reise nach Marbach begleitet hatte, wo er Archivmaterial sichten und einen Vortrag halten sollte und Hannah gefragt hatte, ob sie nicht mitkommen wolle, ein Kollege aus dem Fachbereich habe abgesagt und das zweite Hotelzimmer sei nicht zu stornieren und schließlich müsse sie für ihre Diss ja sicher auch ins Archiv.

Und dann hatten sie an der kleinen Hotelbar noch etwas getrunken, nachdem Andreas den ganzen Tag schweigsam und abwesend gewirkt hatte. Er hatte ein bisschen was erzählt von seinem neuesten Buch, mit dem er nicht so recht vorankam, von Förderanträgen für Forschungsprojekte, die viel zu viel Zeit beanspruchten, und wie sehr er manchmal seine Frau beneidete, die eine Galerie in der Auguststraße hatte und dort junge, angesagte Künstler ausstellte, sich also mit dem Leben und den Lebenden beschäftigte und nicht mit Theorie.

Hannah hatte ihm nach drei Gin Tonic noch geholfen, Unterlagen auf sein Hotelzimmer zu bringen, und dann hatte Andreas Sonthausen sie eben doch so angesehen. Anders angesehen. Mit einem Blick, der bodenlos und traurig war und den sie viel zu lang erwidert hatte. Und als er einen Schritt auf sie zugemacht hatte – oder vielleicht auch nur einen Schritt vage in ihre Richtung, um ihr die Zimmertür aufzuhalten, so ganz sicher war sie sich hinterher nicht mehr, hatte sie ihn geküsst. Oder er sie. So genau war das nicht mehr zu sagen, sie waren irgendwie ineinander gestolpert, und es hatte sich gut genug angefühlt, um kurz zu vergessen, dass das alles keine gute Idee war.

Sie hatten eine Weile knutschend im Hotelzimmerflur gestanden, und dann hatte Hannah begonnen, ihm das schwarze Hemd aufzuknöpfen, und er hatte ihr den Pullover über den Kopf gezogen, und dann mussten sie lachen, weil Hannah vergessen hatte, sich ihre Chucks auszuziehen, bevor sie versucht hatte, aus ihrer Hose zu schlüpfen, und nun hing sie fest, ein Hosenbein auf links gedreht, und Andreas kniete sich vor sie und knüpfte ihr die Schnürsenkel auf. Sehr fürsorglich.

Warum das mit dem spontanen Sex in Hotelzimmern nicht so laufen konnte wie im Film, fragte sich Hannah, wo sich beide Schauspieler auf dem Weg vom Fahrstuhl bis ins Hotelbett so locker und selbstvergessen ihrer Kleidung entledigten und nie an Schuhen hängen blieben oder sich die Fingernägel an Gürtelschnallen abbrachen. Aber nun war auch alles egal, sie hatten es beide halbwegs nackt aufs Bett geschafft, im Badezimmer rauschte die Belüftung und im Fernsehen lief ein Bildschirmschoner mit Fotos von der

Hotellobby und dem Frühstücksbuffet. Hannah lag auf dem Rücken, der Gin machte alles angenehm luftig in ihrem Kopf, und Andreas tat irgendwas rund um ihren Bauchnabel, was sich gut anfühlte.

In den Wochen nach der Nacht in Marbach hatte Andreas Sonthausen sie mit dem gleichen freundlich-distanzierten Interesse bedacht wie zuvor. Als wäre überhaupt nichts geschehen. Kein wissender Blick, keine Andeutung, er hatte sie noch nicht einmal gemieden. Diese verfluchte »na sowas«-Nachricht in ihrem Handy war der einzige Beleg dafür, dass sich Hannah die Sache mit Andreas nicht komplett eingebildet hatte, und das machte sie wahnsinnig. Sie hatte angefangen, ihn heimlich zu stalken, nicht physisch, eher im Verborgenen. Sie checkte, wann er bei WhatsApp online ging, sie googelte seinen Namen auf der Suche nach Spuren, mied dabei die Berichte über Ausstellungseröffnungen in der Galerie seiner Frau. Sie besorgte sich längst vergriffene Texte aus der Frühphase seiner akademischen Laufbahn, sie blieb länger als notwendig in ihrem kleinen Büro in der germanistischen Fakultät, in der Hoffnung, er könnte noch einmal den Kopf zur Tür reinstecken, was er nie tat. Sie gab sich doppelte Mühe bei ihren Colloquiumsvorträgen und versuchte, in Andreas' Kommentaren irgendeine Anspielung oder eine Botschaft herauszuhören – vergeblich.

Hannah hasste sich für die zunehmend obsessive Art, mit der sie an ihn dachte. Abends beim Einschlafen, in der U-Bahn, in der Bibliothek, zu Hause, wo sie am Küchentisch vor ihrem leeren Word-Dokument saß und nicht anfangen konnte zu schreiben. Sogar samstagnachts, wenn sie allein in die Schraube ging, den Club am Spreeufer zwischen Jannowitzbrücke und dem alten Heizkraftwerk der Stadtbetriebe, um sich den Kopf mit Bass zu füllen und an nichts zu denken. Selbst dann schob sich Andreas in ihr Bewusstsein.

Und jetzt, im Bus, dann in der U1 in Richtung Kreuzberg, auf dem Weg vom Kotti in ihre Wohnung im zweiten Stock in der Oranienstraße, reifte ein Plan in ihr. Sie hatte nun diesen Brief in der Tasche und bevor sie Evelyn damit konfrontierte, musste sie mit irgendjemandem darüber sprechen, am besten jetzt sofort. Einem Erwachsenen. Oder Erwachsenerem. Ihren Vater hatte sie zuletzt bei ihrer Einschulung gesprochen, ihrer Mutter was an den Grabstein zu quatschen würde nicht ausreichen, diesmal brauchte sie Antworten. Einen Rat. Sie schloss die Wohnungstür auf, nahm ihr Handy aus der Manteltasche, lief über die weiß lackierten Dielen ins Wohnzimmer, zog die Vorhänge zu, so als könnte sie jemand bei etwas Verbotenem beobachten. Setzte sich auf ihr weißes IKEA-Sofa, atmete tief durch, sagte noch einmal laut und für sich »Leck mich doch!« und drückte auf den grünen Hörer neben Andreas' Nummer.

Na sowas, na sowas, na sowas.

4.

Das Schönste am Morphium war nicht unbedingt der Rausch. Das Schönste war die Vorfreude. Die Minuten, bevor Trude die Spritze setzte, das Wissen, dass sie sich nun mit Wonne in den Abgrund ihres Unglücks werfen durfte. Noch einmal all die schlimmen Gedanken denken, den Schmerz fühlen, sich suhlen in der Vergeblichkeit ihrer unerfüllbaren Sehnsucht – wissend, dass sich kurz vor dem Aufschlag der rettende Fallschirm der Droge aufspannen würde.

Die Spritze hatte Trude schon aufgezogen und zusammen mit dem Stauschlauch neben die Schüssel gelegt, in der die anderen Instrumente sterilisiert werden mussten. Die leere Morphiumampulle hatte sie in die Tasche ihres Schwesternkittels gleiten lassen, um sie später auf dem Nachhauseweg heimlich hinter irgendeine Hecke zu werfen. Noch war es nicht so weit, noch hatte sie zu tun, aber die Spritze wartete dort auf sie wie der Nachtisch nach einem faden Essen.

Doktor Klausen war längst gegangen und hatte ihr die Praxis überlassen, damit sie in Ruhe aufräumen konnte. Saß jetzt sicher zu Hause bei seiner Frau, die er nicht verlassen würde. Niemals, er hatte es gerade heute wieder gesagt. Aber das hatte er schon so oft. Hatte schon so oft in seinem gestärkten weißen Arztkittel vor ihr gestanden und ihr gesagt, dass das alles aufhören müsse, dass sie beide damit aufhören müssten, mit dem Morphium und allem, was es in ihnen auslöste, die selbstvergessenen Momente im Behandlungszimmer nach dem Ende der Sprechstunde, wenn ihnen beiden alles so irritierend gleichgültig war.

Trude wusste ganz genau, dass das alles nicht aufhören würde, sie und er, das war etwas Besonderes. Sie hatten eine gemeinsame Bestimmung und eine Geschichte. War seine Frau etwa an seiner Seite gewesen, im Lazarett in Masuren? Hatte sie ihn etwa nachts getröstet, wenn er vom vielen Amputieren zu aufgewühlt war, um zu schlafen? Hatte sie ihm das verkrustete Blut aus den Haaren gewaschen, nach einem Tag am Operationstisch? Hatte sie etwa die Schreie und das Stöhnen gehört und die Hoffnungslosigkeit der jungen Männer gespürt, die entweder starben oder wieder notdürftig zusammengeflickt an die Front geschickt wurden, wenn sie nicht zu Zitterern geworden waren?

Trude war ein Engel gewesen, an ihrer weißen Schwesterntracht klebten unsichtbare Flügel. Sie hatte so viele Hände gehalten und Schwüre abgenommen und so getan, als würde sie letzte Worte notieren, um sie irgendwelchen Verlobten oder Müttern zu schicken. Vor allem aber war sie der Engel mit der Spritze. Der rettenden Morphiumspritze, die den Schmerz nahm und den Frieden brachte und diese unschuldige Euphorie. Wer hätte es ihnen beiden verdenken sollen, dass sie in all dem stinkenden Elend nicht auch einmal ein bisschen Frieden finden wollten, zumal er so einfach zu haben war: Ein Schlüssel zum

Medizinschrank, eine gute Vene, und binnen Sekunden fühlte man sich, als sei man im Innersten mit Samt ausgeschlagen.

Doktor Klausen war bei alldem disziplinierter gewesen als sie, das musste Trude zugeben. Er hatte Prinzipien, das liebte sie ja so an ihm, er spritzte niemals selbst. Er ließ sich lieber von Trude verarzten, einmal die Woche, an ihrem verabredeten Tag, wenn sie beide länger in der Praxis im Rostocker Westen blieben. Da durfte sie wieder der Engel sein, erst für ihn, dann für sich selbst. Eine Stunde warmweiche Lust, bevor er nach Hause ging zu seiner Frau und den Kindern und sie zu sich, wo niemand wartete, außer dem Geist ihrer Mutter, der sie aus der Zimmerecke anstarrte. Bis dahin hatte die Wirkung des Morphiums in der Regel nachgelassen, gerade noch hatte sie Doktor Klausen in fröhlicher Gleichgültigkeit mit einem langen Kuss verabschiedet, in ihrem Zimmer im ersten Stock ihres Elternhauses musste sie sich dann so schnell wie möglich schlafen legen, um die beißende Einsamkeit nicht zu lange zu spüren.

Heute war nicht ihr gemeinsamer Tag, heute gehörte das Morphium Trude ganz allein. Eine Weile hatte sie sich an die Regel gehalten: Einmal in der Woche, keinesfalls öfter, man konnte sonst irgendwann nicht mehr verzichten. Aber verzichtete sie nicht schon auf so viel anderes? Inzwischen spritzte sie sich einmal am Tag, immer abends nach der Sprechstunde. Die Nadel war steril, und sie achtete darauf, dass sich die Stiche nicht entzündeten, sie hatte das im Griff, sie war schließlich vom Fach. Sie war nicht wie die Krüppel, die versuchten, Doktor Klausen die Rezeptblöcke vom Schreibtisch zu stehlen. Die bettelten und jammerten und kaltschweißig zitterten, weil sie ohne Morphium nicht mehr sein konnten. Die neben Gliedmaßen im Krieg auch noch Ehen und Besitz verloren hatten. Nein, eine von diesen ehrlosen Kreaturen war sie nicht, sie hatte alles unter Kontrolle.

Trude zog die Laken von der Behandlungsliege und holte neue aus dem Schrank, steckte ihre Nase dabei in Doktor Klausens Ersatzhemden, die dort aufgereiht auf hölzernen Kleiderbügeln hingen und nach einer Mischung aus Waschmittel, Pfeifentabak und Formaldehyd rochen.

In einer halben Stunde würde ihr Bruder da sein, um sie abzuholen, weil er etwas Wichtiges mit ihr zu besprechen hatte. Konnte ja nur um Senta gehen. Wie immer, wenn Trude ihrem Bruder Ulrich ein Ohr leihen musste, weil er mit keinem seiner Freunde darüber sprechen konnte.

Ulrich war das beste Beispiel dafür, wie die falsche Frau aus einem Mann eine Witzfigur machen konnte, und Trude hatte es von Anfang an gewusst. Dieses Mädchen, das sich ihrem Bruder an den Hals geworfen und sich von ihm ein Kind hatte machen lassen, seine Arglosigkeit ausgenutzt und auf seinen Edelmut gebaut hatte. Jeder hätte verstanden, wenn er sie nicht geheiratet hätte, die dunkle Bohnenstange ohne nennenswerte Familie. Keine Partie für einen wie ihn. Er hätte jede haben können und war doch dumm genug gewesen, hier den Ehrenmann zu spielen. Trude bekam sofort feuchte Augen bei dem Gedanken an die Hochzeit, hastig arrangiert, bevor man den Bauch zu deutlich sah. Senta mit ihren dämlich glotzenden Schwestern und der stillen Mutter, die sie so durchdringend angesehen hatte, als könnte sie Trudes Gedanken lesen. Alle in selbst genähten Kleidern aus billigem Tuch. Die sich an den Pasteten und den Spanferkeln satt gefressen hatten, die Ulrich spendiert hatte, schließlich gab es ja keinen Brautvater, der das hätte übernehmen können. Lumpenpack. Das nun zur Familie gehören sollte.

Kein halbes Jahr nach der Hochzeit war Mutter gestorben, zu groß war der Kummer über das Unglück des Sohnes, der so viel geopfert hatte fürs Vaterland und nun gebunden war an ein Mädchen, das nicht mal einen Haushalt führen konnte. Die die ungewaschene Wäsche aufbügelte und zurück in den Schrank legte, Trude hatte es selbst gesehen. Senta, wie sie mit erloschenem Blick und nachlässig hochgebundenen Haaren das Bügeleisen auf Ulrichs Hemden presste, als wollte sie jemanden bestrafen. Die nichts von dem rosigen Glimmen an sich hatte, das schwangere Frauen sonst umgab. Die in der Küche in Tränen ausbrach, weil ihr nichts gelang, nicht mal ein simples Schmorfleisch, und weil hinterher Töpfe und Pfannen verbrannt und verkrustet waren und alles in größter Unordnung war.

Und dann die Geburt. Da hatte ihr Ulrich ein Kind geschenkt und diese dumme Gans weigerte sich, es zu gebären. Trude hatte wirklich versucht, mit Senta schwesterlich zu sein, ihr Sympathie und Geduld und Großmut entgegenzubringen. Und natürlich hatte sie sich der Bitte ihres Bruders nicht verweigert, bei der Geburt zu helfen und der Hebamme zur Hand zu gehen, die sich alle Mühe gab, Senta zum Pressen zu bewegen. Aber nein, das Mädchen wimmerte und schrie sich lieber die Seele aus dem Leib, kein bisschen Würde und Anstand wahrte sie, so als wäre sie die erste Frau auf der Welt, die ein Kind bekam. Diesen völlig natürlichen Vorgang durch übertriebene Wehleidigkeit zu erschweren, das war typisch für Senta. Nach sieben Stunden in den Wehen hatte Trude durchgreifen müssen und Senta angeschrien, jetzt sei es aber mal gut, jetzt müsse sie eben etwas arbeiten für ihr Glück, verdammt noch mal, wo ihr doch sonst alles buchstäblich in den Schoß gefallen sei, und dann endlich, nur vier oder fünf Presswehen später, kam Evelyn.

Rot und schrumpelig und mit heiseren Schreien, die fast wie Fauchen klangen, hatte sie in Trudes Armen gelegen, während sich die Hebamme um die Nachgeburt kümmerte und Senta mit leeren Augen an die Wand guckte. Trude hatte das Mädchen gebadet und in ein Handtuch gewickelt und dabei ein altes Schlaflied gesummt. Das Kind hatte sie mit seinem milchigen Blick fixiert, und Trude hatte zurückgeschaut und gedacht: »Du solltest mir gehören«, bevor sie ihren Bruder aus der Küche holte. Der hatte dort nervös rauchend am Tisch gesessen und gewartet, und als Trude ihm sagte, dass es ein Mädchen sei, nahm er noch einen tiefen, resignierten letzten Zug.

Drei Jahre war das nun her. Drei Jahre, in denen Trude Senta beim Scheitern zusehen musste. Senta hatte erst zu wenig Milch, dann eine Brustentzündung, Evelyn schrie viel und Senta weinte stumm. Schaute ihr Kind an, als wüsste sie auch nicht, was ihr da nun eigentlich widerfahren war. Senta wickelte und badete und fütterte die kleine Evelyn zwar nicht lieblos, aber doch abwesend, als wäre sie mit den Gedanken ganz woanders. Und wenn Ulrich in der Nähe war, zwang sie sich zu freundlicher Heiterkeit, die ihr sofort aus dem Gesicht fiel, sobald er das Zimmer verließ. Senta spielte das Ehefrau- und Muttersein, so wie man als Kind »Familie« spielte. Sie verbarg sich. Nur einmal hatte Trude ihre Schwägerin so richtig gelöst gesehen und das war, als sie zufällig dabei war, als das Telefon klingelte und Senta mit roten Wangen und zitternder Stimme mit einer Freundin in Berlin gesprochen hatte, die da wohl schon seit einer Weile lebte – unter welchen

Umständen, das mochte Trude sich gar nicht vorstellen, man hörte ja so einiges.

Evelyn dagegen war Trudes Augenstern. Optisch schlug sie mit ihren schwarzen Haaren zwar nach der Mutter, aber das Gemüt, den starken Charakter, den hatte sie vom Vater. Wie sie sich stundenlang friedlich in einer Ecke sitzend mit ihrer Puppe beschäftigen konnte, diese aber entschlossen verteidigte, wenn der Nachbarshund auf der Straße danach schnappte. Knapp drei Jahre alt und schon eine Kämpferin. Trude war absolut davon überzeugt, dass sie dem Kind die bessere Mutter gewesen wäre. Gut, das war nicht schwierig. Aber es war ja nun mal auch eine himmelschreiende Ungerechtigkeit, dass Senta all das häusliche Glück so gar nicht zu schätzen wusste. Sondern seit drei Jahren mit dieser sauertöpfischen Dumpfheit durch den Tag ging. Und keine Anstalten machte, erneut schwanger zu werden, so langsam wäre es ja nun an der Zeit.

Apropos Zeit: Der Hunger und die innere Unruhe waren nun nicht mehr zu leugnen, und länger aufschieben würde sie die Spritze nicht können, Ulrich würde sicher bald hier sein. Die Praxis war aufgeräumt und vorbereitet für den nächsten Tag, Trude hatte sich ihre Medizin mehr als verdient. Der schwere Sessel hinter Doktor Klausens Schreibtisch war der beste Platz, um den Stauschlauch festzuziehen und die Spritze zu setzen und den Kopf für eine Weile nach hinten in die Mulde zwischen Rückenlehne und Sessellohr zu schmiegen. Trude drückte sich die gelbliche Flüssigkeit in die linke Armbeuge, löste den Schlauch, den sie fest um ihren Oberarm gezogen hatte, und ließ sich in die Umarmung des Sessels fallen. Samtweiches goldenes Glück schwappte durch ihren Körper, nur kurz die Augen zumachen, dachte sie …

Und dann wie im Nebel Ulrichs Gesicht über ihrem, warum guckst du so traurig, liebster Bruder, hab ich die Tür nicht zugemacht? Nein, mir geht es gut, ganz wunderbar, lass die Spritze doch einfach liegen, es ist nur eine Spritze, Ulrich, was schaust du so grimmig, es ist doch alles schön. Alles ist schön und leicht, schau mal, wir sind doch wie Engel, wir zwei, nur dass ich kein Flugzeug brauche, ich flieg auch so. Nun zieh doch nicht so, Ulrich, zieh mich doch nicht so vor die Tür, ich komme ja, ich fliege mit dir den Gehsteig entlang, hui, wie leicht alles ist. Alles ist wunderbar, und ich hör gar nicht so richtig, was du da sagst. Dass ich mich lächerlich mache mit dieser Affenliebe zu einem verheirateten Arzt. Lächerlich? Das ist mir egal, alles ist Liebe und Wärme und Wonne, warum damit aufhören, Bruderherz, warum? Wo es doch so schön ist und niemandem wehtut? Was weißt du schon, wie schnell etwas unentbehrlich wird, wie schnell man nicht mehr ohne kann, selbst wenn es nur ein bisschen Zuneigung ist von einem Mann, der einem nicht gehört. Was sagst du, Senta geht weg? Schön, ja, wunderbar, das soll sie tun, weggehen, einfach weggehen, so als wäre sie nie hier gewesen. Ach, Brüderchen, nimm es nicht schwer, du wirst leichter sein ohne sie, es wird wieder wie Fliegen sein, so viel Freiheit.

Und dann hatte Ulrich ihr eine geklebt. Einmal rechts, einmal links, das hatte er schon lange nicht mehr getan, nicht, seit sie beide Kinder gewesen waren. Der physische Schmerz war nicht der Rede wert, aber der harte Aufschlag im klaren Bewusstsein, der schmerzte. Der sanfte Nebel war nun beinahe verschwunden, und Trude sah ihren Bruder in all seiner Wut. Wie ihm der Unterkiefer zitterte, die Zähne fest aufeinandergepresst, die blauen Augen starr.

»Das hört jetzt auf. Jetzt. Auf der Stelle«, sagte er, so ruhig er konnte. »Du wirst keinen Tag länger für diesen Mann arbeiten. Du wirst nie wieder dieses Zeug nehmen. Du wirst weggehen aus Rostock und dich zusammenreißen und für Evelyn sorgen.«

Evelyn. Wieso Evelyn? Ulrich packte seine Schwester fest an den Schultern und sah ihr gerade ins Gesicht, mitten hinein in die immer noch winzigen Pupillen. »Senta will weg. Wir werden uns scheiden lassen, Trude. So schnell wie möglich. Aber meine Tochter kriegt sie nicht.« Ein hartes Schlucken und ein kurzer Blick zur Seite, dann fixierte er sie erneut. »Sie ist klein genug, um ihre Mutter schnell zu vergessen. Du wirst für sie sorgen und sie großziehen, und zwar weit weg von diesem Quacksalber, für den du nichts weiter als eine Hure bist.«

Trude wollte nach Hause, in den Schutz ihrer Zimmerhöhle, Vorhänge zuziehen, früh schlafen. Vor allem wollte sie allein sein. Aber Ulrich hatte sie fest untergehakt und zog sie die Straßen entlang, bis zu ihrem gemeinsamen Elternhaus, in dem Trude nun allein wohnte und das unbehaust und ein bisschen heruntergekommen wirkte, seit ihre Eltern tot waren. Er würde ein paar Tage hier übernachten, hatte Ulrich gesagt, bis alles geregelt sei. Vor allem schnell solle es gehen, sagte er, je schneller, desto besser. Die ganze Sache mit Senta sei ein Fehler gewesen, den er nun korrigieren würde. Nicht lang fackeln, Entscheidungen treffen, handeln – war es nicht das, was ihn als Soldat ausgezeichnet hatte?

Die Wohnzimmermöbel hatte Trude mit weißen Laken zugehängt, sie nutzte den Raum ohnehin nicht. Aber Ulrich war zielstrebig hineinmarschiert, hatte die Stehlampe angemacht und das Laken von einem der beiden Sofas gezogen – hier würde er schlafen. Dann war er zur staubigen Wohnzimmervitrine gegangen und hatte eine Flasche Klaren und zwei Gläser herausgeholt und sich und seiner Schwester am Küchentisch je ein Schnapsglas vollgeschenkt. Trude trank ihres in einem Zug aus. Der Schnaps half gegen die Leere und die kalte Klarheit nach dem Morphiumrausch.

»Du blutest«, sagte Ulrich von der anderen Seite des Tisches, während er sein eigenes Schnapsglas noch einmal bis zum Rand füllte. Jetzt sah Trude es auch: Eine lange rote Blutspur lief ihr über die rechte Hand. In der Tasche ihres Schwesternkittels war die gläserne Morphiumampulle in winzige Scherben zerborsten.

5.

Am Morgen nach dem Telefongespräch mit Andreas lag Hannah in ihrem Bett und schwor sich, nie wieder zu telefonieren. Jedenfalls nicht, wenn es wichtig war. Sie hätte nachdenken und eine E-Mail schreiben sollen, wenn überhaupt. Aber nein, sie war eine Idiotin, die sich unentwegt in idiotische Situationen brachte. Was für eine brutal dämliche Kackidee, am frühen Abend ihren Prof auf dem Handy anzurufen. Wegen eines Briefs. Den sie in Wahrheit nur als Vorwand nutzte, um seine Stimme zu hören. Und um sich ein bisschen interessant zu machen.

»Hannah. Na, so was!«, hatte er sich gemeldet, und Hannah hatte kurz schrill aufgelacht und dann nach Fassung gerungen. Sich umständlich für die Störung entschuldigt und versucht zu erklären, warum sie anrief. Noch während sie das erklärte, war ihr klar geworden, wie absurd das war. Was hatte sie denn erwartet? Dass er bei ihr vorbeikommen würde? Dass er genau wüsste, was jetzt zu tun sei? Dass er ihr würde sagen können, wie sie mit ihrer Großmutter über das Erbe eines jüdischen Kunstvermögens reden sollte, mit dem sie offenbar nichts zu tun haben wollte?

»Das klingt wirklich spannend, Hannah. Aber ich weiß nicht genau, wie ich dir da helfen kann«, hatte Andreas gesagt. Und Hannah hatte geantwortet: »Ich brauche einfach nur … einen väterlichen Rat.«

Väterlicher Rat. O Gott, sie hatte es genau so gesagt. Und dann gehört, wie Andreas lange ausatmete. »Ja, gut, ich denke mal darüber nach. Warum rufst du nicht einfach bei dieser Kanzlei mal an und fragst die?«

Väterlicher Rat. Väterlicher Rat. Wie eine Abrissbirne donnerte das in Hannahs Magen umher, jedes Mal, wenn sie in der Nacht im Halbschlaf daran gedacht hatte. Herzlich willkommen in Hannah Borowskis Proseminar zum Thema »Wie man sich nicht für eine Affäre mit einem älteren Mann empfiehlt«. Heute sprechen wir über Daddy-Issues und darüber, wie uns ein leiblicher Vater, der nie etwas mit uns zu tun haben wollte, in unseren Liebesbeziehungen prägt. Wenn Sie, liebe Studierende, das Produkt einer heimlichen Affäre Ihrer Mutter mit einem verheirateten Mann sind, so wie ich, dann werden Sie schon früh in Ihrem Leben die Erfahrung gemacht haben zu stören. Sie sind ein Kostenfaktor und das buchstäblich fleischgewordene schlechte Gewissen. Sie sind die Erinnerung an einen fatalen Fehler, nein, Moment, das formuliere ich noch einmal präziser: Sie SIND der fatale Fehler. Sie sind das, was keiner wissen darf. Sie sind die scharfe Waffe in der Hand Ihrer Mutter, wenn sie mit Ihnen stundenlang auf einer Parkbank vor einer Gründerzeitvilla in Zehlendorf sitzt und auf die geschlossene Tür starrt, so lange, bis ein wütender Mann, der Ihnen fremd und vertraut zugleich vorkommt, die Tür öffnet, die Treppe herunterkommt, die Straße überquert und sagt, dass es nun aber langsam mal gut sei und was denn noch, bitte schön, er zahle regelmäßig und wünsche keinen Kontakt und verbiete Ihrer Mutter, hier weiter aufzutauchen und ihn und seine Familie zu belästigen.

Denn da gehören Sie nicht dazu, zu seiner Familie, das ist klar.

Möglicherweise haben Sie, auch auf Drängen Ihrer Mutter, ein paar Jahre lang immer kurz vor Weihnachten noch ein hübsches Bild gemalt und »Für Papa« draufgekrakelt, aber nie eine Antwort bekommen. Bis auf den Tag Ihrer Einschulung, da hatten Sie ein besonders hübsches Kleid an und eine Schultüte mit Schmetterlingen drauf im Arm und vor dem Schultor drückt Ihnen plötzlich ein fremder Mann ein kleines Geschenk in die Hand und sagt: »Alles Gute für dich.« Und in dem Papier ist ein lilafarbener Stifthalter mit einem ALF drauf, der »Null Problemo!« sagt, und der steht immer noch auf Ihrem Schreibtisch, weil es das erste und einzige Zeugnis von Beachtung ist. Wenn Sie, liebe Studierende, nun als einigermaßen erwachsene Menschen Sex mit einem deutlich älteren Mann haben und Sie hätten gern, dass sich das noch einmal wiederholt, dann vermeiden Sie unbedingt das Wort »väterlich«, denn dieser Mann möchte ja – wenn überhaupt – Ihr Liebhaber sein und kein Vaterersatz und beides geht nun mal nicht zusammen, und wenn doch, o Gott, das wäre schon ziemlich krank, bitte suchen Sie sich einen Therapeuten und lesen Sie unbedingt den Reader, den ich Ihnen zusammenkopiert habe, bis nächste Woche, schönen Tag noch.

Hannah starrte auf die drei bedruckten Leinwände, die sie dem Kopfende gegenüber an die Wand gehängt hatte, für den ersten Blick gleich nach dem Aufwachen: Kiesel, Herbstlaub und Muscheln – ein Triptychon des schlechten Geschmacks, direkt aus der IKEA-Dekoabteilung. Es half dabei, die besonders coolen Start-up-Boys morgens so früh wie möglich aus ihrem Bett zu vertreiben, bevor sie mit ihnen hätte reden müssen. Aber das war nur ein

willkommener Nebeneffekt, Hannah mochte die freund-
lich-verbindliche Vorstadt-Fertighaus-Heimeligkeit, die
von ihnen ausging. Das waren genau die Bilder, die glückliche Menschen in ihre Kleinfamiliennester hängten, in den
Flur oder ins Badezimmer. Wenn Hannah auf die Kiesel,
die Muscheln und das Herbstlaub starrte, konnte sie den
Filterkaffee und das frische Toastbrot eines Sonntagsfrüh-
stücks riechen oder sich fühlen wie ein Kind im Ostsee-
urlaub, von Papa nach dem Toben in der Brandung in
einen Frotteebademantel gehüllt, auf der Decke unterm
Sonnenschirm Käsestullen essend. Sie konnte sich vorstellen, wie es wäre, mit jemandem Hand in Hand und in
farblich aufeinander abgestimmten Funktionsjacken durch
einen Herbstwald zu spazieren, und irgendwo lief noch ein
Golden Retriever durchs Bild, wie in einer verdammten
Tchibo-Werbung. So was wie stinknormales Zu-Hause-
Sein. Andere Leute meditierten oder stickten sich Sinnsprü-
che in Sofakissen oder machten ein riesen Gewese um
ihren Morgenkaffee – sie starrte auf Kieselsteine, Herbstlaub und Muscheln, so lange, bis die quälenden Nacht-
gedanken verschwunden waren und sie sich aufraffen
konnte, den Tag zu beginnen.

Und jetzt würde sie tatsächlich langsam aufstehen müssen, von zehn bis zwölf war ihre Schicht in der Erstsemester-
beratung und sie war schon spät dran. Heute war wirklich
nicht der Tag, an dem sie irgendwen ermutigen wollte,
Germanistik zu studieren, und sie hoffte, dass heute nur
ein paar Zweifler kämen, die sie darin bestärken konnte,
das Studienfach zu wechseln, vielleicht doch Medizin zu
studieren oder Astrophysik. Oder die Uni einfach ganz zu
schmeißen für eine Ausbildung oder um mit der Band endlich durchzustarten oder als DJ reich zu werden. Aber

meistens saßen bei ihr eher blasse neunzehnjährige Mädchen, die mit der Auswahl ihrer Bachelor-Module nicht zurechtkamen oder darüber nachdachten, vielleicht lieber gleich auf Lehramt zu studieren, weil die Eltern gesagt hatten: Da hast du was Sicheres.

Was sollte sie denen heute sagen, außer: Schau mich an, ich war genau wie du, keinen Plan von gar nichts, keine Idee von meiner Zukunft oder was mir Spaß machen könnte oder wo meine Stärken liegen. Keine Idee von mir selbst, außer dass ich gern lese, also studiert man halt Germanistik und dann noch Soziologie und Ethnologie im Nebenfach, weil man die Patschuli-getränkte Luft und die friedliche Atmosphäre im Eine-Welt-Laden so mag und mal einen Salsakurs gemacht hat und glaubt, das habe irgendetwas miteinander zu tun. Und klar, das tut nicht weh, das machen viele, und du hoffst, dass irgendwann die große Idee kommt, was du mit deinem Leben eigentlich anfangen möchtest. Aber meistens kommt die eben nicht und dann studiert man, so lange es geht, und mogelt sich so durch und fängt dann an zu promovieren und plötzlich ist man nicht mehr neunzehn, sondern siebenundzwanzig und hat immer noch keine Idee. Überleg es dir gut, ob du so werden willst wie ich, Puppe, mach lieber was anderes.

In der U1 in Richtung Uni ließen die Abrissbirnenschläge in Hannahs Bauch langsam nach. Andreas hatte mittwochs keine Vorlesungen oder Seminare und arbeitete dann meistens von zu Hause, irgendwo in Charlottenburg, sie würde ihm also nicht begegnen. Sie stieg Dahlem-Dorf aus und lief in Richtung »Silberlaube«, dem grau verschalten Klotz, der zusammen mit der »Rostlaube« das zentrale Gebäude der Freien Universität bildete. Auf dem Zettel an der Tür zu ihrem Büro standen keine Namen, es hatte also offenbar gerade niemand Beratungsbedarf, das Semester war erst zwei Wochen alt, die allerersten Fragen hatten sich inzwischen von selbst erledigt und die Zweifel waren noch nicht nagend genug. Falls nicht spontan jemand kommen würde, hatte Hannah zwei Stunden Ruhe. Sie warf die Kaffeemaschine an, klappte ihren Laptop auf und schrieb aus reiner Gewohnheit »Andreas Sonthausen« in das Google-Suchfeld. Löschte es wieder. Atmete tief durch. Und dann fiel ihr ein, dass Andreas ihr ja tatsächlich einen Rat gegeben hatte. Den sie jetzt einfach befolgen würde. Sie holte den Brief aus ihrer Tasche und strich ihn vorsichtig glatt.

Aaron Cohen, Restitution-Research.

Nein, anrufen würde sie da ganz bestimmt nicht. Aber eine E-Mail schreiben, sich als Enkeltochter von Evelyn Borowski zu erkennen geben und mal nachfragen, was es mit der ganzen Sache auf sich hatte, das konnte sie schon.

Die Antwort aus Tel Aviv kam schneller, als Hannah erwartet hatte. Man dürfe ihr leider keine Auskunft erteilen, es sei denn, sie bekomme eine schriftliche Vollmacht von ihrer Großmutter, dass sie sie in dieser Angelegenheit vertrete. Ein entsprechend formuliertes Musterschreiben war der E-Mail beigefügt, das unterschrieben im Original und per Post an die Kanzlei gesendet werden müsse. Dann werde man sich umgehend melden. Und noch einmal die Versicherung: Kosten würden auf Hannahs oder Evelyns Seite keine entstehen, erst bei erfolgreicher Vermögensrestitution werde eine Provision fällig.

Hannah öffnete das Formular, setzte ihren und Evelyns Namen in die freien Stellen und klickte auf Drucken. Bis nächste Woche würde sie das Ding nicht mit sich herumschleppen, der Tag war eh gelaufen, also konnte sie auch gleich ins Westend fahren, zu ihrer Großmutter, und die Sache hinter sich bringen.

»Dachte ich mir schon, dass du das bist«, sagte Evelyn missmutig, als sie Hannah eine Stunde später die Tür öffnete.

Hannah war klar, dass sie ungelegen kam, es war kurz nach dem Mittagessen und wahrscheinlich hätte Evelyn nun einen kleinen Mittagsschlaf gemacht oder eine Kochshow geguckt oder was auch immer gerade die von ihr bevorzugte Art und Weise war, den Tag rumzukriegen. Musste sie heute eben mal drauf verzichten, dachte Hannah. Selbst schuld.

Evelyn setzte sich schnaubend zurück in ihren Sessel. »Ich hab doch gesagt, ich will damit nichts zu tun haben«, sagte sie.

»Hab ich verstanden, Omi, deshalb habe ich dir hier ein Formular mitgebracht, das musst du unterschreiben, dann kann ich mich in deinem Namen um alles kümmern und mit diesen israelischen Anwälten reden. Du musst dann damit gar nichts zu tun haben. Aber ein bisschen was dazu sagen könntest du schon.«

»Es gibt nichts zu sagen, Kind.«

»Wie, was, da gibt's nichts zu sagen. Jüdisches Kunstvermögen? Weißt du, was das heißt? Ich meine, da geht es ja offenbar um viel Geld. Ich wusste nicht mal, dass wir Juden in der Familie hatten. Das habt ihr mir nie erzählt, ich meine, nicht mal Mama hat je davon gesprochen, dass wir jüdische Vorfahren ...«

»Wir haben keine jüdischen Vorfahren«, sagte Evelyn scharf. »Das ist nicht deine Familie, Hannah, und meine ist es auch nicht. Das ist der ganze alte Kram meiner leiblichen Mutter, mit dem ich nichts zu tun haben will. Die war nämlich nicht wie deine Mutter, Hannah. Die hat mich nicht verhätschelt und im Tragetuch durch Thailand getragen und was Silvia sonst noch alles mit dir veranstaltet hat. Komm, gib her, das Papier, ich unterschreib dir alles, mach damit, was du willst. Aber ich will nichts davon hören, und ich will auch nicht darüber reden.«

Hannah holte das Formular aus ihrer Tasche und reichte es Evelyn, zusammen mit einem Kugelschreiber. Die unterschrieb, ohne sich auch nur die Brille aufzusetzen.

»Was macht deine Doktorarbeit? Bist du bald fertig? Und hast du eigentlich einen Freund?«

»Das sind die beiden Dinge, über die *ich* gerade nicht reden will, okay, Omi?«, sagte Hannah, ahnend, dass ihre Großmutter das ganz genau wusste und gerade deshalb fragte. Sie hoffte, diesen Besuch ohne das sonst übliche Ritual aus Uhrenaufziehen, Orchideengießen und Jalousienverstellen zu Ende bringen zu können. Und tatsächlich machte ihre Großmutter nur eine wegwerfende Handbewegung, so als wäre Hannah eine Dienstbotin, die gerade ein wenig zu beflissen um ihre Herrschaften herumfeudelte.

»Bis nächste Woche, Omi, ich komm dann wie immer.«

»Bring Folsäure mit und die Ginsengkapseln«, rief Evelyn noch, als sie schon fast aus der Tür war, und Hannah tat so, als hätte sie es nicht gehört.

6.

Rostock – Berlin, 1926

Wer hätte gedacht, dass man in den Zügen der Deutschen Reichsbahn so wunderbar weinen kann? Man sollte ein Geschäft daraus machen, dachte Senta. Sonderzüge, die einfach durch die Landschaft gondelten und in denen man ohne jede Hemmung heulen durfte, ohne dass einen jemand anstarrte. Das Schaukeln und Zischen und Rattern des Zuges und die vorbeiziehende Landschaft hatten es ihr leicht gemacht, endlich die Fassung zu verlieren. Und nun suppte eine nicht enden wollende Brühe aus Erleichterung und Schuldgefühlen aus ihr heraus. Kein schönes, damenhaftes Weinen, das anwesende Mitreisende animiert hätte, besorgt nachzufragen, ob man helfen könne. Im Gegenteil, ein Ehepaar mittleren Alters hatte sich gerade von Senta weggesetzt. Wer so ohne jede Hemmung heulte, der musste Schuld auf sich geladen haben, die kein Mitleid verdiente.

So war es ja auch. Eine Mutter, die ihr Kind zurücklässt. Die eine Ehe beendet, mit einem Mann, um den ihre Freundinnen sie beneideten. Eine Ehe, die vielleicht hastig geschlossen worden, aber ja nicht gänzlich lieblos gewesen war. Jedenfalls nicht von Anfang an. Man hätte sich arrangieren können, irgendwie. Jede andere hätte das getan. Hätte sich irgendwie eingerichtet in diesem Leben, hätte gelernt, Freude aus dem Führen eines Haushalts zu ziehen. Waschen, Putzen, Bügeln, Kochen, alles kein Hexenwerk, wenn man sich nicht so dämlich anstellte wie Senta. Und dazwischen Evelyn. Stumme Zeugin ihres Versagens, fleischgewordene Anklage. Senta hatte die ganze Schwangerschaft hindurch gehofft, dass sich irgendwann von ganz allein die Freude aufs Muttersein einstellen würde. Hätte doch sein können, dass einem das Wissen darum, wie man ein Kind umsorgt, gemeinsam mit der Muttermilch einschießt? Stattdessen hatte sie Evelyn gefürchtet. Hatte Angst bekommen vor ihrem eigenen Kind, vor dem Bedürfnis nach ständiger Nähe und unmittelbarer Reaktion. Dem verzerrten kleinen Gesicht, wenn Evelyn über Stunden nicht aufhörte zu weinen, und nichts konnte sie beruhigen, und von unten klopfte die alte Frau Strohmeyer mit dem Besen gegen die Decke und in Sentas Kopf war so viel Leere und Dunkelheit, dass Evelyns heisere Schreie darin hallten wie in einem Gewölbe.

Meistens hörte Evelyn auf zu schreien, wenn Trude vorbeikam und sie auf den Arm nahm und ihr den Bauch massierte. Der ging alles so viel selbstverständlicher von der Hand, die hatte diese zupackende Mütterlichkeit, ein Gefühl dafür, was Evelyn brauchte, wann sie es brauchte und wie viel davon. Es schmerzte Senta und gleichzeitig erleichterte es sie, wenn Evelyn die kleinen Ärmchen nach Trude ausstreckte und von ihr auf den Arm genommen werden wollte, obwohl Senta direkt danebenstand. Ich reiche ihr nicht, dachte sie, ich bin nicht genug. Meine Liebe ist ihr nicht genug, sie braucht mehr davon, aber mehr habe ich nun mal nicht.

Senta wusste, dass Trude im Grunde dasselbe dachte, sie ließ es sie beinahe täglich spüren. Was für eine Enttäuschung sie war, nicht mal die natürlichste Sache der Welt konnte sie richtig machen.

»Du hältst sie falsch.«

»Das Kind ist zu dünn, Senta, du gibst ihr nicht genug.«

»So friert sie doch, du musst sie wärmer anziehen.«

»Willst du ihr nicht mal etwas stricken?«

Senta hatte sich selbst gehasst dafür, wie endlos lang und eintönig ihr die Tage allein mit Evelyn vorkamen und wie müde und traurig sie war. Auch dann noch, als Evelyn nach sechs Monaten kaum noch schrie, sondern meist sehr still irgendwo saß oder lag und sich mit ihren Füßen oder Fingern beschäftigte. Trotzdem hatte Senta oft stundenlang planlos in der Wohnung herumgestanden, unfähig, irgendetwas Sinnvolles zu tun. Dabei hätte es so viel gegeben, was erledigt werden musste, aber schon der Gedanke an all diese Dinge lag ihr wie ein nasser, schwerer Sack auf den Schultern. Eine dicke Staubschicht legte sich über die Möbel, die Anrichte, den Schrank, den Wandspiegel, die Bilderrahmen, nur hier und dort gezeichnet von Fingerwischspuren, die entweder Evelyn oder Trude dort hinterlassen hatten. Evelyn bei ihren eher seltenen Erkundungsausflügen durch die Wohnung, Trude bei heimlichen Kontrollrundgängen, wenn sie ermessen wollte, wie tief das Unglück war, in das ihr geliebter Bruder sich durch diese Eheschließung gestürzt hatte.

Wenn Ulrich am frühen Abend nach Hause kam, zwang sich Senta, heiter und unbekümmert zu wirken, schon um seiner mürrischen Einsilbigkeit etwas entgegenzusetzen. Er war auch nicht glücklich. Das Leben als Zivilist bekam ihm nicht, das Automobilgeschäft kam nicht recht in Gang, und allmählich verblasste sein Heldenglanz. Das Geld war knapp, und alles schien mühsam. Im Grunde, das spürte

Senta, fühlte sich Ulrich genauso gefangen wie sie. Glücklich schien er nur, wenn er von Kameradschaftsabenden kam, wo sich ehemalige Offiziere und Soldaten höherer Ränge trafen und in Erinnerungen schwelgten, bei denen der demütigende Rückzug tunlichst ausgespart wurde. Zunächst hatten diese Abende einmal im Monat stattgefunden, dann schließlich zweimal in der Woche, jedenfalls erzählte Ulrich es so, und Senta hatte nicht protestiert, im Gegenteil, sie genoss seine Abwesenheit. Abends, wenn Evelyn endlich schlief, hatte sie ihre Schreibmaschine vom Schrank geholt und angefangen, wieder Tipp-Übungen zu machen und Briefe an Lotte zu schreiben. Und wenn sie damit fertig war, nahm sie Lottes Briefe aus ihrem Nachttisch und las sie wieder und wieder und wieder. Wie aufregend Lottes Leben klang. Wie frei sie war, niemandem Rechenschaft schuldig, solange sie nur das Geld für die Zimmermiete verdiente. Von wechselnden Liebschaften schrieb sie und von ihrem Chef, dessen Avancen sie abwehren musste, auch wenn er sonst ganz nett war. Sie schrieb von durchgetanzten Nächten, von Restaurants und Revuetheatern, von einem Mantel mit Pelzbesatz, auf den sie schon so lange sparte, und von einem Jungen, der ganz vernarrt in sie sei und der versprochen habe, ihr das Autofahren beizubringen.

Wenn Ulrich von seinen abendlichen Ausflügen kam, roch er nach Schnaps, und Senta stellte sich schlafend und fragte sich, warum er ihr nie das Autofahren beibringen wollte, obwohl sie ihn so darum gebeten hatte. Das hätte ihr Freude gemacht, aber er fand, es schickte sich nicht für eine Frau. Und wohin sie denn fahren wolle? Ob sie ihm durchbrennen wolle? Ob sie einen anderen habe? Ob sie ernsthaft glaube, sie wäre in der Lage, eine so komplexe

Maschine zu bedienen, wo sie doch noch nicht mal fähig sei, seine Hemden richtig zu bügeln? Was sie sich eigentlich einbilde? Ob sie glaube, er habe Zeit für solchen Unsinn? Was für Zeiten, in denen die Weiber plötzlich alle wie die Männer sein wollten und darüber verlernten, was Frauensache ist: Kochen zum Beispiel! Und dann hatte er seinen Teller weggeschoben, in dem ein Rest von Sentas verunglücktem Eintopf schwamm, und sie hatte beschämt die Tischkante vor sich fixiert, denn wer, bitte schön, war zu dumm, um Eintopf zu kochen?

Ab und zu, wenn Trude zu Besuch kam und das Chaos in der Küche sah und Evelyn schon viel zu lange in einer nassen Windel saß, fragte Trude kopfschüttelnd, ob Sentas Mutter ihr denn gar nichts beigebracht habe.

Doch, hat sie, dachte Senta trotzig. Sie hat mir beigebracht, wie man ein Huhn schlachtet und wie man Holz hackt und eine Regenrinne repariert und wie man Ratten erschlägt. Wie man den Nachbarsjungen verdrischt, der der kleinen Schwester ständig unter den Rock fasst. Sie hat mir beigebracht, wie man mit wenig Geld zurechtkommt und Buch darüber führt und trotzdem immer ein bisschen was zur Seite legt, weil man sich auf nichts und niemanden verlassen kann, erst recht nicht auf einen Mann. Sie hat mir beigebracht, wie man erhobenen Hauptes in eine Bank marschiert mit einer kleinen Witwenrente in der Tasche und dieses Geld in Aktien anlegt und dem Blick des Mannes auf der anderen Seite des Tisches standhält, der einer alleinstehenden Frau mit fünf Kindern nicht zutraut, Börsenkurse zu verfolgen. Aber wie man eine gute Ehefrau ist, das hat sie mir nicht beigebracht, ich hatte Schwestern, die all das konnten, kochen, waschen, Kleider flicken, und ich kann eben andere Dinge.

Und dann war der Tag gekommen, an dem Ulrich ihr zu Beginn der Woche kein Geld mehr dagelassen hatte. »Musst anschreiben lassen«, hatte er gebrummt, als er morgens aus der Tür ging. Sie hatten in den Wochen davor schon nur noch das Nötigste miteinander besprochen. Wenn sie beide in der Wohnung waren, hing eine fette schwarze Gewitterwolke unter der Zimmerdecke, aus der es bedrohlich grummelte. Ulrich war angespannt und übellaunig und aus dem wenigen, was er erzählte, konnte Senta schließen, dass seine Geschäfte nicht besonders gut liefen und er sich mit einer Investition in kostspielige Spezialreifen verkalkuliert hatte.

Eine Woche später war er abends wutentbrannt zur Tür hereingekommen, hatte seinen Hut in die Ecke geschmissen und Evelyn dabei nur um Haaresbreite verfehlt. »Woher hast du das Geld?«, zischte er und packte Senta am Arm. »Willst du mich lächerlich machen? Spuck's aus, sag es, woher hast du das Geld?«

Senta hatte nicht anschreiben lassen im Lebensmittelladen. Sie hatte von ihrem Haushaltsgeld über die Monate etwas zurückgelegt, jede Woche ein paar Groschen. Heimlich. Es hatte sich gut angefühlt, diese kleine Reserve in der kleinen Schatulle mit den Nähnadeln zu wissen, besonders, seit der Betrag für eine Zugfahrt nach Berlin reichen würde. Nur so ein Gedankenspiel, einmal Lotte besuchen, nichts weiter.

Aber jetzt war kein Geld da, der Vorratsschrank war leer und Evelyn brauchte etwas zu essen. Senta hatte sich schlecht gefühlt bei der Vorstellung, bei Schraders anschreiben zu lassen, anstatt ihren gut gehüteten Notgroschen einzusetzen, sie hasste Schuldenmachen und für schlechte Zeiten wie diese war das Geld ja eigentlich gedacht.

Nun war also Ulrich beim alten Schrader vorbeigegangen, um die Schulden zu begleichen, und Schrader hatte ihm erzählt, dass seine Frau alles gleich bezahlt habe.

»Woher hast du das Geld, Senta?«, sagte er in einer Stimmlage, die so ruhig und kontrolliert war, dass Senta Gänsehaut davon bekam.

»Hab's gespart.«

»Von was?«

»Na, vom Haushaltsgeld.«

»Und für was? Für was hast du gespart, Senta?«

»Das war für schlechte Zeiten.«

»Schlechte Zeiten? Was für schlechte Zeiten, Senta? Fehlt es dir an irgendetwas? Hast du hier nicht alles, was du brauchst? Ist dir das alles nicht genug hier?«

»Doch, aber ...«

»Packst also jede Woche schön was auf die Seite von dem Geld, das ich sauer verdiene. Und erzählst mir nichts davon?«

»Ich wollte ...«

»Oder ist das gar nicht abgespart vom Haushaltsgeld? Gehst du dir das selber verdienen, unten im Hafen? Da, wo deine Freundinnen von früher jetzt stehen und den Arbeitern schöne Augen machen? Ja? Ist es das?«

»Nein, ich ...«

»Du willst hier weg, stimmt's? Du willst zu deiner kleinen Freundin nach Berlin. Ich hör doch, wie du mit ihr telefonierst. Du sparst dir was zusammen von meinem Geld und dann bist du plötzlich auf und davon.«

Ulrichs Stimme war immer schneidender geworden und sein Griff um Sentas Arm immer fester. Evelyn saß ruhig in ihrer Ecke und beobachtete ihre Eltern, die wie eine schlechte Fotografie ihrer selbst aussahen. Senta und

Ulrich, die Blicke ineinander verkeilt. Vielleicht sahen die beiden einander zum allerersten Mal richtig an.

»Gut«, sagte Senta nach einer Weile, in der sie sehr ruhig und sehr klar geworden war. »Du hast recht. Genau so ist es. Ich will weg hier. Ich habe es satt.«

Sie erwartete eine Ohrfeige, die aber nicht kam. Stattdessen wurde Ulrichs Griff um ihren Arm plötzlich schlaff. Er ließ sie los, drehte sich um, ging aus der Tür und blieb vier Tage und Nächte lang verschwunden.

Dann war er wiedergekommen, aber nicht allein. Er hatte einen alten Schulfreund mitgebracht, der inzwischen als Notar arbeitete, sich förmlich vorstellte und Papiere auf den Tisch legte, die Senta unterschreiben sollte. Scheidungspapiere.

»Wenn du wegwillst, dann geh«, sagte Ulrich. »Verschwinde aus Rostock. Unterschreib das, und du bist eine freie Frau.«

»Und Evelyn?«, fragte Senta.

»Die bleibt bei mir. Ich lasse meine Tochter nicht in deiner Nähe. Trude wird sich um sie kümmern, das ist besser für uns alle.«

Und dann hatte Senta unterschrieben. Ein Papier, in dem sie eingestand, sich »ehrlos und unsittlich« verhalten zu haben, und mit dem sie darin einwilligte, auf alles zu verzichten. Auf ihr Kind, auf Geld, sogar auf Ulrichs Namen. Die letzten drei Jahre, einfach ausgelöscht, mit einer Unterschrift, das war falsch und schrecklich. Und doch verlockend, wie eine offene, aber langsam zufallende Tür, durch die man verschwinden konnte, wenn man nur nicht zu lange zögerte.

Bei der Erinnerung daran, wie sie den Füllfederhalter, den ihr der Anwalt reichte, über das Formular kratzen ließ und ihren Namen auf die Linie setzte, würgte sich ein neuer Schluchzer durch Sentas Hals, und sie musste in ihrem Mantel nach dem zweiten Taschentuch kramen, das sie in weiser Voraussicht eingesteckt hatte.

»Ich mach's wieder gut. Es tut mir leid, mein Schatz. Ich komme irgendwann und hol dich, ich verspreche es dir«, hatte sie Evelyn zum Abschied ins Ohr geflüstert. Das war gelogen, das wusste Senta. Evelyn würde sie schnell vergessen haben, und es würde ihr gut gehen bei Trude. Wohin und in welches Leben sollte sie ihre Tochter holen, wenn es ihr jetzt schon nicht gelang, richtig für sie zu sorgen?

Evelyn hatte sie ganz unbekümmert angelacht und dann die Arme um den Hals ihrer Tante geschlungen. Trude hatte die Wohnungstür geschlossen, und da stand sie nun mit ihrem Koffer, eine freie Frau, erleichtert, todtraurig und ratlos.

Von einer Telefonzelle auf dem Neuen Markt aus hatte sie Lotte angerufen. »Na klar kannst du kommen, kannst erst mal bei mir schlafen und dann suchen wir dir ein Zimmer. Gibt genug Arbeit, Senta, komm gleich morgen, ich hol dich Bahnhof Gesundbrunnen ab.« Sentas Mutter hatte nicht viel gesagt, aber alles gewusst, wie immer. Hatte ihre Tochter an den Küchentisch gesetzt und ihr einen Tee hingestellt und die Schwestern angeherrscht, keine Fragen zu stellen. Und bevor sie ins Bett ging, hatte sie aus der alten Teebüchse oben im Küchenschrank ein kleines Bündel Scheine hervorgezogen und es Senta in den Mantel gesteckt. »Mach es richtig diesmal, Kind«, hatte sie gesagt.

Keine Ahnung, was das heißen soll, Mutter, dachte Senta bei sich. Es richtig machen. Am liebsten wäre sie einfach endlos weiter in diesem Zug gefahren, da konnte man schon mal nichts falsch machen und vielleicht war das richtig genug. Aber die Landschaft draußen vor dem Fenster wurde langsam zerfaserter, bewohnter, zuerst sah sie ein paar Scheunen und kleinere Häuser, dann verlassene Lagerhallen, eine kleine Fabrik, an deren Schornstein sich eine weiße Wattewolke plusterte. Ein paar Lauben mit weinberankten Holzhütten, schließlich richtige Häuser, vier Stockwerke, graue Fassaden, bepflanzte Balkone. Der Zug wurde langsamer, zischte, quietschte, ruckte. Bahnhof Gesundbrunnen, Berlin.

Und auf dem Bahnsteig Lotte, im langen Mantel und den Hut schräg auf dem Kopf, die kurzen Haare eng ans Kinn gelegt und mit einem breiten Lachen im Gesicht.

»Mensch, Püppi, wie siehst du denn aus? Ganz verheult. Komm her!« Sie umarmte Senta fest und lange, und Senta fühlte sich leicht und leergeweint und sehr zu Hause an Lottes Schulter und in dem vertrauten Geruch nach Puder, Haaren und etwas Neuem, Aufregendem, noch Unbestimmbarem, das Berlin über Lotte gelegt hatte.

7.

Hannah stand in Andreas Sonthausens Büro und schluckte hart an einem gigantischen Kloß aus Enttäuschung. Er hatte sie am Morgen angerufen und sie für mittags herbestellt, er habe da vielleicht etwas für sie, wegen der Sache mit dem Brief.

Nun stand sie in der Tür und fühlte sich verraten. Andreas saß an seinem Schreibtisch, eingebaut in diverse Stapel aus Unterlagen, Kopien und Büchern, den Blick auf den Computerbildschirm geheftet. Und in einem der beiden Sessel, die für Gespräche mit Studenten gedacht waren, saß Jörg Sudmann und schaute Hannah erwartungsvoll an.

Hannah hatte sofort begriffen, was das bedeutete, und möglicherweise hatte Andreas das wirklich gut gemeint, weil er nicht ahnen konnte, dass das genau die Art von Hilfe war, auf die sie verzichten konnte. Jörg Sudmann war der letzte Mensch auf dieser Erde, mit dem sie über die Sache mit dem Brief sprechen wollte. Oder überhaupt sprechen wollte. Wenn sie ehrlich war, dann war Jörg Sudmann, oder besser: waren es die Jörg Sudmanns dieser Welt, die sie nach ihrem ersten Semester dazu bewogen hatten, ihr Nebenfach zu wechseln, Geschichte gegen

Soziologie zu tauschen, obwohl sie das wirklich gar nicht interessierte. Mit Typen wie ihm wollte sie eigentlich nie wieder irgendetwas zu tun haben, und nun also saß Jörg fucking Sudmann in Andreas' Büro, lächelte sie mit viel Zahnfleisch und sehr kleinen Zähnen an, und Andreas stellte ihn Hannah vor als einen »Freund« und »vielversprechenden jungen Mann hier im akademischen Betrieb«, der viel mehr Ahnung habe von Provenienzforschung und dem Nationalsozialismus und Hannah sicher eine größere Hilfe sein könne als er. Und natürlich habe er nur vage angedeutet, worum es gehe, aber Jörg habe sich gleich bereit erklärt, sich »die Sache mal anzusehen«.

»Toll«, sagte Hannah tonlos. »Danke.«

Jörg streckte ihr die Hand entgegen, ganz offenbar erinnerte er sich nicht, und das war auch kein Wunder, denn anders als Jörg hatte Hannah nie in der ersten Reihe gesessen und nach der Vorlesung kluge Fragen gestellt. Sie war sich schrecklich dumm vorgekommen, weil alle anderen anscheinend schon in der Grundschule begonnen hatten, sich auf ihr späteres Geschichtsstudium vorzubereiten. Alle schienen irgendein Spezialwissen kultiviert zu haben, mit dem sie glänzen konnten. Auf der einen Seite die fusselbärtigen Mittelalter-Freaks mit ihrer Rollenspielvergangenheit, auf der anderen die besonders beflissenen Studenten der sogenannten Neueren Geschichte, für die diese neuere Geschichte aber auch nur aus der Nazizeit zu bestehen schien. Und Jörg Sudmann war einer von ihnen. Er hatte auf Hannah ebenso einschüchternd wie nervtötend gewirkt: Niemals hätte sie mit einer solchen Selbstverständlichkeit mit Professoren geplaudert. Oder nach einer Vorlesung irgendeiner geäußerten These widersprochen. Fast hätte sie ihn ein bisschen bewundert dafür, wäre er nicht so ein Wichtigtuer gewesen: Kein Seminar, in dem er nicht von seinem Kibbuzaufenthalt erzählte, keine freitägliche Vorlesung, nach der er sich nicht besonders laut und hörbar verabschiedete, weil er »mit ein paar jüdischen Freunden Schabbat feiern« gehen würde. Und jetzt sah er sie schon genauso an, wie sie ihn in Erinnerung hatte, mit diesem Blick aus selbstbesoffener Betroffenheit.

Jörg schüttelte Hannah mit festem, leicht schwitzigem Griff die Hand und sagte mit belegter Stimme: »Es tut mir sehr leid, was deiner Familie widerfahren ist. Wenn ich irgendwie helfen kann ... also, es wäre mir eine Ehre.«

Ja, klar, eine Ehre, ganz bestimmt, dachte Hannah. Darunter machte er es nicht. Dabei wusste sie ja selber noch gar nicht, was ihrer Familie da widerfahren war und ob es hier überhaupt um ihre Familie ging. Was genau sollte sie mit Jörg Sudmann nun eigentlich besprechen? War das jetzt nett gemeint von Andreas, oder war das einfach nur der leichteste Weg, sie irgendwie loszuwerden?

In jedem Fall würde sie versuchen müssen, Jörg so schnell wie möglich wieder abzuschütteln. Sie würde dann eben in Gottes Namen einen Kaffee mit ihm trinken und ihn nach seinen Forschungen fragen, und die Wahrscheinlichkeit, dass er daraufhin in einen langen Monolog übergehen würde, den sie nur durch interessiertes Nicken und gelegentliches Nachhaken am Laufen halten musste, war enorm groß. Mit etwas Glück würde Jörg den Grund ihres Treffens vergessen, und sie mussten sich danach nie wieder begegnen und Hannah konnte die Erinnerung an ihr erstes Semester, in dem sie sich so unzulänglich und dumm gefühlt hatte wie noch nie zuvor in ihrem Leben, schnell wieder verdrängen.

Jörg Sudmann dagegen dachte gern an seine erste Zeit am Friedrich-Meinecke-Institut für Geschichte zurück. Anders als Hannah hatte er zum allerersten Mal in seinem Leben das Gefühl gehabt, unter seinesgleichen zu sein. Wobei, nicht wirklich unter seinesgleichen, er war den meisten um Längen voraus. Aber hier wurde sein Interesse nicht als »Nazifimmel« bezeichnet, hier konnte er glänzen. Jörg hatte von Anfang an jede Vorlesung und jedes Seminar besucht, in dem es auch nur entfernt um Nationalsozialismus ging. Auch wenn es dort für ihn im Prinzip nichts zu lernen gab, denn er wusste eigentlich alles, und er sah keinen Grund, das zu verheimlichen. Er hatte sich schon als Teenager akribisch in die Mordmaschinerie der Nazis eingearbeitet, kannte beeindruckend viele Details der KZ-Organisation, konnte auf jedem Foto den militärischen Rang der Dargestellten anhand der Uniform genau bestimmen, kannte Frontverläufe und die Namen von Jagdbomberstaffeln und kurz hatte er erwogen, seiner Wüstenspringmaus den Namen »Rommel« zu geben, das hatte er sich aber dann doch verboten.

Seine eigene Faszination war ihm manchmal unheimlich, es war ein bisschen wie Pornogucken, eine merkwürdige Mischung aus Schuldgefühlen und Reizüberflutung. Vielleicht hatte er deshalb damit begonnen, seine Aufmerksamkeit mehr auf die Opfer als auf die Täter zu lenken. Fühlte sich gleich viel besser an, musste man auch niemandem erklären. Nach dem Abi also gleich nach Israel, Kibbuz, Aktion Sühnezeichen, das volle Programm. Buße tun für die Sünden der Vorväter, das neue Deutschland repräsentieren, ein Licht in der Welt sein, sich der Verantwortung stellen.

Sein Geschichtsstudium hatte er dann in der Regelstudienzeit abgeschlossen, promovieren oder nicht war gar keine Frage für ihn, natürlich würde er seinen Doktor machen, und zwar schnell, effizient und summa cum laude. Er hatte im Zuge seiner Doktorarbeit, in der er sich mit Reparationszahlungen und Wiedergutmachungsinitiativen beschäftigt hatte, seine Familiengeschichte erforscht und war fast ein wenig enttäuscht, keine beinharten Nazis gefunden zu haben, eher halb enthusiastische Mitläufer. Einen Großvater, der Wehrmachtssoldat gewesen und gleich im ersten Kriegsjahr gestorben war, der andere war als Landwirt vom Militärdienst befreit worden, ein Großonkel immerhin war kurz in britische Gefangenschaft geraten. Leider gab es keine heroischen Geschichten über versteckte Juden oder kleine Akte politischen Widerstands, wirklich nichts, womit er sein obsessives Interesse an der Thematik hätte rechtfertigen können. Und natürlich auch keine jüdischen Vorfahren. Nirgends, auch zweiten und dritten Grades nicht, nicht mal angeheiratet. Er hätte das vielleicht nicht laut ausgesprochen, aber es stimmte: Heimlich beneidete er Kommilitonen und Mitdoktoranden um ihre klare familiäre Verankerung in der deutschen Schuld.

Nicht mal bei der Namensgebung hatten seine Eltern sich Mühe gegeben. Jörg, ein schrecklicher Name ohne jeden Hall. Eine Weile lang hatte er überlegt, sich »York« zu nennen oder sich einen Zweitnamen auszudenken, der ihm zu einem glamourösen Mittelinitial verholfen hätte, Herrmann oder Wolf oder Samuel. Aber er ließ es bleiben und kultivierte stattdessen weiterhin sein Expertentum. Er wollte eine akademische Karriere, das war genau sein Ding. Der Name Jörg Sudmann sollte eine Marke werden, an der niemand vorbeikam, der sich mit dem Nationalsozialismus und der Schoah beschäftigen wollte. Er hatte vor, ein Standardwerk zu schreiben, das von späteren Studierendengenerationen ehrfurchtsvoll als »der Sudmann« bezeichnet werden würde. »Das musst du mal im Sudmann nachschlagen«, so in der Art. Er wusste nur noch nicht so genau, worüber. Seine Promotion war so gut wie abgeschlossen, die Arbeit fertig geschrieben, er wartete auf die Beurteilung und die Verteidigung, die ihm aber keine großen Sorgen bereitete. Bislang war er noch nie gescheitert, warum sollte er also jetzt damit anfangen?

Viel mehr Sorgen machte ihm das Danach, für das er noch keine konkrete Idee hatte. Ein Postdoc, ein Fellowship, irgendwann die Habil, klar, irgendwas würde schon gehen. Aber für eine echte akademische Karriere, eine, die nicht für immer im Mittelbau stagnieren würde, brauchte er Freunde. Oder vielleicht eher: Verbindungen. Förderer. Es war ihm trotz aller Bemühungen nicht gelungen, einen echten Mentor zu finden. Jemanden, der ihn so richtig unterstützt hätte. Nicht mal sein Doktorvater schien sein überdurchschnittliches Engagement wertzuschätzen, er war da irgendwie nicht wirklich vorgedrungen in den engeren Zirkel. Und da konnte es nicht schaden, in den Dunstkreis von Andreas Sonthausen vorzustoßen, auch wenn der kein Historiker war und Jörg eine tiefe Verachtung für zu viel interdisziplinäres Gewese hatte. Aber Sonthausen war gut vernetzt und saß in diversen Auswahlkommissionen. Außerdem war er zweifelsohne eine Koryphäe, und er hatte diese Akademikerpopstar-Aura, um die Jörg ihn beneidete. Deshalb war er am Rande einer Veranstaltung im Deutschen Museum lang um Andreas herumgeschlichen, hatte sich schließlich zu ihm gestellt, beflissen genickt und interessiert nachgefragt und irgendwann erzählt, woran er »gerade forschte«, und da hatte wiederum Andreas Sonthausen überraschend interessiert nachgefragt und eine seiner Doktorandinnen erwähnt, die da offenbar in eine Kunstrestitutionssache verstrickt sei und vielleicht ein bisschen Hilfe bei der Erforschung ihrer Familiengeschichte brauchen könne. Ob er ihm die einmal vorstellen dürfe.

Konnte man schlecht Nein zu sagen. Vielleicht war das Jörgs Chance. Und die würde er sich nicht entgehen lassen.

Und da stand sie nun in der Tür und schaute ganz verdutzt. Ach je, die kleinen Germanistinnen. Süße Lesemäuschen, alle ein wenig verhuscht, dachte Jörg. Diese hier war eigentlich ganz niedlich mit ihrer rotbraunen Nichtfrisur, den leicht verschatteten Augen, dem abgewohnten, langen Mantel und den Chucks. Sah gar nicht jüdisch aus, schoss ihm durch den Kopf, aber er schob den Gedanken schuldbewusst gleich wieder weg. Für irgendwelche Herzscheiße hatte er jedenfalls keine Zeit. Aber dieser Hannah ein paar Tipps für Archivrecherchen geben, das konnte er natürlich. Sie da ein bisschen an die Hand nehmen, etwas von seinem umfassenden Wissen weitergeben, sie unterstützen auf der Suche nach ihrem »jüdischen Vermächtnis«. Auch wenn Jörg wusste, dass da kaum etwas draus werden würde, Restitutionssachen verliefen meist schnell im Sande oder dauerten Jahrzehnte. Aber wenn bei der Sache rausprang, dass Professor Sonthausen ihm einen Gefallen schuldete, dann war es das allemal wert.

»Ja, geht doch einfach mal runter in die Mensa, Kaffee trinken, jetzt gleich, und vielleicht kommt ihr ja zusammen. Also, thematisch«, sagte Andreas Sonthausen, der den Blick schon wieder seinem Computerbildschirm zugewandt hatte, als deutliches Zeichen, dass er nun nicht weiter gestört werden wollte.

»Ach, Hannah?«, sagte er noch, als die beiden schon fast aus der Tür waren. »Die Konferenz in Wien übernächste Woche, die hast du auf dem Schirm, ja?« Zufrieden sah er, wie Hannah die Farbe aus dem Gesicht wich, wie sie kurz stutzte, ihn ansah und dann ein bisschen zu laut »Ja, klar hab ich die auf dem Schirm« sagte.

Konnte sie gar nicht, er hatte ihr bislang ja nichts davon erzählt.

Aber ein Doppelzimmer gebucht, weit weg von der Uni, das hatte er wohl.

8.

Berlin 1926

Berlin war ein Monster, und Senta hatte schon auf der Fahrt zu Lottes Wohnung beschlossen, sich diesem verheißungsvoll schillernden Ungetüm freiwillig ins Maul zu werfen. Sie fuhren mit der Untergrund-Bahn, es war viel Geschiebe und Gedränge, und Senta hatte ein bisschen Sorge um ihren Koffer, in dem ja nun alles drin war, was ihr auf dieser Welt noch gehörte, und das war weiß Gott nicht viel. Überall Menschen, die in der trüben Beleuchtung der Waggons in Bücher oder in Zeitungen schauten, keiner sprach. Junge Frauen in schmalen, knapp übers Knie reichenden Röcken, wie Senta sie in Rostock nie gesehen hatte. Erstaunlich viele Kinder, die sich allein und ganz selbstverständlich in der Bahn bewegten, ein- und ausstiegen, so als wären auch sie kleine Erwachsene auf dem Weg in den Feierabend. Niemand würdigte Senta auch nur eines Blickes und das beruhigte sie. Was für eine herrliche Welt, in der eine wie sie nicht weiter auffiel. Es schien in Berlin normal zu sein, dass ein Mädchen mit verheulten Augen und verrutschtem Haarknoten und einem großen Koffer vor den Knien in der Bahn saß. Nichts, was man hier in den letzten Jahren nicht schon tausendfach gesehen hätte, ein Schicksal unter vielen, kein Grund, genauer hinzuschauen.

Die lange Fahrt durch den dunklen Tunnel machte Senta nervös und sie hielt Lottes Hand, um ihre diffuse Angst, stecken zu bleiben oder verschüttet zu werden, zu unterdrücken. Plötzlich spürte sie, wie der Zug abzuheben schien, sich nach oben bewegte und schließlich aus dem Tunnel schoss. Blaurotes Frühlingsabendlicht flutete den Waggon, aus dem Fenster sah Senta, dass die Bahn nun auf einer Hochtrasse fuhr, etwa auf Höhe des zweiten Stocks der angrenzenden Häuserzeile. Ein paar schnelle Blicke in die Wohnungen konnte sie erhaschen, wie wenn man zu schnell an einem Puppenhaus vorbeilief, verwischte Momentaufnahmen aus dem Leben anderer Menschen. Eine Frau auf einem Balkon beim Wäscheaufhängen, ein Mann beim Rasieren an einem Waschtisch, ein streitendes Paar.

Am Bahnhof Hallesches Tor schob Lotte Senta aus der Bahn. »Du kannst erst mal ein paar Tage bei mir im Bett mitschlafen, da hat die Kronbach nichts dagegen. Im Gegenteil, findet die wahrscheinlich ganz schau«, sagte Lotte. »Und kann gut sein, dass bald ein Zimmer frei wird, Marie hat 'ne Anstellung in Wilmersdorf, da zieht die sicher bei ihren Herrschaften mit ein.«

Lotte hatte ein paar Straßenblöcke nördlich vom Halleschen Tor ein Zimmer in der Wohnung einer reichen Witwe gemietet, die es sich zur Aufgabe gemacht hatte, junge Mädchen, die aus der Provinz nach Berlin kamen, vor den Gefahren der Großstadt zu bewahren. Nicht ganz uneigennützig, denn junge Mädchen waren so etwas wie ihre heimliche Liebhaberei. Sie betrachtete sie einfach gern, das war schon so, als ihr Mann noch gelebt hatte. Wann immer sie gemeinsam im Theater oder in der Oper oder bei einer Revue gewesen waren, hatte ihr Blick denselben Mädchen gegolten, diesen zarten Wesen mit der straffen Haut und den griffigen Fesseln. Man konnte schon von weit weg erahnen, wie sie rochen an der Stelle zwischen Ohr und Haaransatz. Wie sich der Flaum auf ihren Wangen und an den Unterarmen anfühlte, wie der Schatten sich in der kleinen Rückenmulde über ihren Steißbeinen fing. Sie hatte ihrem Mann nie übel genommen, dass er sich nach diesen Mädchen sehnte, die da so unerreichbar auf der Bühne standen, ihr war es ja nicht anders gegangen, auch wenn er das zeit seines Lebens nicht ahnen konnte oder wollte. Sie hatte sich ihm verbunden gefühlt in dieser Sehnsucht und nun, da er schon viele Jahre tot war, waren die heimlichen Blicke auf ihre Untermieterinnen wie ein verschwörerischer Akt, eine kleine Hommage an den toten Gatten. Schau mal, Otto! Helene am Waschtisch, schau dir diese kleinen, festen Brüste an. Und diese weiße Haut, wie bei einer griechischen Statue. Und Lotte, schau, wie sie sich die Strümpfe anzieht, so hübsche, lange Beine hat die Kleine, findest du nicht auch, Otto? Und jetzt hat sie mir noch eine Freundin aus Rostock angeschleppt, die hätte dir gefallen. Du mochtest doch die Dunkelhaarigen so gern, die mit dem verschatteten Blick. Genau so eine ist das, bisschen traurig, hat schon bisschen was hinter sich, das spürt man gleich.

Lotte und den anderen Mädchen war natürlich nicht verborgen geblieben, dass in den bunten Glasfensterchen ihrer Zimmertüren jeweils eine kleine Ecke herausgebrochen war, oder dass ihre Wirtin die Neigung hatte, ohne zu klopfen ins Zimmer zu kommen und, anstatt sich zu entschuldigen, weil man vielleicht gerade dabei war, sich umzuziehen, einfach stehen blieb. Konnte man leicht in Kauf nehmen im Tausch gegen eine mehr als günstige Zimmermiete und sonntags warmes Essen, das nicht extra berechnet wurde. Und Lotte hatte gleich das Gefühl, dass Anneliese Kronbach Gefallen an Senta finden würde, die war doch genau ihr Typ.

Am nächsten Tag ging Lotte früh zur Arbeit im Mosse-Verlag und hatte versprochen, für Senta bei ihrem Chef nachzufragen, ob in einer der Zeitungsredaktionen des Hauses noch eine Schreibkraft gebraucht würde. Bis dahin sollte sie sich die Zeit vertreiben, die Stadt erkunden. Mit der Untergrund-Bahn fuhr Senta zum Bahnhof Wittenberg-platz und stand lange vor den Schaufenstern des KaDeWe, lief den Tauentzien entlang und bog schließlich ab in Richtung Zoologischer Garten. Als Kind war sie einmal im Rostocker Tiergarten gewesen, das war schön gewesen, man konnte dort Hirsche, Schakale und Angorakatzen beobachten, aber die Tiere hatten ihr leidgetan in ihren engen Gehegen. Hier sollte es sogar Elefanten geben und ein großes Aquarium mit Krokodilen und exotischen Fischen, musste man sich unbedingt mal ansehen bei Gelegenheit. Wie sich das anhörte in ihrem Kopf: »Sich das mal ansehen bei Gelegenheit«, so als könnte sie selbst darüber entscheiden. Wann war sie das letzte Mal einfach so für sich gewesen und irgendwo entlanggelaufen, ohne festes Ziel?

Sie nahm den Bus zum Potsdamer Platz, setzte sich nach oben, ganz nach vorne in die erste Reihe. Was für ein Gefühl, so auf Höhe der Baumkronen durch die Straße zu fliegen, als säße man in einem führerlosen Zug. Beim Aussteigen stolperte sie die schmale Treppe aus dem oberen Geschoss des Busses hinunter und stand dann etwas orientierungslos am Rand der riesigen Kreuzung zwischen hupenden Autos und noch mehr Bussen und Menschen, die es eilig hatten. An einem Zeitungskiosk kaufte sich Senta eine Schachtel Nestor Lord und ein *Berliner Tageblatt* und setzte sich in ein Café. Es war genau so, wie sie es sich immer ausgemalt hatte, ein hoher Raum mit kleinen Tischen, an denen Frauen und Männer saßen und rauchten und Kaffee tranken und Zeitung lasen. Der Kellner brachte ihr eine Tasse Kaffee und ein trockenes Stück Sandkuchen, ein Mann am Nebentisch gab Senta Feuer, zum Glück ganz ohne sie dann noch in ein Gespräch zu verwickeln. Sie nahm zum ersten Mal seit langer Zeit einen tiefen Zug aus einer Zigarette und fühlte sich sehr erwachsen und gleichzeitig sehr jung. Das kleine Bündel Scheine, das ihre Mutter ihr zum Abschied noch in die Hand gedrückt hatte und das sie mit einer Haarklammer tief in ihrer Manteltasche festgesteckt hatte, würde nicht ewig halten, sie würde so schnell wie möglich Arbeit finden müssen, das war klar. Aber dann würde sie Geld nach Hause schicken. Und jeden Tag nach der Arbeit im Café sitzen, endlich auch einen dieser modischen Hüte kaufen und so viel rauchen, wie es ihr passte. Sie schlug die Zeitung auf, las mit leichtem Grusel einen Artikel über einen Serienmörder, der nachts in Wohnungen einstieg und Frauen ausweidete wie erlegtes Wild und den sie »den Metzger von Moabit« getauft hatten. Dann die Kritik einer Gesangsrevue, einen Kommentar über die Reise des Reichskanzlers nach München, einen Artikel über die Friedensaussichten in Marokko und eine Reportage über Osaka, die größte Stadt Japans, über drei Millionen Einwohner. Senta verstand nur die Hälfte, aber das war egal, es fühlte sich alles groß und bedeutend an und sie mittendrin, ein Teil davon, mit einer Zigarette zwischen den Fingern und einem Stück Kuchen vor sich auf dem Teller, und das alles in der gottverdammten Reichshauptstadt.

Vom Potsdamer Platz ging sie zu Fuß in Richtung Friedrichstraße, jetzt schon gerader, sicherer, den Kopf oben.

Lotte hatte ihr die Adresse genannt, wo sie sie nach der Arbeit würde abholen können, Jerusalemer Straße, Ecke Schützenstraße, ein auffälliges Gebäude mit abgerundeter Fassadenecke, hatte Lotte gesagt, Senta würde hinter der Friedrichstraße nach dem Weg fragen müssen. Das hätte sie vor ein paar Tagen noch in reichlich Verlegenheit gebracht, jetzt war sie ja schon fast Berlinerin, also ran an den Zeitungskiosk, sich vom Verkäufer genau erklären lassen, wo es hier in Richtung Zeitungsviertel ging.

Zwei Kinder, ein Junge und ein Mädchen, beide vielleicht acht Jahre alt, rempelten sie an und entschuldigten sich danach höflich, bevor sie davonliefen, und kurz zog ein Schmerz in Sentas Magen. Das Mädchen hatte schwarze Haare wie Evelyn und den gleichen durchdringenden Blick gehabt. Den ganzen Tag lang hatte sie kein einziges Mal an ihre Tochter gedacht, wobei, nein, das stimmte gar nicht. Sie hatte immer mal wieder in die Manteltasche gegriffen, weil sie das Gefühl hatte, etwas Wichtiges vergessen zu haben, den Wohnungsschlüssel vielleicht oder ihr Geld. Aber alles war an seinem Platz, trotzdem fehlte etwas, etwas Wichtiges, auf das man aufpassen musste, für das man verantwortlich war und das man nicht verlieren durfte. Und erst recht nicht absichtlich irgendwo zurücklassen.

Senta hatte sich eingebildet, hier in Berlin könne ihr keiner ansehen, was für ein schlechter Mensch sie war – aber dieses Mädchen hatte es gesehen, hatte ihr einmal mitten in ihre bewölkte Seele geschaut und sofort erkannt, wer sie war: eine Mutter, die ihr Kind zurücklässt, um Kaffee zu trinken und Zigaretten zu rauchen und in Schaufenster zu gucken.

Senta wusste nun, in welche Richtung sie laufen musste, aber sie hatte es nicht mehr so eilig. Dieser kurze Zwischenfall am Zeitungskiosk hatte sie aus dem Tritt gebracht, das Mädchen ging ihr nicht aus dem Kopf, und plötzlich dämmerte ihr, dass die beiden Kinder sie nicht einfach nur angerempelt hatten. Da war noch eine flüchtige Bewegung gewesen, eine Kinderhand, die sie seitlich gestreift hatte, genau als das Mädchen sie mit diesem Blick angesehen hatte, der ihr so durch und durch gegangen war. Senta griff in ihre Manteltasche und noch bevor sie es mit ihren Fingern ertastete, wusste sie, dass das Geld weg war.

Als Lotte ihr abends die Haare abschnitt, floss noch einmal diese Brühe aus Scham und Erleichterung aus ihr heraus, von der sie dachte, sie schon auf der Zugfahrt losgeworden zu sein. Sie weinte um das Geld, für das ihre Mutter lang gespart hatte. Sie schämte sich für ihre Unvorsichtigkeit und gleichzeitig war sie erleichtert, weil sie bestraft worden war. Für ihre Taten ohnehin, aber auch für ihren Hochmut, sich schon nach einem Tag als rechtmäßige Bewohnerin dieser Stadt zu fühlen.

»Nicht weinen, Püppi, die Kronbach hört uns«, flüsterte Lotte in Sentas Ohr, während sie sich mit der Küchenschere an Sentas neuer Frisur abmühte. Sie konnte den Kopf nicht richtig drehen, aber aus den Augenwinkeln sah Senta die Zimmertür und den kleinen Sprung in der Buntglasscheibe, hinter dem die alte Witwe Kronbach stand und mit ihr weinte.

9.

Wie oft konnte man eine SMS unbeantwortet lassen und nicht ans Telefon gehen und einfach nicht zurückrufen, ohne dass ein Mensch merkte, dass man nichts mit ihm zu tun haben wollte? Hannah stand am Halleschen Tor, auf dem zugigen Platz zwischen der Amerika-Gedenkbibliothek und der Poco-Teppich-Domäne und starrte auf ihr Telefon. Drei Anrufe von Jörg Sudmann. Einmal hatte er draufgesprochen und dann noch eine SMS hinterhergeschickt. Weil sie einmal mit ihm Kaffeetrinken gegangen war und ihm, als er dann doch sehr hartnäckig und auf diese beflissen interessierte Art nachgefragt hatte, möglichst beiläufig von dem Brief aus Israel erzählt hatte. Gut, sie hätte sich den Satz »Ich weiß jetzt auch nicht so genau, was ich damit anfangen soll« verkneifen müssen, denn Jörg Sudmann wusste es natürlich. Und schon hatte er gar nicht mehr aufgehört, ihr Angebote zu machen. Er könne sie in Archive begleiten und ihr »Zugang zu Quellen« verschaffen, an die nicht jeder herankäme, und ob sie nicht – jetzt, da sie um ihre jüdischen Wurzeln wisse – mal mit ihm in die Synagoge gehen wolle. Hannah hatte all das dankend abgelehnt und darauf beharrt, dass sie ziemlich sicher keine jüdischen Wurzeln habe und selbst wenn, nicht so der Typ für Gottesdienste sei. Und um die Recherche kümmere sich wohl eine versierte Restitutionsexpertin, also auch an der Stelle vielen Dank, aber kein Bedarf.

Um einfach möglichst schnell wieder gehen zu können, hatte sie Jörg dann doch ihre Telefonnummer gegeben. Die musste er gegenrecherchiert haben, denn den eingebauten Zahlendreher hatte er ja offensichtlich bemerkt, nicht aber die Absicht dahinter verstanden. Der Mann war wirklich unfassbar begriffsstutzig, dachte Hannah. Oder – und das war noch wahrscheinlicher – so von sich überzeugt, dass er sich nicht vorstellen konnte, wie wenig Wert sie auf seine Gesellschaft legte. Dachte er, sie hätte keine Freunde? Gut, damit läge er richtig, Hannah hatte tatsächlich keine Freunde und sie hatte auch nicht das Bedürfnis, welche zu finden, vielen Dank. Nicht, dass sie nie welche gehabt hätte, im Gegenteil. Aber es ist nun mal so, dass kaum jemand übrig bleibt, wenn einem pünktlich zum Abitur die Mutter an Krebs verreckt und man dann eben keine Party schmeißt und auch nicht bei den anderen mitfeiert und sich nicht beteiligen mag an den Zukunftsplänen und den Interrail-Reisen und der Frage, ob jetzt noch mal schnell Work-and-travel in Australien angesagt sei, bevor man mit dem Studium anfange, oder vielleicht doch erst mal lieber eine Tischlerlehre, damit man auch was Praktisches habe, auf das man immer zurückgreifen könne, Akademiker-schwemme und so weiter.

Während all ihre Freundinnen und Freunde mit dem Absprung beschäftigt waren, sich auf Studienplätze und WG-Zimmer bewarben, hatte Hannah tagelang regungslos im Bett gelegen, ein Räucherstäbchen nach dem anderen angezündet und sich dann regelmäßig übergeben. Vor Trauer oder vielleicht auch wegen einer Überdosis Sandelholz, wer wusste das schon. Am Anfang waren ihre Freundinnen noch abwechselnd vorbeigekommen, um nach ihr zu sehen und mit ihr zu weinen, aber irgendwann war ihnen das zu viel und vielleicht auch zu langweilig geworden und sie waren eine nach der anderen nicht mehr aufgetaucht. Als die Räucherstäbchen aufgebraucht waren, hatte Hannah darüber nachgedacht, stattdessen jetzt einfach nach und nach die vielen Batiktücher und die Kissen mit den Spiegelpailletten anzuzünden, das Windspiel aus Treibholz, den Setzkasten, die Stapel alter *taz*-Ausgaben, die vielen über alle Fensterbretter verteilten, halb abgebrannten Kerzen, den ganzen Krimskrams, den ihre Mutter über die Jahre von Flohmärkten angeschleppt und mit dem sie ihre gemeinsame Wohnung in eine dunkelbunte Höhle verwandelt hatte. Einfach abfackeln, mit einem der vielen Feuerzeuge, mit denen sich Silvia bis kurz vor Schluss noch ihre Joints angezündet hatte, den ganzen Scheißladen hier in Schutt und Asche legen und an einer schönen Kohlenmonoxidvergiftung sterben, warum eigentlich nicht?

Aber bevor Hannah diesen Plan ernsthaft in die Tat hätte umsetzen können, war Evelyn aufgetaucht. Hatte die Fenster aufgerissen und Licht und Luft in die Wohnung gelassen, den Kühlschrank mit Fertiggerichten und Hannahs Geldbeutel mit Scheinen gefüllt. Und sie hatte angefangen, Silvias Sachen in blaue Müllsäcke zu stopfen. Einen Tag lang hatte Hannah ihr vom Bett aus dabei zugesehen, dann war sie aufgestanden, um mitzumachen. Und, noch lange, nachdem Evelyn ihre Mission für beendet erklärt hatte, nicht mehr aufzuhören. Sie hatte die ganze Wohnung ausgeräumt, bis auf ihr Bett sämtliche Möbel unten an die Straße gestellt, säckeweise Klamotten zum Altkleidercontainer gebracht, nicht mal den alten Badezimmerteppich liegen oder die Gardinen hängen lassen. Dann hatte sie eine Woche damit verbracht, den Dreck aus den Dielenritzen zu kratzen, die Katzenhaare von Muck, der schon seit fünf Jahren tot war, ein paar alte Jointstummel, Staub, Krümel, Eierschalen, die mal vom Frühstückstisch gefallen waren. Eben alles, was sich an Alltagsrückständen in Ritzen so angesammelt hatte und hartnäckig an seinem Platz geblieben war. Dann hatte sie sich eine Schleifmaschine besorgt und tagelang die Dielen abgeschliffen. War zum Baumarkt gefahren und hatte zwölf Eimer Dielenlack besorgt und alles weiß lackiert, bis auf den Boden in ihrem Zimmer, denn da stand ja ihr Bett, das sie nicht bewegen wollte. Danach die Wände, alles weiß, weiß, weiß, in der Küche musste sie dreimal streichen, um das Tomatenrot zu über- decken, das Silvia so gemocht hatte, weil es angeblich war- mes Licht machte.

Die Wohnung roch jetzt angenehm neu und fremd, und kurz hatte Hannah darüber nachgedacht, sie einfach so zu lassen. Zwei weiße, leere Zimmer, eine Küche, in der nur noch Herd und Spüle standen, und Hannahs Schlafzimmer, mit ihrem Bett, dem alten Kinderschreibtisch und dem Kleiderschrank. Dann hatte sie sich schließlich bei Rob- ben & Wientjes doch noch einen kleinen Transporter ge- mietet und bei IKEA in Tempelhof Möbel gekauft. Ein weißes Klippan-Sofa, einen Tisch mit zwei Stühlen, weiße Vorhänge, das hatte ihr dann alles der nette Verkäufer aus dem Späti gegenüber in den zweiten Stock getragen.

Seitdem lebte sie in ihrer weißen Wohnung wie in einem großen Wattebausch und hielt sich andere Menschen so gut es ging vom Leib. Und wenn Jörg Sudmann nicht bald aufhörte, sie zu stalken, nur weil sie einmal mit ihm Kaffeetrinken war, dann würde sie ihm vielleicht doch direkt ins Gesicht sagen müssen, was sie von ihm hielt.

Wieso hatte ihr Andreas diesen Typen auf den Hals gehetzt? Na, sie würde ihn fragen können, in drei Tagen, auf diesem Kongress in Wien, zu dem sie mitkommen sollte. Wobei sie sich da inzwischen gar nicht mehr so sicher war, ob sie da was missverstanden hatte. Wieder seit Tagen kein Blick, kein Wort von Andreas, nicht mal wie sonst ein paar harmlose Freundlichkeiten. Nur missmutiges, abweisendes, in sich gekehrtes Grüblertum.

Wie Hannah sich dafür genierte, sich überhaupt so viele Gedanken darüber zu machen. Was für ein verdammtes Klischee sie war, verknallt in ihren Prof, das konnte man wirklich keinem erzählen, so beknackt war das. Warum musste sie sich das Hirn zermartern wegen eines viel zu alten Mannes, der sich so offensichtlich nicht für sie interessierte, jedenfalls nicht so, wie sie sich das wünschte? Und warum wünschte sie sich das überhaupt? Er hatte ihr eine Datei mit seinem Vortrag über »die spatialen Dimensionen des Poststrukturalismus« geschickt. Hannah sollte Power-Point-Slides mit Derrida- und Bachtin-Zitaten basteln und in Wien mit der Technik helfen, das war nicht so sein Ding. Den Vortrag hatte sie inzwischen dreimal gelesen und er war brillant. Durchzogen von hintergründigem Witz, voller Formulierungen und Bilder, wie nur Andreas Sonthausen sie fand. Spannend und überraschend für jeden, der sich mit Literaturtheorie auskannte, und dabei verständlich und nachvollziehbar für alle, die es nicht taten. Das war Andreas' größtes Talent – niemals zu langweilen. Beim Lesen hatte Hannah seine Stimme im Ohr und sie wusste genau, an welcher Stelle im Manuskript er sich auf der Bühne mit dem Ringfinger über die Augenbrauen streichen würde und wann das Publikum lachen würde und wann er eine etwas zu lange Pause machen würde, um dann mit einer kleinen Boshaftigkeit sein furioses Fazit einzuleiten.

Im Vorlesungssaal oder auf einer Tagungsbühne war Andreas Sonthausen wie ein Schauspieler. Charismatisch, scharfsinnig und präsent, so als könnte er in sich ein spezielles Licht anknipsen. Ohne Publikum dagegen war er in letzter Zeit abwesend und verschlossen. Hannahs Frage nach Fahrtkostenübernahme und Unterkunft hatte er nicht beantwortet, sondern nur abwehrend die Hand gehoben. Das waren die Niederungen des akademischen Betriebes, viel zu unwichtig und lästig für einen wie ihn, es reichte ja auch, wenn er hinterher ihre Reisekostenabrechnung gegenzeichnen würde. Also buchte Hannah ein Nachtzug-Ticket und ein Bett in einem Hostel und versuchte, sich nicht zu sehr auf dieses Wochenende zu freuen, denn auch wenn sie sich das kurz eingebildet hatte, sah es nun wirklich nicht danach aus, als könnte sich dieser eine merkwürdige Moment der Nähe, von dem sie nun seit Wochen zehrte, in absehbarer Zeit wiederholen.

Hannah bog ein in die Zossener Straße, wo Marietta Lankvitz ihr Büro haben sollte. Die israelische Anwaltskanzlei hatte ihr die Adresse geschickt und einen Termin vermittelt, Frau Lankvitz sei so etwas wie die Berliner Außenstelle der Kanzlei. Zwar keine Anwältin, aber versierte Rechercheurin und ausgewiesene Expertin in Restitutionsfragen, die alle bisher gefundenen Unterlagen zum Kunsthandel Goldmann bereits vorliegen habe und mit der Hannah gern weitere Schritte besprechen könne. Das Büro lag im Hinterhof im Souterrain, wahrscheinlich war es früher mal ein Kohlenkeller gewesen, jedenfalls musste Hannah eine steile Treppe hinuntersteigen, bevor sie die Klingel drücken konnte. Gut schienen die Geschäfte von Frau Lankvitz nicht zu laufen, dachte Hannah, wenn es für mehr als einen Kellerverschlag nicht reichte. Schade eigentlich, ein bisschen glamouröser hatte sie sich die Umstände schon ausgemalt, unter denen sie ihre Familiengeschichte erforschen würde. Sofern es da tatsächlich irgendetwas zu erforschen gab.

Plötzlich schien sich die Tür wie von selbst zu öffnen, was daran lag, dass Marietta Lankvitz ungefähr die Größe eines achtjährigen Kindes hatte, also nicht sofort in Hannahs Blickfeld auftauchte. Hannah schätzte sie auf Anfang sechzig, sie war ganz in Schwarz gekleidet und hatte einen ins Violette changierenden, rot gefärbten Kurzhaarschnitt, eine kleine, runde Brille mit sehr dicken Gläsern und spektakulär abstehende Ohren.

»Sie sind spät!«, sagte sie, aber nicht in dem vorwurfsvollen Tonfall, den Hannah von ihrer Großmutter kannte, eher freundlich amüsiert.

»Tut mir leid, hab's nicht gleich gefunden«, log Hannah, aber offenbar schien die Antwort plausibel genug.

»Ja, das geht den meisten so, wenn sie zum ersten Mal bei mir sind, es liegt an dem Keller, damit hatten Sie vermutlich nicht gerechnet. Aber es ist der beste Ort für meine Zwecke, und hier stört auch die Sonne nicht so.«

Hannah fragte sich, inwiefern sich Marietta Lankvitz wohl von der Sonne gestört fühlen könnte, wobei ihr das Gefühl ja gar nicht so fremd war. Die Sonne, die in ihre Wohnung durch die zugezogenen weißen Gardinen drang, erinnerte sie daran, dass es da draußen ja ein Leben gab, an dem sie nur eingeschränkt teilnahm. Und vielleicht war es hier unten im Keller einfacher, sich auf das Wesentliche zu konzentrieren. Was auch immer das war.

Das Kellerbüro von Marietta Lankvitz war jedenfalls eine Art weitverzweigtes Höhlensystem, bestehend aus mehreren niedrigen Räumen, die alle vollgestellt waren mit Bücherregalen. Direkt neben der Tür gab es einen kleinen Raum mit einem großen Holzschreibtisch, kleinen, schmalen Oberlichtern zum Hof und einer Sitzgruppe, die aus zwei alten Ohrensesseln und einem kleinen Tischchen bestand, auf dem ein Tablett mit einer Teekanne und drei Teetassen stand sowie eine Dose mit dänischen Butterkeksen.

»Setzen Sie sich, setzen Sie sich. Erzählen Sie mir was über Ihre Urgroßmutter«, sagte Marietta Lankvitz und goss ihnen beiden Tee ein.

»Oh, ich dachte eigentlich, Sie erzählen mir was über meine Urgroßmutter«, sagte Hannah. »Ich weiß eigentlich gar nichts über sie, meine Großmutter will nichts erzählen, meine Mutter ist tot und hat sie auch so gut wie nie erwähnt. Ich weiß nur, dass sie in Brasilien bei einem Autounfall gestorben ist, noch bevor ich geboren wurde.«

»Ach Gott, das ist ja putzig«, sagte Marietta Lankvitz, irritierend enthusiastisch. »Sie wissen gar nichts?«

Sie sprang auf und holte von ihrem Schreibtisch einen großen Stapel aus Akten und kopierten Blättern.

»Normalerweise sitzen hier Menschen, die schon seit Jahren mit nichts anderem beschäftigt sind, als ihre Familiengeschichte zu erforschen. Da ist es so erfrischend, wenn mal jemand vorbeikommt, dem ich noch was Neues erzählen kann«, sagte sie und rieb sich die Hände.

»Senta Goldmann, Ihre Urgroßmutter – eine ganz spannende Persönlichkeit. Ich habe hier die Wiedergutmachungsakten vorliegen. Wiedergutmachung, schreckliches Wort, nicht? Wenn man bedenkt, was Ihrer Familie widerfahren ist.«

Hannah nahm einen Schluck von ihrem Tee und nickte etwas verunsichert. Es war ihr unangenehm, dass sie keinen blassen Schimmer hatte, wovon Marietta Lankvitz da sprach.

»Sie haben keinen blassen Schimmer, wovon ich spreche, nicht?«, sagte Marietta Lankvitz. »Sehr interessant.«

»Na ja, ich weiß nicht, was daran interessant oder außergewöhnlich ist, ich komme mir ehrlich gesagt ziemlich dämlich vor«, sagte Hannah.

»Nicht doch, meine Liebe, Sie können ja nichts dafür. Schauen Sie, wir gehen das mal zusammen durch. Ihre Urgroßmutter Senta Goldmann war verheiratet mit einem Herrn Julius Goldmann. Der Vater von Herrn Goldmann wiederum, also der Schwiegervater Ihrer Frau Urgroßmutter, hatte einen Kunsthandel, hier in Berlin, am Lützowplatz. Der Lützowplatz war in den Zwanzigerjahren ein wichtiger Ort für die Kunst, dort gab es mehrere Galerien und Kunsthandlungen, sehr spannend das alles, Sie sollten sich ein bisschen einlesen in das Thema, ich gebe Ihnen später ein bisschen Lektüre mit.«

Hannah nickte beklommen. Hausaufgaben. Damit hatte sie wirklich nicht gerechnet.

»So, jetzt aber zum Wesentlichen. Der Schwiegervater Ihrer verehrten Frau Urgroßmutter wurde 1937 von den Nazis gezwungen, sein Geschäft aufzugeben, weil er Jude war. Das wissen wir aus den Handelsregisterakten und den Unterlagen der Reichskammer der Bildenden Künste, die damals alle Juden systematisch ausschloss und die Schließung von Galerien und Geschäften erzwungen hat. So sind wir überhaupt auf den Kunsthandel Goldmann gestoßen. Und nun stellt sich die Frage: Was ist mit all den Bildern und Kunstgegenständen passiert? Wo sind die heute?«

Marietta Lankvitz nahm ihre Brille ab und begann, die kleinen, flaschenbodendicken Gläser zu putzen, während sie Hannah fröhlich oder vielleicht auch nur besonders kurzsichtig anzwinkerte.

»Okay«, sagte Hannah. »Also, vielleicht ist das eine blöde Frage und ich kann mir die Antwort schon denken, aber ich frage jetzt trotzdem: Was ist denn mit den Schwiegereltern, also den Goldmanns, passiert?«

»Deportiert nach Theresienstadt und von da weiter nach Treblinka, wo man sie ermordet hat. Also Itzig Goldmann und seine Frau Helene Goldmann, im Juli 1942. Da haben die Nazis ja wirklich ganz ausgezeichnet Buch drüber geführt, das muss man ihnen lassen, sorgfältig waren sie ja. Einen so säuberlich dokumentierten Völkermord hat es in der Geschichte der Menschheit noch nie gegeben.«

»Und ihr Sohn? Und meine Urgroßmutter?«, fragte Hannah.

»Die müssen rechtzeitig das Land verlassen haben, hier in den Akten gibt es eine Meldeadresse in Dänemark.«

»Dänemark?«

»Kopenhagen, um genau zu sein. Ihre Urgroßmutter und ihr Ehemann haben nach dem Krieg versucht, etwas von dem verlorenen Vermögen der Goldmanns zurückzubekommen. Vergeblich, so wie es aussieht. Aber jetzt wird es interessant: Itzig Goldmann musste wie alle jüdischen Unternehmer eine Inventurliste seines Geschäfts einreichen, auf der jedes Kunstwerk aufgelistet sein sollte. Wie gesagt: Im Aktenanlegen waren die Nazis wirklich ganz hervorragend.«

»Und wo ist diese Liste?«

»Das ist die Frage. Sie ist verschwunden. Nicht auffindbar. Weg. Vielleicht verbrannt, vielleicht einfach verloren gegangen, vielleicht hat sie aber auch jemand absichtlich verschwinden lassen.«

»Wer sollte so was tun?«

»Jemand, der kein Interesse daran hat, dass Bilder und Kunstwerke an die rechtmäßigen Besitzer oder deren Erben zurückgegeben werden.«

»Aber wieso ist meine Großmutter dann die rechtmäßige Erbin? Es waren ja nicht ihre leiblichen Großeltern, denen das passiert ist.«

»Richtig, deshalb hat es auch ein bisschen gedauert, bis wir überhaupt Kontakt mit Ihrer Großmutter aufgenommen haben. In den Wiedergutmachungsakten steht nämlich nur, dass die Ehe der Goldmanns kinderlos war. Und da es sonst keine weiteren Überlebenden der Familie gab, hielt man diese Restitutionssache wohl erst mal für erledigt. Ich habe diese Akten ganz zufällig in die Finger bekommen, weil ich über die Kunstszene am Lützowplatz recherchiert habe. Und da hat mich irgendwas gezwickt.«

»Gezwickt?«, fragte Hannah.

»Richtig. Gezwickt«, sagte Marietta Lankvitz und fasste sich ans linke Ohr, das aus ihrem roten Haarschopf lugte wie eine Mondsichel. »Also, natürlich nicht wirklich. Aber Sie kennen das doch, wenn man plötzlich so eine Intuition hat. Dass die Ehe zwischen Senta und Julius Goldmann kinderlos geblieben ist, muss ja nicht unbedingt bedeuten, dass keiner der beiden ein Kind hatte. Und so bin ich mit ein bisschen Recherche auf Ihre Großmutter gestoßen. Als einzige Tochter von Senta Goldmann ist sie die rechtmäßige und einzige Erbin des gestohlenen Vermögens der Familie Goldmann. Haben Sie Geschwister?«

»Nein.«

»Hatte Ihre Mutter Geschwister?«

»Nein.«

»Nun, da Ihre Mutter verstorben ist, wären Sie damit die Nächste in der Erblinie, falls Ihre Frau Großmutter … also, das wollen wir natürlich nicht hoffen, möge sie noch viele Jahre … Sie verstehen, was ich meine. Kekse?«

Marietta Lankvitz hielt ihr die blaue Dose mit den dänischen Butterkeksen hin, und Hannah fischte eine gezuckerte Mürbeteigbrezel heraus. Das Kauen verschaffte ihr ein bisschen Zeit, um sich zu sammeln.

»Verstehe«, sagte sie schließlich, obwohl sie eigentlich noch nicht so richtig verstand. »Es gibt da also dieses geraubte Kunstvermögen, aber wir haben eigentlich keine Möglichkeit, es zurückzubekommen, ohne diese Inventurliste.«

»Nun, wenn es völlig aussichtslos wäre, würde sich die Kanzlei von Herrn Cohen ja nicht damit beschäftigen und hätte mich auch nicht mit weiteren Recherchen beauftragt. Schauen Sie«, sagte Marietta Lankvitz und zog ein Papier aus einer der Akten. »Das ist eine eidesstattliche Versicherung Ihrer Urgroßmutter. Sie war es nämlich, die für ihren Schwiegervater diese Liste getippt hat. Und hier beschreibt sie die Bilder, an die sie sich erinnern kann.«

Hannah nahm das Blatt in die Hand. Es war die Fotokopie eines Dokuments, geschrieben mit einer Schreibmaschine, deren »e« ein klein wenig verrutscht war. Oben links ein Briefkopf, der Name ihrer Urgroßmutter, Senta Goldmann, darunter eine Adresse in Kopenhagen sowie das Datum 12. Juni 1950.

»Ich, Senta Goldmann, geb. Köhler, geboren am 8. März 1904 in Rostock, erkläre hiermit an Eides statt:«

Ihre Urgroßmutter hatte also einen Tag vor ihr Geburtstag, das hatte Hannah nicht gewusst. Sie versuchte ange-

strengt, sich zu erinnern, ob ihre Mutter oder ihre Großmutter das jemals erwähnt hatten, es war ja ein ziemlicher
Zufall, das musste doch schon einmal aufgefallen sein. Es
war verrückt, hier zu sitzen, in diesem Keller mit dieser
merkwürdigen Frau, und aus dem Briefkopf eines Dokuments mehr über die eigene Urgroßmutter zu erfahren als
in den ganzen Jahren zuvor von ihrer Familie.

»*Der Kunsthandel meines Schwiegervaters, Dr. Itzig
Goldmann, war mir von vielen Besuchen gut bekannt. Auf-
grund meiner beruflichen Tätigkeit wusste ich, dass der
Kunsthandel einen exzellenten Ruf im Bereich skandinavischer und holländischer Malerei genoss und auch unter
Berliner Künstlern als gute Adresse galt. Kurz vor meiner
Emigration wurde mein Schwiegervater zur Aufgabe seines
Kunsthandels gezwungen. Auf seine Bitte hin habe ich ihm
bei der von den Behörden geforderten Bestandsaufnahme
geholfen und eine Liste von mehr als 200 Gemälden und
Kunstwerken erstellt. An fünf Gemälde kann ich mich sehr
gut erinnern, entweder weil sie besonders wertvoll waren
oder meinen persönlichen Geschmack trafen. Leider erinnere ich mich nicht an ihre genauen Titel und kann hier
nur meinen optischen Eindruck beschreiben:*

*Schreibtisch mit Bücherstapel, rechts unten ein schlafender
Hund, von Max Liebermann.*

*Kohlezeichnung eines alten, trauernden Mannes mit Hut
von Oskar Kokoschka.*

*Ein Paar, am Strand entlanggehend, am Horizont ein Se-
gelboot, an den Künstler erinnere ich mich leider nicht
mehr, möglicherweise Peder Krøyer.*

*Waldszene mit Fabelwesen, unheimlich, in Grün und Erd-
tönen gehalten, von Edvard Munch.*

*Junge Frau, am Fenster stehend, Abendlicht, blaues Kleid,
von Johannes Vermeer.*

Hannah strich mit dem Finger über die Unterschrift, die
Senta Goldmann auf die gestrichelte Linie unter dem Text
gesetzt hatte. »Ich habe noch eine Kopie, diese können Sie
gern behalten«, sagte Marietta Lankvitz. »Wenn ich Ihnen
einen Rat geben darf: Gehen Sie ein bisschen diskret damit
um. Da draußen gibt es viele schreckliche Menschen, und
wir sind ja erst ganz am Anfang der Recherche. Als Nächstes werden wir ...«

Das schrille Schnarren der Türklingel unterbrach Marietta Lankvitz, und Hannah erschrak so heftig, dass ihr
lauwarmer Tee aus der Tasse über die Hose schwappte.

»Ah, da kommt ja endlich Ihr Freund, ich habe mich
schon gewundert, dass Sie ihn nicht gleich dabeihatten.
Moment.« Marietta Lankvitz sprang aus dem Sessel und
daran, dass sie tatsächlich springen musste, sah Hannah,
dass ihre Beine beim Sitzen nicht bis zum Boden gereicht
hatten.

»Freund? Welcher Freund? Ich habe keinen Freund«,
sagte Hannah noch halbblau und eher zu sich selbst, wie
um ihr eigenes Entsetzen zu übertönen. Denn Marietta
Lankvitz hatte längst die Tür geöffnet. »Na, da sind Sie ja
endlich, hatte ich Ihnen am Telefon den Weg nicht gut
genug beschrieben? Wir haben schon mal losgelegt«, sagte
sie, und nun betrat – mit wehendem Trenchcoat und ge-
blecktem Zahnfleisch – kein anderer als Jörg Sudmann den
kleinen Kellerraum.

10.

Eine Kartoffel für Trude.

Eine Kartoffel für Evelyn.

Eine Kartoffel für Ulrich.

Eine Kartoffel für Onkel Arthur, den edlen Spender dieser Saatkartoffeln, die Trude in die Furchen des kleinen Ackers hinterm Forsthaus warf.

Eine Kartoffel für Doktor Klausen. Auch wenn es nun schon fast ein Jahr war und er nicht geschrieben hatte, kein einziges Mal.

Eine Kartoffel für ihre tote Mutter.

Eine Kartoffel für ihren toten Vater.

Eine Kartoffel für die siechen Großeltern, auf dass sie bitte bald sterben mögen.

Keine Kartoffel für Senta.

Nächste Furche. Noch mal von vorn.

Trudes Stiefel sanken tief in die aufgelockerte Erde, während sie mit jedem Schritt eine weitere Kartoffel fallen ließ. Wenn sie ehrlich war, war das ihre liebste Arbeit: den kleinen Kartoffelacker bestellen. Es war wunderbar eintönig, man konnte sehr gut nachdenken dabei und es stank nicht so entsetzlich wie beim Schweinestallausmisten. Es war ihre Rettung gewesen, als sie vor fast einem Jahr mit Evelyn hier angekommen war und ihre Morphiumvorräte aufgebraucht waren. Immer wenn das Zittern kam, der Schweiß, die Angst und die Unruhe, war sie in den Garten gegangen oder aufs Feld und hatte die Hände in die Erde gegraben, mit den Fingern die Steine und den Sand und den Schlick, die kleinen Käfer und Würmer befühlt, die wie eine taktile Übersetzung ihres inneren Zustandes waren.

Sollte wirklich keiner sagen, sie sei nicht hart gegen sich selbst. Sie hatte alles geopfert, für Evelyn und auch für das Glück ihres Bruders. Hatte am Tag nach Sentas Fortgang bei Doktor Klausen gekündigt, der die Nachricht so gefasst aufgenommen hatte, als habe er sie erwartet. In schlechten Momenten glaubte Trude, sich an einen Hauch von Erleichterung in seinem Blick zu erinnern, aber den Gedanken schob sie sofort beiseite, das durfte nicht sein. Und hatte er nicht absichtlich weggesehen, als sie die Schachtel mit den Morphiumampullen einstecken wollte? Sie hatte sie ihm gar nicht stehlen müssen, er hatte sie ihr auf diese Weise quasi geschenkt, und wenn das keine Liebesgabe war, was dann?

Hier im Forsthaus ihres Onkels, eine knappe Stunde Fußmarsch von Güstrow entfernt, war jedenfalls kein Nachschub zu bekommen. Sie hatte kurz die Hoffnung gehabt, als Pflegerin der greisen Großeltern könne sie möglicherweise an ein Rezept kommen und so regelmäßig etwas für sich abzweigen. Aber die Alten wollten nichts gegen die Schmerzen, und der Arzt, der gelegentlich im Forsthaus vorbeikam, um nach ihnen zu sehen, schien auch nicht sehr freigiebig mit seinem Rezeptbuch zu sein.

Und so waren die ersten Wochen hier, weit weg von Rostock, für Trude düster und schmerzhaft gewesen, voller Fieberträume und wahnhafter Sehnsucht, und ständig krähten die Alten nach ihr, weil sie Durst hatten oder die Bettpfanne brauchten, und dann musste Trude so tun, als wäre nichts, als ginge es ihr prächtig und als wäre sie dankbar, Unterschlupf gefunden zu haben, zusammen mit dem Kind, das gar nicht ihres war.

Wobei es sich mehr und mehr so anfühlte: Evelyns warmer, schwerer Körper, wenn sie auf Trudes Schoß eingeschlafen war, ihr leises Fiepen, wenn sie schlecht träumte, all das rührte Trude mehr, als sie jemals gedacht hätte. Vor allem die Selbstverständlichkeit, mit der sie nach Trudes Hand griff, wenn sie gemeinsam in Güstrow Besorgungen machen mussten. Und dass sie angefangen hatte, sie »Tuda« zu nennen, vielleicht eine Mischung aus Mama, Tante und Trude oder einfach nur ein Produkt ihrer kindlichen Fantasie.

Für Evelyn war es sicherlich das Beste, weit weg von Rostock und hier auf dem Land zu sein. Sie purzelte durch den Hühnerstall, fütterte die Kaninchen mit Butterblumen, und Trude vermutete, dass die Großeltern nur deshalb noch am Leben waren, weil Evelyn gelegentlich zu ihnen unter die Federdecken krabbelte. Seit Monaten waren die beiden bettlägerig, und unter anderen Umständen hätte Trude erwogen, ihnen nachts einfach ein Kissen ins Gesicht zu drücken, um dieses sich viel zu lang hinziehende Elend zu beenden. Andererseits war dies ja nun ihre Aufgabe, deshalb war sie hier. Für einen unverheirateten Mann wie Onkel Arthur war die Pflege der Eltern nicht zu bewältigen und am Ort war keine Krankenschwester zu finden, die sich Tag und Nacht ihrer hätte annehmen können. Onkel Arthur war genug damit beschäftigt, sich um Wald und Wild zu kümmern, seit Jahren immer gemeinsam mit Georg, seinem etwas tumben Hilfsarbeiter, dem er offenbar sehr freundschaftlich zugetan war, jedenfalls aß Georg mit am Tisch und nicht in der Küche, was Trude reichlich merkwürdig vorkam. Das gehörte sich nicht. Darüber würde noch zu reden sein, dachte sie und donnerte die letzten Kartoffeln in die Erde vor ihren Füßen.

Nach der letzten Furche ging Trude zurück ins Haus, zog die groben, lehmverkrusteten Stiefel aus, schrubbte sich in der Waschküche mit eiskaltem Wasser und einer Wurzelbürste die Hände sauber, bis sie rosa waren und brannten. In der Küche machte sie Feuer im Herd und stellte den großen Topf Erbsensuppe auf, den sie schon am Tag zuvor gekocht hatte, sie holte Würste für die Einlage aus der Kammer und rief nach Evelyn.

Noch eine Stunde, dann würde Ulrich hier sein, sie beide besuchen und Geld vorbeibringen. Anfangs war er noch alle zwei Wochen gekommen, inzwischen wurden seine Besuche seltener und kürzer. Wenn er da war, wirkte er bedrückt und abwesend, er fragte wenig, und Trude spürte, wie sehr er sich zwingen musste, nicht zu grob und abweisend zu seiner Tochter zu sein, die sich an seine Beine schmiegte und ihn bewundernd und ernsthaft ansah. Beim letzten Mal hatte Ulrich Trude und Evelyn auf eine kleine Fahrt in seinem Auto mitgenommen, sie waren über die Landstraße gefahren und Evelyn hatte auf Trudes Schoß gesessen und die kleinen Hände in den Fahrtwind gestreckt. Aber dann hatte Trude unvorsichtigerweise die Briefe erwähnt, die Senta regelmäßig aus Berlin schickte.

»Was für Briefe?« Ulrich trat auf die Bremse, bis das Auto stand. »Warum schickt sie Briefe?«

»Ich weiß es nicht, ich habe sie alle ungeöffnet wieder zurückgeschickt«, sagte Trude. Das stimmte nicht ganz, den allerersten hatte sie sehr wohl geöffnet, vorsichtig über

Wasserdampf. Er war drei Monate nach ihrer Ankunft in Güstrow gekommen, zwei eng beschriebene Seiten, ein knapper Gruß an Trude und dann ein längerer Text, »Evelyn vorzulesen«. Das hätte sie wohl gern, hatte Trude gedacht. Den Teufel würde sie tun. Und dann noch, eingeschlagen in dünnes Seidenpapier, ein Bündel Geldscheine.

Ulrich fixierte Trude mit einem Todesblick.

»Nein, wirklich, Ulrich. Alle ungeöffnet postwendend zurückgeschickt. Ich schwöre es dir. Glaubst du, ich bin wild darauf, zu lesen, wie sich Senta durch Berlin hurt? Glaubst du, ich würde auch nur eine Mark von ihr annehmen?«

Ulrich hatte den Gang eingelegt und war schweigend zurück zum Forsthaus gefahren. Er war dann nicht einmal mehr aus dem Auto ausgestiegen, um sich von Onkel Arthur und den Großeltern zu verabschieden, sondern gleich weitergefahren, zurück nach Rostock. Er habe schrecklich viel Arbeit, hatte er noch gesagt, und während Trude nun Evelyn die dünnen Haare zu neuen Zöpfen flocht, nahm sie sich vor, ihren Bruder noch einmal genauer nach alldem zu fragen, wenn er gleich kam. Ihm zu vermitteln, dass sie sehr wohl wissen wollte, wie es ihm ging, wie seine Geschäfte liefen. Früher hatte er sich ihr ja auch anvertraut mit all seinen Sorgen. Es schmerzte Trude, dass sie nun so weit weg war von allem, abgeschnitten von allen Nachrichten und Neuigkeiten, ohne die Nähe zu den Männern, die ihr im Leben am wichtigsten waren.

»Tuda, wann kommt das Auto?« Evelyn wand sich unter Trudes Händen, sie hasste es, gekämmt zu werden und still zu stehen, während man ihr die Zöpfe machte.

»Ganz bald kommt dein Vater mit dem Auto, Evchen. Setz dich raus auf die Treppe und warte auf ihn, aber mach dich nicht schmutzig, verstanden?«

Eine Stunde später nahm Trude den Topf wieder vom Herd, damit nichts anbrannte. Die Großmutter delirierte und krähte unverständliche Flüche an die Zimmerdecke, dem Großvater immerhin konnte sie einige Löffel Suppe einflößen, bevor er den Kopf wegdrehte. Lasst doch endlich los, dachte Trude. Was wollt ihr noch hier, seit Monaten in diesem alten Ehebett, schwach und wundgelegen und allen nur noch eine Last. Unten auf den Stufen zur Eingangstür saß Evelyn, starrte regungslos auf die Birkenallee, die von der Landstraße zum Forsthaus führte, und ließ den Kater gewähren, der ihr um die Beine strich. Es wurde Nachmittag, der Frühlingswind trieb dicke Pollenklumpen wie viel zu nasse Schneeflocken über den Vorplatz, im Schuppen waren Onkel Arthur und Georg damit beschäftigt, Schädel und Geweih eines frisch geschossenen Rothirschs auszukochen.

Schließlich bog ein Auto in die Einfahrt, aber es war nicht Ulrichs Adler, sondern der Kastenwagen des Arztes, der vorbeikam, um nach den Alten zu sehen. Trude sah durchs Küchenfenster, wie er seine schwarze Arzttasche vom Beifahrersitz holte, eilig die Treppen zur Haustür hinauflief und dem wartenden Kind dabei beiläufig über die Haare strich.

Das Letzte, was Trude hörte, bevor ihr schwarz vor Augen wurde, war die Entschuldigung des Arztes für seine Verspätung. Viel früher habe er kommen wollen, aber dann habe es diesen Unfall gegeben, nördlich der Stadt, ein junger Fahrer, frontal gegen einen Baum.

»Schade auch ums Auto«, sagte er. »Ein schönes Modell, grüne Lackierung, rote Ledersitze. Sieht man ja auch nicht so oft hier in der Gegend.«

11.

Zur Hölle mit den guten Ratschlägen. Vor allem denen, die in Wahrheit schlechte waren und die trotzdem ständig wiederholt wurden. Weitergetragen von Generation zu Generation, nur weil niemand mal laut aussprach, was für eine absolut schwachsinnige Idee es war, sich sein Publikum nackt vorzustellen. Wem war das wohl als Erstes eingefallen? Wann hatte er selbst das eigentlich zum ersten Mal gehört? Andreas Sonthausen wusste es nicht mehr. Wahrscheinlich in der Schule, vor seinem ersten Sachkundereferat über deutsche Mittelgebirge. Und dann immer wieder. An der Uni sogar dann noch, als er Dozent wurde und seine ersten Vorlesungen hielt. Irgendein Kasper kam immer um die Ecke mit diesem dümmsten aller Tricks gegen Lampenfieber, gerade eben noch sein Nachbar am Pissoir der Herrentoilette.

Sich das Publikum einer Germanistik-Vorlesung nackt vorzustellen, würde bedeuten, sich gedanklich in einen Saal voller nackter, zwanzigjähriger Frauen zu begeben (die wenigen Männer saßen ohnehin meist in der letzten Reihe). Schönen Dank auch, sehr hilfreich! Und hier, in diesem Hörsaal an der Universität Wien, war es auch nicht anders, junge, schöne Frauen bis hoch in die achtzehnte Reihe.

Wenn er ein Interesse daran hätte, während seines Vortrags garantiert den Faden zu verlieren, dann, ja dann würde er diesen Ratschlag befolgen.

Andreas Sonthausen hatte seine eigene Technik, um sich vor einem Vortrag in die richtige Stimmung zu bringen. Und während sich am Podium gerade eine Mitarbeiterin vom Deutschen Seminar durch seine akademische Vita referierte, ließ er den Blick über die Zuschauerreihen schweifen und setzte in Gedanken mitten zwischen die Studentinnen mit ihren Pferdeschwänzen und ihren kunstvoll drapierten Schals und dem erdbeerroten Lippenstift seine Eltern. Seine Mutter mit dem waidwunden, verwaschenen Blick, seinen Vater mit Schiebermütze und seinem großporigen, rotädrigen Bauerngesicht.

»Meine Damen und Herren, bitte begrüßen Sie mit mir Professor Andreas Sonthausen.«

Freundlicher Beifall, als er federnd zu seinem Vortragspult ging, kurz seine Notizen sortierte, einen Schluck von dem stillen Wasser nahm, das man ihm bereitgestellt hatte. Er liebte es, die erwartungsvolle Stille nach dem Applaus noch zwei Sekunden lang im Raum stehen zu lassen.

Die PowerPoint-Präsentation, die sich das Institut gewünscht und die Hannah vorbereitet hatte, hatte er in letzter Sekunde abgeblasen, obwohl, das war nicht ganz richtig: Er hatte eigentlich von Anfang an nicht vorgehabt, sie wirklich zu zeigen. Das hier war schließlich immer noch eine Fachtagung und kein TED-Talk, und war PowerPoint nicht ohnehin langsam wieder out? Sein Publikum brauchte keine zusätzliche Visualisierung, solang er auf der Bühne stand.

Seine Eingangsworte jedenfalls kamen schon mal gut an, seine kleinen Pointen zündeten, kein Problem für ihn, sich von seinem Manuskript zu lösen und mit den Händen in den Hosentaschen gemächlich die Bühne abzuschreiten, während er seine Gedanken formulierte.

Sein Vater hätte das so gehasst, dieses Lässige, scheinbar Improvisierte. Schlimm genug, dass der Sohn mit seinem Einserabitur nicht Medizin studiert hatte. Dass er den Hof nicht übernehmen würde, das war schon früh klar, das hatte der Alte akzeptiert. Aber wenigstens eine Landarztpraxis hätte es doch sein können. Anstatt für immer an der Universität zu bleiben, wie so ein Herumtreiber, auf Steuerzahlerkosten. Und dann auch noch in Berlin, so weit von seinen sauerländischen Wurzeln entfernt.

Im ewig traurigen Blick seiner Mutter sah Andreas all die Enttäuschung und die unerfüllte Sehnsucht nach einem Sohn, der ein anständiges Leben führte, was sich in einem Haus, einem Auto, einer netten Frau und vor allem zwei bis vier Kindern manifestiert hätte. Lange hatte es Andreas gequält, dieses Gefühl der Entfremdung und des Unverstandenseins. Die heimlich belauschten Gespräche seiner Eltern, die sich fragten, ob er wohl schwul sei, immer die schwarzen Klamotten und diese schreckliche Jazzmusik. Und warum geht der Junge nicht zur Freiwilligen Feuerwehr oder wenigstens in den Schützenverein?

Als Student hatte Andreas sich geniert, jedes Mal, wenn seine Eltern ihn besucht hatten, den Kofferraum ihres Opel-Senators voller Konserven. Aber irgendwann war es ihm egal geworden, oder die Therapie hatte endlich gewirkt. Die Anerkennung seiner Eltern würde er nicht bekommen, für ihr Glück war er auch nicht verantwortlich. Und schließlich hatte er eine fast sadistische Freude daran entwickelt, ihnen den Graben aufzuzeigen, der sich zwischen ihnen aufgetan hatte. Wie rückständig und provinziell sie waren. Wenn seine Eltern ihn besuchen kamen, was selten geschah, quartierte er sie in Designhotels ein und freute sich an dem Gedanken, dass sein Vater über die Duscharmaturen und die Lichtschalter schimpfen würde, weil er ihre Funktionsweise nicht verstand. Er nahm sie mit zu Kunsthappenings und Theaterpremieren, zu Weihnachten und zu Geburtstagen schickte er ihnen Bücher, von denen er wusste, dass sie sie nicht lesen würden. Er versteckte seine Herkunft nicht mehr, sondern erwähnte sie bei jeder Gelegenheit, weil sie ihn interessanter machte. Ihn umso heller strahlen ließ. Vater Landwirt, Futterrüben, Mutter Hausfrau, ein älterer Bruder, Augenstern der Eltern und designierter Hoferbe, der sich aber als Führerscheinneuling besoffen gegen einen Baum gesetzt hatte und an dessen tragischen Tod nun ein weißes Kreuz mit »Dirk, unvergessen« am Straßenrand kurz vor dem Ortsschild seines Heimatdorfs bei Iserlohn erinnerte. Und er, Andreas Sonthausen, ein Intellektueller, dem nichts in die Wiege gelegt worden war.

Es war ihm eine Lust, hier auf der Bühne durch Fremdwörter und Fachjargon zu surfen und sich dabei seinen Vater im Publikum vorzustellen, wie er abschätzig schnaubte, weil er nicht verstand, von was sein Sohn da redete, und wenn ER es nicht verstand, dann musste es unwichtig sein.

Es lief gut für Andreas Sonthausen. Das Publikum voller Erdbeermünder war hingerissen und badete in seinem Charisma. Nur ein einziges Mal geriet er kurz ins Stolpern: als er Hannah ganz am linken Ende der vierten Reihe im Publikum entdeckte. Schlafend. Jedenfalls sah es danach aus, Hannah saß da mit geschlossenen Augen, dann kippte ihr der Kopf nach vorn und sie fuhr erschrocken zusammen.

Andreas verhaspelte sich und verlor den Faden. Er nahm die Brille ab, ging zurück zum Pult, wo seine Notizen lagen, trank einen Schluck Wasser, sammelte sich und beendete seinen Vortrag, routiniert, aber nicht mehr ganz so bei der Sache. Er hatte sich aus dem Konzept bringen lassen, das war ihm schon lange nicht mehr passiert.

Auf dem anschließenden Empfang hielt er Ausschau nach Hannah und konnte sie nicht finden. Er machte ein bisschen Small Talk, aber er war unkonzentriert. Er wusste, dass Hannah mit dem Nachtzug gekommen war und ja, da durfte man müde sein, aber dass sie einfach so verschwand? Er hatte schließlich vorgehabt, hier mit ihr zusammen zu verschwinden. Er hatte ein Essen mit dem Botschafter abgesagt, unter dem Vorwand, er habe noch familiäre Verpflichtungen. Er hatte ein Restaurant ausgesucht, am Stadtrand, nobel genug, um Hannah zu beeindrucken, diskret genug, um dort unbeobachtet auszuloten, was im Anschluss zwischen ihnen noch möglich wäre. So lief das normalerweise nicht. Die Affären, die er bislang gehabt hatte, waren eigentlich immer ziemlich schnell eskaliert. Tiefe Blicke und tiefe Ausschnitte aus Reihe eins im Vorlesungssaal, ausgedehnte Sprechstunden in seinem Büro, Nachfrage, ob man das ein oder andere nicht anderswo vertiefen wolle, knick knack, Hotelzimmer, Sex, das Ganze regelmäßig ein paar Wochen lang, und dann gab es meistens eine Szene. Entweder, weil bei ihr plötzlich Gefühle im Spiel waren, oder weil er nicht bereit war, mittelmäßige akademische Leistungen besser zu bewerten, nur, weil man ihm unter der Dusche mal einen geblasen hatte.

Seine Frau hatte ihn jedes Mal ausgelacht, wenn sie wieder eine seiner Studentinnen weinend am Telefon hatte, die glaubte, sie hätte die Macht, mit einem Racheanruf seine

Ehe zu zerstören. Er dagegen hatte nie weinende Künstler am Telefon. Hin und wieder sah er die aktuellen Liebhaber seiner Frau auf Vernissagen und dann fühlte er sich von ihnen abschätzig gemustert. Früher hatte ihn das weniger getroffen. Was für ein verdammtes Klischee er war. Ein mittelalter Mann auf dem Weg in die Midlife-Crisis oder vielleicht schon mittendrin, der nach Jahren sportlich einvernehmlicher Untreue seine Souveränität einbüßte. Erbärmlich war das.

Und noch erbärmlicher war, dass er seit Wochen über Hannah nachdachte.

Nicht dass der Sex mit ihr so besonders gewesen wäre, er hatte aufregenderen gehabt. Er konnte auch nicht behaupten, dass er vor dieser Sache in Marbach besonders scharf auf sie gewesen war. Eher: freundlich interessiert und nicht abgeneigt. Alles Weitere hatte sich für ihn eher überraschend ergeben. Aber es war das Danach, das ihn irritierte. Wie sie so tat, als wäre nichts passiert und dann trotzdem seine Nähe suchte. Wie sie erst seine SMS ignorierte und ihn dann in diese Familienangelegenheit mit reingezogen hatte. Diese Unberechenbarkeit, die drückte sämtliche Knöpfe bei ihm. Er wurde einfach nicht schlau aus ihr, und gleichzeitig fühlte er sich angezogen von dieser Düsternis, die Hannah umgab. Das war seine Schwäche: traurige Mädchen. Also nicht die, die wie eine offene Wunde durchs Leben gingen, sondern die, deren Traurigkeit es zu entblättern galt. Die ihr kleines, dunkles Geheimnis ganz eng am Körper trugen und eigentlich nicht wollten, dass man einen Blick darauf warf. Das reizte ihn. Mehr als die sexy Männerfantasien oder die devoten Fangirls, die ihn anschmachteten und ihm noch während er sie auszog erzählten, wie klug und unwiderstehlich er sei. Das wusste

Andreas Sonthausen selbst. Und dass Hannah zu diesem Kongress mitgefahren war, hatte er eigentlich als Einverständnis gedeutet, dass dieses Wochenende in Wien nicht allein der Forschung vorbehalten sein würde.

Und sie schlief einfach ein? Inmitten eines hingerissenen Publikums, das ihm an den Lippen hing? Und dann entzog sie sich und verschwand? Was bildete sie sich ein?

Er hatte Vorkehrungen getroffen, extra für sie, er hatte den Doppelzimmeraufschlag im Hotel aus eigener Tasche bezahlt, damit am Institut niemandem etwas auffiel. Er hätte jede andere Doktorandin mitnehmen und er hätte sicherlich die Hälfte seines Vortragspublikums flachlegen können an diesem Abend. Sollte er vielleicht auch tun. Das hätte sie dann davon, und wahrscheinlich würde es ihr leidtun, und wenn sie sich das nächste Mal besoffen in irgendeinem Hotelzimmer an seinen Mund kleben würde, würde er extra kühl sein, und wenn sie ihn das nächste Mal um einen »väterlichen Rat« bat, würde er nicht Himmel und Hölle in Bewegung setzen, um ihr zu helfen.

Seit zehn Minuten palaverte ein junger Österreicher in quälendem Singsang auf ihn ein, während der Prosecco in Andreas' Hand immer wärmer wurde. Von der anderen Seite des Raumes schaute seine imaginäre Mutter kuhäugig zu ihm herüber, eine sich immer weiter in ihr Skelett zurückziehende Frau ohne Körperspannung, daneben sein imaginärer Vater, bräsig und unförmig, ins Gespräch vertieft mit Andreas' imaginärer Frau, die nur kurz den Kopf wand, um ihm mitleidig und amüsiert zuzuprosten. Schluss jetzt, dachte Andreas. Es reicht.

»Tut mir leid, bitte schreiben Sie mir dazu gern eine E-Mail, ich muss los«, sagte er und tätschelte dem verdutzten Österreicher die Schulter. Ja genau, ich bin einer von diesen unhöflichen Deutschen, dachte er, genau so einer bin ich, kommt drüber weg. Er knallte sein Sektglas einer der Kellnerinnen aufs Tablett, zog sein Handy aus der Jacketttasche und tat so, als würde er Nachrichten lesen, damit ihn auf dem Weg nach draußen keiner mehr ansprach. Er ging ein paar Schritte die Straße entlang, bis er weit genug weg war vom Eingang und rief Hannah an.

Sie klang verschlafen, als sie sich meldete. Andreas hatte vorgehabt, kühl und abweisend zu sein, aber dann hätte er am besten gar nicht angerufen.

»Na, ausgeschlafen?«

»Tut mir leid, ehrlich, es war nur ... die Zugfahrt ... ich wollte nicht einschlafen, ich war nur plötzlich so ...«, stotterte Hannah am anderen Ende der Leitung und dann stockte das Gespräch für einen Moment, weil sie beide nicht wussten, was es zu sagen gab.

Andreas zog Luft durch die Zähne. Das lief alles nicht optimal heute, aber scheiß drauf, jetzt war es auch egal.

»Gut, Hannah, ich frage das nur einmal und vielleicht vergessen wir das alles auch einfach, aber wenn ich gleich mit einem Taxi vor deiner Jugendherberge stehe oder wo immer du dich einquartiert hast: Steigst du dann ein?«

In Andreas' Kopf brach seine Frau in schrilles Gelächter aus und in Andreas' Telefon war eine Stille, die sein Herz schneller schlagen ließ, und dann schließlich sagte Hannah:

»Bis gleich.«

12.

»Nu zeig ma her, du kleine Goldmarie«, sagte Frau Kronbach, als Senta in ihrem Kostüm die Küche betrat. Lotte hatte goldene Theaterschminke für Sentas Gesicht besorgt und ihr einen breiten, sehr dramatischen Lidstrich gezogen. Seit zwei Tagen hatte Senta an einer Schärpe aus goldschimmerndem Stoff genäht, die sie sich wie eine Schlange über die Schulter ihres schwarzen Cocktailkleides drapiert hatte. Das musste reichen als Verkleidung.

Es war das erste Mal, dass sie einen Kostümball besuchen würde, ein Künstlerverein, der sich »Novembergruppe« nannte, veranstaltete das Fest und es versprach, der rauschende und frivole Auftakt der Berliner Ballsaison zu werden.

»Na, was bin ich?«, fragte Senta und drehte sich vor ihrer Wirtin einmal um sich selbst.

»Zum Anbeißen biste«, sagte die Kronbach. »Gibt es ein Motto?«

»Eine Nacht im Paradies.«

»Die Schlange?«

»Nein, viel zu eindeutig. Ich bin ›Die Versuchung‹«, sagte Senta und schenkte Frau Kronbach einen glutvollen Blick, von dem sie wusste, dass er ihr beim nächsten Klopseessen eine extra Kelle Soße einbringen würde.

»Bin so neidisch, dass du da hingehst«, sagte Lotte und schob die Unterlippe vor. »Und wann kommt Goldmännchen und holt dich ab?«

»Na, wenn der dir heute nicht erliegt, dann isser vom anderen Ufer, meine Kleene«, sagte die Kronbach.

»Ist er nicht«, sagte Lotte. »Der Goldmann liebt dich, das weiß jeder. Und du liebst ihn auch, das weiß auch jeder. Nur du weißt das nicht.«

»Ach, halt die Klappe«, sagte Senta zu ihrer Freundin, gab ihr einen Kuss, der einen goldenen Fleck auf Lottes Wange hinterließ, zog sich den Mantel an und ging aus der Tür, um unten auf den Wagen zu warten.

Die Sache mit Julius Goldmann lief nun schon eine Weile, wobei da ja eigentlich gar nichts lief. Sie hatten keine Affäre, er hatte sich ihr nie aufgedrängt, wie sie es in der Redaktion des *Berliner Tageblatts* bei anderen Redakteuren durchaus erlebt hatte. Er hatte nie versucht, sie zu küssen, ihr an die Wäsche zu gehen oder an ihr herumzutätscheln. Er nannte sie auch nicht »Kleene« oder »Puppe« oder »Schätzchen«, sondern immer Senta. Senta und »Sie«. Und er bestand darauf, dass sie ihn Julius nannte und nicht Herr Goldmann.

Kurz nach ihrer Ankunft in Berlin hatte Senta durch Lottes Vermittlung eine Arbeit als Schreibkraft beim *Berliner Tageblatt* gefunden. Sie war schnell an der Schreibmaschine und hatte sich das Stenografieren beigebracht, sie nahm Diktate auf, tippte Artikel ins Reine, verschriftlichte Notizen, nahm am Telefon Annoncen entgegen, half überall dort aus, wo gerade jemand gebraucht wurde. Bis sich Julius Goldmann bei einem Sturz das rechte Handgelenk gebrochen hatte. Und ein Reporter, der nichts in seinen Reporterblock schreiben kann, braucht eine dauerhafte Assistenz an seiner Seite.

Es hatte für Unmut unter den anderen Mädchen gesorgt, dass Senta, die von allen am kürzesten da war, nun Julius Goldmann zu Terminen begleiten durfte. Und natürlich wurde viel getuschelt und getratscht. Aber da gab es gar nichts zu tratschen, und Senta dachte an ihre Mutter, hielt sich gerade und ignorierte das Gerede.

Ihr erster Termin, zu dem sie Goldmann begleitet hatte, lag im Westen der Stadt, an einer Autorennstrecke. Es war ein frühsommerlicher Tag Ende Mai gewesen, und auf der Besuchertribüne war alles in dichten Zigarettenqualm gehüllt. Senta war die einzige Frau weit und breit, und über die ganzen Hüte und den Qualm hinweg konnte sie fast die Strecke nicht sehen, auf der gleich ein gänzlich unglaubliches Rennauto vorgestellt werden sollte – eines, das nicht mit Benzin, sondern mit Raketenantrieb fuhr. Julius Goldmann, der etwas kleiner war als Senta, zog sie hinter sich her, ganz vorne in die erste Reihe. Senta hatte Block und Bleistift aus ihrer Handtasche geholt und ließ sich von Julius diktieren:

- *sonniges Frühlingswetter*
- *gespannte Stimmung auf der Tribüne, schätzungsw. 2000 Zuschauer*
- *Fritz von Opel stellt sich Zuschauern vor, weiße Hose, schwarze Lederjacke, sehr elegant. Alter erfragen!*
- *Rennwagen schwarzer Zylinder, seitliche Stabilisierungsflügel. (Anpressdruck??)*
- *120 Kilo Sprengladung, 24 Raketen*
- *Weltrekord?*

Als der Wagen schließlich mit mehr als 200 Sachen an ihnen vorbeigerast und die umstehenden Zuschauer in

Jubel ausgebrochen waren, war Senta übel geworden. Sie hatte plötzlich den Geruch von Öl in der Nase, der sich mit dem Geruch von frischem Blut und gesplittertem Holz mischte. Wie ein kleiner Enterhaken hatte sich Ulrichs Tod plötzlich in ihr Bewusstsein gekrallt, dessen Umstände sie sich nie so genau ausgemalt hatte.

Bis jetzt.

Trude hatte ihr ein Telegramm mit der Nachricht geschickt und dann gleich noch eines hinterher, mit der Aufforderung, keinesfalls bei der Beerdigung aufzutauchen. Immerhin waren Sentas Briefe danach nicht mehr ungeöffnet zurückgekommen, sie konnte also davon ausgehen, dass Trude das Geld annahm, das sie regelmäßig schickte, und vielleicht würde sie Evelyn ja auch die Briefe vorlesen.

Julius hatte Senta aus der Menge gezogen und sie gefragt, ob ihr nicht gut sei. Er hatte ihr seinen linken, unvergipsten Arm angeboten, und Senta hatte sich untergehakt, weil ihr plötzlich die Brust eng wurde und ihr Atem galoppierte und in ihrem Kopf Bilder flackerten: Ulrich, wie sie ihn immer von der Seite angesehen hatte beim Fahren, selbstsicher und unerschütterlich, Ulrich, wie er sie angesehen hatte, so voller Wut und Scham, als sie ihm gesagt hatte, dass sie gehen würde. Ulrich, wie er mit toten Augen und offenem Schädel über dem Lenkrad gehangen haben musste, als man ihn gefunden hatte.

Das war alles nicht ihre Schuld, aber vielleicht ja doch, vielleicht war es doch auch ein wenig ihre Schuld. Und je schneller die immer gleichen Bildsequenzen durch ihren Kopf ratterten, desto schneller hatte ihr Herz geschlagen, bis hoch unter die Schädeldecke, desto heftiger musste sie Luft in ihre Lungen ziehen, bis sie nicht mehr aufhören konnte.

Julius Goldmann hatte keine Fragen gestellt. Er hatte sie durch die palavernde Menge gezogen und draußen bis zu einer Bank geführt, ganz in der Nähe der Stelle, bei der der Fahrer sie abholen und in die Redaktion zurückfahren würde. Er hatte sich neben sie gesetzt, ihre Hand gedrückt und laut und gleichmäßig geatmet. So lang, bis Senta schließlich in seinen Rhythmus eingefallen war und sich beruhigte.

»Raketenautos. Was für ein Unsinn«, hatte Julius Goldmann gesagt. »Da kann einem schon mal komisch werden.«

»Deswegen ist es nicht. Tut mir sehr leid, mir ist das sehr unangenehm«, hatte Senta gestammelt. Julius Goldmann hatte ihre schweißnasse Hand gehalten und einfach ruhig neben ihr weitergeatmet. So ganz genau wusste Senta auch nicht, was das in ihr war. Was sich da immer aufblähte in ihr und immer größer und drängender wurde und dann überschwappte, wie ein Topf kochender Milch. Vielleicht war es die ganze Luft, die sie sich in den Körper geatmet hatte, vielleicht die freundliche Wärme, die von Julius Goldmann ausging. Jedenfalls hatte Senta sich selbst wie einer Fremden zugesehen, wie sie plötzlich angefangen hatte zu reden und nicht mehr damit aufhörte.

Sie erzählte Julius Goldmann alles, ihre ganze Geschichte. Die Ehe mit Ulrich, ihr Versagen als Hausfrau und als Mutter, das Kind, das sie zurückgelassen hatte, Ulrichs Tod, ihre Schuldgefühle, das Geld und die Briefe, die sie ihrer Tochter schickte, über die sie nichts erfuhr, es war ein nicht abreißender Wortschwall gewesen, ein nur grob zusammenhängender Abriss der letzten Jahre ihres Lebens, und es hatte sich erst befreiend und gut angefühlt und dann schämte sie sich entsetzlich.

Als der Wagen kam, hatte Julius sie nach Hause bringen lassen, es würde reichen, wenn sie das morgen tippte, die Geschichte über das Raketenauto, den schnellsten Wagen der Welt und seinen kühnen Fahrer. Die erste Meldung für die nächste Ausgabe würde er jemand anderem diktieren. Sie solle sich ausruhen.

An Ausruhen war aber gar nicht zu denken. Senta hatte auf ihrem Bett gelegen und beschlossen, nie wieder aufzustehen. Einfach liegen zu bleiben, so lange, bis sie sich verflüssigt hätte und in die Matratze gesickert wäre. Was war in sie gefahren, sich einem Fremden so zu offenbaren, den sie kaum kannte und für den sie arbeitete? Wie dämlich konnte man sein? Warum war sie nicht fähig, aus dem Guten, das ihr widerfuhr, auch etwas zu machen, anstatt immer alles zu verderben? Sie hatte sich lächerlich gemacht, ausgerechnet vor dem einen Menschen mit Einfluss, der es gut mir ihr meinte.

Am nächsten Morgen hatte Lotte sie aus dem Bett geworfen, und Senta war in Erwartung ihrer sicheren Entlassung mit hängendem Kopf in die Redaktion marschiert. Aber alles war wie immer, niemand schien von ihrem Ausfall zu wissen. Julius Goldmann hatte sie freundlich begrüßt, er habe Lisbeth gestern noch eine schnelle Meldung über den Weltrekord für die aktuelle Ausgabe diktiert, aber für den Nachmittag habe er ein Gespräch mit Fritz von Opel persönlich arrangiert, er wolle ein größeres Porträt schreiben, ob es Senta wohl möglich sei, ihn zu begleiten und zu stenografieren? Über das, was am Vortag geschehen war, verlor er nie wieder ein Wort.

Seitdem war zwischen Senta und Julius so etwas wie eine Freundschaft gewachsen, eine respektvolle Zuneigung und Verbundenheit, die sich so anders anfühlte als die heftige und dafür immer kurze Verliebtheit, die sie bislang erlebt hatte. Auch als sein Bruch längst verheilt war, bestand Julius Goldmann darauf, Senta zu Terminen mitzunehmen, zu Theatervorstellungen, Ausstellungseröffnungen, sogar zu großen Boxkämpfen. Er hatte ihr an einem Wochenende das Autofahren beigebracht, und sie hatte damit begonnen, von ihrem gesparten Geld jede Woche einen kleinen Teil für die Gebühren beiseitezulegen, die die Führerscheinprüfung kostete.

Und heute der Kostümball. Diesmal war sogar Lotte neidisch, die diese sich so lange hinziehende Anbahnung zwischen ihrer Freundin und dem kleinen, drahtigen, immer so anständig förmlichen Redakteur sonst eher amüsiert belächelte und sich lieber wechselnde und sich ab und an überschneidende Affären mit den Druckern, den Setzern und den Fahrern des Verlags leistete. Mit denen konnte man wunderbar tanzen gehen, die kannten die wildesten Lokale und die verruchtesten Keller, aber Einladungen zu Kostümbällen schleppten die nun mal leider nicht an.

Nachdem der Wagen vor Senta gehalten hatte und sie in ihrem schwarz-goldenen Kleid hinten auf den Rücksitz geklettert war, erschrak sie über Julius' Aufzug. Er war unrasiert und trug einen blutigen Kopfverband, der sein linkes Ohr bedeckte.

»Um Gottes willen, was ist Ihnen denn passiert?«, fragte Senta.

»Tut mir leid, ich hätte Sie vorwarnen sollen, das ist mein Kostüm. Gestatten? Vincent van Gogh.«

Senta starrte Julius verständnislos an.

»Das war der mit dem Ohr, verstehen Sie? Ein berühmter niederländischer Maler.«

»Ich weiß, aber das Motto war doch ›Eine Nacht im

Paradies‹, oder habe ich das missverstanden? Sie sehen aus wie ›Eine Nacht im Lazarett‹!«

Julius lachte. »Stimmt, ich habe das Motto etwas sehr frei interpretiert. Aber ich glaube, viele Menschen müssen erst einmal durch die Hölle, bevor sie im Paradies landen. Kaum ein Künstler hat so sehr gelitten wie Vincent van Gogh. Und er hat doch paradiesische Kunst erschaffen.«

»Aber doch nicht, weil er so gelitten hat«, warf Senta ein. »Sondern obwohl er so gelitten hat. Was soll daran paradiesisch sein?«

Julius fasste sich ans Ohr, und Senta meinte zu sehen, dass er dabei leicht zusammenzuckte, aber es konnte auch das Rucken des Wagens gewesen sein.

»Sie haben völlig recht, Senta, es tut mir leid, ich bin nicht besonders begabt in Kostümierungen. Sie dagegen sehen zauberhaft aus.«

Der Wagen fuhr sie bis vor die Tür der Philharmonie in der Bernburger Straße. Der Einlass ging schnell, sie gaben ihre Mäntel bei einer Garderobendame ab, die ein Kleid aus lose aneinandergenähten Filz-Feigenblättern trug, das wenig der Fantasie überließ. »Ich gehe uns was zu trinken holen«, sagte Julius und ließ Senta an einem der Stehtische zurück, während er sich in Richtung Bar drängelte. Senta sah sich um: Der Saal der Philharmonie war mit Palmwedeln aus Papier dekoriert worden, Luftschlangen hingen von den Balustraden, die wohl an Lianen erinnern sollten. An den Säulen waren Bananen befestigt, na, echte werden es ja wohl kaum sein, dachte Senta und nahm sich vor, später mal nachzusehen, ob man die Früchte aus Holz geschnitzt oder vielleicht Gurken in gelbe Farbe getaucht hatte. Auf der Bühne spielte eine Kapelle buchstäblich um ihr Leben, denn direkt über der Bühne hing ein

Himmelbett von der Saaldecke, das Senta nicht besonders sorgsam befestigt vorkam. Schade wäre das, dachte sie, wenn die Seile reißen und beispielsweise den hübschen Schlagzeuger und den Kontrabassspieler links daneben ins Jenseits oder ihretwegen auch ins Paradies befördern würden.

Aber eine tolle Schlagzeile für die Montagsausgabe wäre es schon!

Das Publikum, das sich um die Tische drängte, war eher dezent kostümiert, während sich auf der Tanzfläche die Künstler oder solche, die für welche gehalten werden wollten, beim Charleston verausgabten. Man erkannte sie an der Exaltiertheit, mit der sie ihre Arme und Beine von sich warfen, juchzten, sich vielsagend in die Augen starrten, an der Knappheit ihrer Kostüme, an der vielen Haut, die sie zeigten, an der Zügellosigkeit, die Senta ein wenig einstudiert vorkam. Das Kostümfest war eine der wenigen Einnahmequellen der Künstlergruppe, und da wollte man dem braven Berliner Bürgertum offenbar genau das Maß an Verruchtheit und Enthemmung bieten, das es sich von dieser Veranstaltung erwartete.

Julius schien beim Holen der Getränke aufgehalten worden zu sein, er hatte sicher jemanden getroffen, der ihn in ein langatmiges Gespräch über irgendeine Theater- oder Opernpremiere verwickelt hatte, und Senta versuchte, deswegen nicht verstimmt oder enttäuscht zu sein. Sie waren ja als Freunde hier, als Arbeitskollegen, nicht als Paar. Es stand ihr gar nicht zu, irgendwelche Erwartungen zu haben, er musste sich nicht um sie kümmern, sie würde hier einfach ihre Arbeit machen, sprich: die Szenerie beobachten. Dann würden sie sich morgen über ihre Eindrücke austauschen, und Julius wäre begeistert, weil Senta oft

Details bemerkte, die Julius entgingen, der immer das große Ganze betrachtete und dann bemerkte er vor lauter Überblick gar nicht, dass beispielsweise da drüben an einer der Säulen die Gattin eines bekannten Bankhausdirektors heimlich eine der Dekorationsbananen abgerissen und in ihre Handtasche hatte verschwinden lassen. Oder dass die sehr groß gewachsene und besonders verführerisch und elegant gekleidete Verkäuferin der Tombola-Lose unter ihrer Schminke einen recht eindeutigen Bartschatten hatte. Oder dass die neue Freundin des eitlen Gerichtsreporters von der *Neuen Presse* ganz offenbar nur Augen für einen der Posaunisten hatte, der ihr immer dann, wenn er sein Instrument absetzte und ein paar Takte lang Pause hatte, verschwörerisch zuzwinkerte.

Senta holte eine Zigarette aus ihrer Handtasche, und sofort sprang ein junger Kerl an ihre Seite, um ihr Feuer zu geben und sich vorzustellen. Meyer, Erich, Assistent des Chefkurators der Kunsthalle, sehr erfreut. Ob sie wohl Künstlerin sei?

»Nein«, antwortete Senta. »Ich schreibe.« Was ja nun nicht gelogen war. Erich Meyer jedenfalls war hocherfreut und begann damit, Senta über die anwesende Künstlerprominenz aufzuklären. Da drüben, mit den aufgeschminkten Äpfelchen auf den Backen, das ist Georg Tappert. Und da drüben Ringelnatz. Wussten Sie, dass der auch malt? Man kennt ihn ja eher von seinen affigen Gedichten. Die da hinten ist die Laserstein, ziemlich überschätzt, wenn Sie mich fragen. Tanzen Sie?

Ja, Senta tanzte. Julius schien ja nicht mehr aufzutauchen, und so langsam machte es sie dann doch wütend, dass er sie einfach so stehen gelassen hatte und verschwunden war mit seinem albernen Kopfverband. Erich Meyer hatte sich golden bemalte Engelsflügel aus Pappe hinten an den Hosenträgern befestigt und sah mit seinen kleinen blonden Locken tatsächlich ein bisschen wie ein zu groß geratener Engel aus.

Sie tanzten und tranken Wein, und Erich kaufte Senta Tombola-Lose, die sich allesamt als Nieten herausstellten. Zum Glück, dachte Senta, denn es gab unter anderem ein Paddelboot zu gewinnen. Was hätte sie damit anfangen sollen? Sie tanzten und tranken weiter, Julius blieb verschwunden, und irgendwann beschloss Senta, nach Hause zu gehen. Moment mal, sagte Erich, der inzwischen ziemlich betrunken schien, nun hätten sie doch schon den ganzen Abend und ob sie nicht, also ob er sie nicht, sie könne doch nicht einfach so verschwinden, ihn hier den ganzen Abend lang in Versuchung gebracht und nun nicht mal ein Kuss, das wäre ja nun reichlich schade und auch undankbar, und den Rest hörte Senta schon nicht mehr, weil sie sich schnell durch die Menge aus Erichs Sichtfeld geschoben hatte, sich nun kurz hinter einer Säule versteckte, bis Erich sie endgültig aus den Augen verloren hatte, um dann vor der Tür in einen der Wagen zu steigen und sich nach Hause fahren zu lassen.

Als Senta am nächsten Morgen zum Sonntagsdienst in der Redaktion erschien, war Julius Goldmann nicht an seinem Platz.

»Hat sich krankgemeldet, Schätzchen. Musste heute mal ohne ihn auskommen«, sagte Berta, die am Empfang saß und Senta nicht leiden konnte. Senta ließ sich ohne Protest ins Archiv beordern, wo sie einzelne Artikel ausschneiden, auf Karten heften, verschlagworten und wegsortieren sollte, und das war genau die Art von stupider Fleißarbeit, die sie jetzt gut gebrauchen konnte, um diese vor sich hin köchelnde Mischung aus Groll und Sorge in ihrem Magen abzulöschen.

Als Senta am frühen Nachmittag zurück in die Redaktionsräume kam, um ihren Mantel zu holen, sah sie Julius Goldmann doch in seinem Zimmer sitzen. Er trug noch immer den Kopfverband und als er Senta durch die Glasscheibe sah, die sein Büro von der großen Schreibstube trennte, winkte er sie zu sich.

»Was kann ich für Sie tun, Herr van Gogh?«, sagte Senta, so kühl sie konnte.

Julius seufzte und bedeutete ihr, sich zu setzen, und dann entschuldigte er sich ausführlich und aufrichtig bei ihr. Er habe sie nicht einfach stehen lassen wollen, ihm sei plötzlich übel geworden, denn der Kopfverband sei, wie Senta sich ja inzwischen möglicherweise schon gedacht habe, gar kein Kostüm, sondern Folge einer unangenehmen Begegnung gewesen, die Julius am Tag zuvor gehabt habe. Mit einem Schauspieler, dessen Darbietung er in einem Artikel kritisiert hatte und der ihm aufgelauert und ihm eine Platzwunde an der Schläfe verpasst habe, weil er sich von einem »jüdischen Schreiberling« so nicht behandeln lassen müsse, als großer deutscher Künstler, der er sei. Und er, Julius, habe Senta nicht enttäuschen wollen, er habe ja gewusst, wie sehr sie sich auf den Abend gefreut habe, daher die Idee mit dem Van-Gogh-Kostüm, und dann sei ihm, vielleicht vom großen Blutverlust, doch blümerant geworden, vielleicht sei er sogar kurz ohnmächtig gewesen, jedenfalls habe man ihn, noch bevor er wieder richtig zu sich gekommen sei, in einen Wagen verfrachtet und nach Hause gefahren.

»Es tut mir entsetzlich leid, Senta. Sie haben jeden Grund, nur das Schlechteste von mir zu denken. Aber ich brauche trotzdem noch einmal Ihre Hilfe. Wolff will vier Blatt über das Künstlerfest für morgen, und ich war ja nun eigentlich gar nicht da …«

»Natürlich«, sagte Senta. »Ich mach das schnell für Sie.«

Senta setzte sich an ihren üblichen Platz in der Schreibstube und tippte in einer halben Stunde vier Blatt runter. Sie hatte für Julius Goldmann schon unendlich viele Manuskripte ins Reine getippt und manchmal auch selbstständig kürzere Meldungen geschrieben, die unter seinem Autorenkürzel veröffentlicht wurden. Sie kannte seinen Stil und wusste, welche Wörter er mied und welche er besonders gern gebrauchte und so schrieb sie, mit seiner Stimme im Kopf, eine launige Beschreibung dessen, was sie am Abend zuvor beobachtet hatte und was er hätte sehen können, wäre er tatsächlich dabei gewesen.

Julius Goldmann las das Manuskript schweigend und lächelnd. »Vielen Dank, Senta. Das ist gut.«

»Wollen Sie noch was ergänzen?«

»Nein, das ist tadellos.«

»Soll ich es dann dem Setzer runterbringen?«

»Nein, das mache ich selber. Hab nur eine kleine Änderung. Schönen Feierabend.«

Am Montag hatte Senta frei, und deshalb war es die Wirtin, die sie gegen neun Uhr weckte. Indem sie, ohne anzuklopfen, ins Zimmer gestürzt kam, »Dit gloob ick nich, dit gloob ick einfach nich!« gerufen und Senta die Wange getätschelt und aufgeregt die Vorhänge aufgezogen hatte. »Nu schau doch mal, meine Kleene, ich werd verrückt, ein dolles Ding!«

Senta schaute auf die frische Ausgabe des *Berliner Tageblatts*, das die Wirtin aufgeschlagen auf ihre Bettdecke geworfen hatte, und da, gleich auf der zweiten Seite links oben stand der Text, den sie gestern noch geschrieben hatte. »Paradiesischer Abend ohne Sündenfall« war die Überschrift. Und dann musste Senta blinzeln, unsicher, ob sie schon richtig wach war, denn dort, in der Autorenzeile, wo eigentlich der Name ihres Freundes stehen sollte, las sie:

Von Senta Köhler

13.

Die ganz große Herausforderung am Samstagabend war, schön aufrecht sitzen zu bleiben. Auf dem weißen Sofa nicht der Versuchung zu erliegen, sich zur Seite wegkippen zu lassen und über einer schwachsinnigen Krimiwiederholung einzuschlafen. Hannah hatte wie jeden Samstag den Tag mit Saubermachen, Aufräumen und Einkaufen zugebracht, jetzt stand ihr Sportprogramm an: sich die Nacht mit House-Musik um die Ohren schlagen, um dann den schrecklichen Sonntag bis in den späten Nachmittag hinein schlafen zu können.

Nach dem Samstagabendkrimi also schnell Zähneputzen, Augenringe abdecken, eine lächerliche Schmalspurvariante von »Smokey Eyes« auf die Lider pinseln, eins aus den Trilliarden schwarzer Oberteile auswählen, die in ihrem Schrank hingen, und dann mit dem Fahrrad in Richtung Jannowitzbrücke fahren, zur Schraube.

Die Schraube war ein Club, der noch nicht im *Lonely Planet* stand und auch von der echten Berliner Partyszene weitgehend ignoriert wurde. Nicht cool und angesagt genug, um als Geheimtipp zu gelten oder aufregende Londoner DJs featuren zu können, nicht mainstreamig genug, um die Partytouristen, Junggesellenabschiedsgruppen und

Teenies aus Königs-Wusterhausen anzuziehen. Er lag zwischen Spreeufer und Bahntrasse, hinter einer Autowaschanlage, und war früher eine Kfz-Werkstatt gewesen, was man vor allem daran merkte, dass die Wände nach heißen Tagen einen Geruch von Öl und Reifenabrieb absonderten, der sich mit Zigarettenqualm, Schweiß und dem Dunst ausgekippter Bierflaschen mischte.

Hannah kam immer pünktlich zu Partybeginn, eine halbe Stunde vor Mitternacht, manchmal war sie sogar die Erste. Der Türsteher kannte sie, die Typen hinter der Bar auch, ebenso die beiden DJanes, die hier samstags schon seit zwei oder drei Jahren nacheinander auflegten. Zum Aufwärmen nahm sie erst mal einen Gin Tonic an der Theke, den ihr der Barkeeper schon hingestellt hatte, das war seine Art, »Hallo« zu sagen, und Hannah schätzte das sehr an ihm.

Die Schraube war vielleicht noch am ehesten das, was Hannah als ihr »soziales Umfeld« bezeichnet hätte. Von den Leuten in der Uni hielt sie sich fern, so gut es ging. Hier musste sie sich gar nicht fernhalten, weil man sie hier einfach freundlich zur Kenntnis nahm und ansonsten in Ruhe ließ.

Nach dem ersten Gin Tonic hatte die Nebelmaschine genug gearbeitet und es waren genug andere Leute im Club, sodass Hannah loslegen konnte auf der Tanzfläche. »Ich leg dann mal los«, sagte sie tatsächlich halblaut zu sich selbst, als sie vom Barhocker stieg. Das hier war im Grunde auch nichts anderes als ein Fitnessstudio, wo man sich nach ein paar halbernsten Dehnungsübungen aufs Laufband stellte. Andere Menschen gingen regelmäßig joggen, um den Kopf freizubekommen oder um nachzudenken oder um so etwas wie angenehme Leere zu empfinden.

Hannah hasste Joggen, sie brauchte Bass, sehr viel Bass und einen gleichbleibenden Rhythmus, dem sie ihren Körper überantwortete und der dann für die folgenden sechs bis sieben Stunden die Kontrolle übernahm, damit sich Hannah auf andere Dinge konzentrieren konnte.

Auf Andreas zum Beispiel. Nicht dass sie über ihn nicht schon ausreichend nachgedacht hätte. Im Grunde hatte sie in der Sekunde damit angefangen, in der sie die Tür zu seinem Wiener Hotelzimmer hinter sich zugezogen hatte und zum Bahnhof gefahren war. Dieses ganze Wochenende kam ihr inzwischen wie eine Traumsequenz vor, was auch daran liegen mochte, dass sie schon davor tagelang kaum geschlafen hatte. Wegen einer fatalen Mischung aus Aufgekratztheit und Selbsthass, die nachts am besten ihre Wirkung entfaltete, wie ein Mückenstich am Knöchel.

Das hatte nicht nur an Andreas gelegen, es gab ja reichlich andere Baustellen. Erste Baustelle: Evelyn. Stur und unnachgiebig wie eine alte Elefantenkuh. Gleich am Tag nach dem Termin bei Marietta Lankvitz war Hannah mit einem dicken Stapel Unterlagen und den üblichen Apothekenmitbringseln ins Westend gefahren. Hatte erst Ginsengkapseln und Doppelherz vor ihrer Großmutter auf dem Tisch ausgebreitet und dann die Kopien der Wiedergutmachungsakten, die Marietta Lankvitz ihr mitgegeben hatte.

»Wusstest du das alles, Omi? Das ist der Wahnsinn. Du muss dir das anschauen!«

Evelyn hatte sich nicht gerührt in ihrem Sessel, bis auf eine energische Bewegung ihrer Hand, in der die Fernbedienung lag. Die enthusiastische Stimme einer Shoppingkanal-Moderatorin übertönte Hannah, die weiter versuchte, Evelyns Aufmerksamkeit zu gewinnen. Bis ihre

Großmutter den Fernseher stumm geschaltet und Hannah mit einem selbst für ihre Verhältnisse besonders harten Blick fixiert und »Lass! Mich! In! Ruhe!« gesagt hatte. Sodass Hannah ihre Unterlagen wieder eingesammelt und wortlos gegangen war und nun nicht wusste, was sie tun sollte, und gleichzeitig bei jedem Klingeln ihres Telefons Angst hatte, es könnte das Seniorenpalais sein, um ihr zu sagen, dass Evelyn tot war und dann wären diese Worte das Letzte gewesen, was sie aus ihrem Mund gehört hätte.

Das Telefon hatte tatsächlich permanent geklingelt, aber es war jedes Mal Jörg Sudmann gewesen, und sie war nicht rangegangen. Die zweite Baustelle. Er war einfach nicht abzuschütteln. Hannahs Fassungslosigkeit über Jörgs un-angekündigtes Auftauchen in Marietta Lankvitz' Keller war einer kalten Wut gewichen, kaum hatten sie die Stufen vom Souterrain zum Hinterhof erklommen.

»Was soll das, Jörg? Woher weißt du, dass ich hier bin? Wieso tauchst du hier einfach so auf? Wie kommst du dazu, dich in meine Angelegenheiten zu mischen? Warum lässt du mich nicht einfach in Ruhe? Das geht dich alles ü-ber-haupt nichts an!«

Aber Jörg hatte ihre Hände gepackt und sehr fest gehal-ten und sie eindringlich angesehen und auf sie eingeredet wie auf ein nervöses Rennpferd. »Shh, Hannah, ganz ruhig. Ich weiß, das ist alles sehr emotional für dich. Du bist auf-gewühlt. Das verstehe ich.«

»Ich bin nicht aufgewühlt, ich bin scheißsauer!«, hatte sie ihn angebrüllt und ihre Hände aus seinen gewunden, und dann waren ihr tatsächlich Wuttränen in die Augen gestiegen.

Ganz schlecht.

»Aber ich will dir doch nur helfen«, hatte Jörg Sudmann wieder auf diese säuselige Art gesagt, und Hannah hatte »Da habe ich dich aber nicht drum gebeten!« geschrien.

»Doch, hast du!«, hatte Jörg gesagt, jetzt schon weniger beschwichtigend. »Du hast deinen Professor um Hilfe gebeten, und er hat mich damit beauftragt, dir diese Hilfe zukommen zu lassen. Es ist mein Fachgebiet. Ich bin Experte. Du hast eine Familiengeschichte zu erforschen und keine Ahnung, wie du das anstellen sollst. Ich aber schon. Die Lankvitz kann dir mit den Bildern helfen, aber was ist mit dem Rest, Hannah? Aber gut, bitte, wenn es dich so gar nicht interessiert, was mit deinen jüdischen Verwandten passiert ist, wenn du das alles lieber verdrängen möchtest, wenn die Schoah ein Thema ist, mit dem du dich nicht auseinandersetzen willst, ja gut, dann muss ich das wohl akzeptieren. Muss ich Professor Sonthausen dann wohl die enttäuschende Nachricht überbringen, dass ich dir nicht helfen kann.«

»Das gibt dir alles nicht das Recht, mir hinterherzuspionieren und hier einfach aufzutauchen, ohne mich zu fragen. Woher weißt du, dass ich heute hier war?«

Jörg seufzte und schaute betreten zu Boden. »Weil ich Kontakte habe. Weil ich weiß, wer sich in Berlin mit Restitutionsfragen beschäftigt und wen ich anrufen muss. Es war wirklich nicht so schwer herauszufinden, wer hier von israelischen Anwaltskanzleien mit entsprechenden Recherchen beauftragt wird. Und ja, kann sein, dass ich da nicht ganz ehrlich war und der Lankvitz am Telefon erzählt habe, du wärst meine Freundin. Das war falsch. Das hätte ich nicht tun sollen. Bitte entschuldige.«

Hannah hatte ihn ungläubig angestarrt, einerseits wegen dieser Dreistigkeit, andererseits wegen seiner Entschuldigung. Entschuldigen passte gar nicht zu Jörg Sudmann, aber er schien tatsächlich zerknirscht.

»Ich kann dir wirklich helfen, Hannah. Und ich will den Sonthausen nicht enttäuschen. Der ist wichtig für mich. Wir hätten beide was davon.«

Hannah hatte ausgeatmet und sich plötzlich wahnsinnig müde und leer gefühlt und irgendwas wie »Okay, alles klar, lass uns nächste Woche reden« gesagt, und das hatte Jörg wenig überraschend als Aufforderung verstanden, sie auch weiterhin nicht in Frieden zu lassen.

Und dann eben Baustelle Nummer drei. Ihr saudummes Herz. Das in den Tagen vor Wien so viel Vorfreude, Angst und Scham durch ihren Körper gepumpt hatte. Es gab ein YouTube-Video, Andreas im Gespräch mit einem Arte-Journalisten, da war es um sein letztes Buch gegangen und von den 460 Views, die das Video hatte, stammten 450 garantiert von Hannah. Sie hätte es auswendig mitsprechen können, sie hasste den Kameramann, der nicht noch näher an Andreas' Gesicht heranzoomte. Sie wollte hineinsteigen in diesen Kopf und sich umsehen und sich dann einfach einrollen in irgendeiner Windung seines wunderschönen Gehirns und für immer dortbleiben. Sie dachte sich alle möglichen Szenarien aus, wie dieses Wochenende in Wien verlaufen würde, inklusive kitschiger Liebesschwüre im Prater-Riesenrad. Oder ausuferndem, orgiastischem, welterschütterndem Sex. Und dann, wenn sie Andreas am nächsten Tag in der Uni begegnet war und er freundlich-distanziert gegrüßt hatte, war sie sich so lächerlich vorgekommen. Gar nichts würde in Wien passieren, sie würde dafür sorgen, dass der Beamer für die PowerPoint-Präsentation lief, sich noch ein paar wissenschaftliche Vorträge anhören und wieder nach Hause fahren. Und vielleicht würde sie dann doch mal recherchieren müssen, ob es Pillen gegen diese vollkommen ungerechtfertigte, kindische Besessenheit gab.

Dann hatte Andreas am Donnerstag den Kopf in ihr Büro gesteckt und »Wir sehen uns in Wien« gesagt. Und vielleicht gezwinkert, oder hatte sie sich da vertan? Jedenfalls war sie mit klopfendem Herzen in den Nachtzug gestiegen, hatte wieder nicht geschlafen, und als sie am nächsten Morgen aufgekratzt und übernächtigt im Audimax der Universität Wien ankam, sagte ihr eine Mitarbeiterin, der Vortrag von Professor Sonthausen sei um eine Stunde verschoben worden und er habe sie wissen lassen, dass er frei sprechen würde und keine PowerPoint-Präsentation vorbereitet und mitgebracht habe, also kein Beamer nötig sei.

Hannah war daraufhin zusammengeschnurzelt wie ein alter Luftballon, aus dem man langsam die Luft abgelassen hatte. Die Schlaflosigkeit, das ganze völlig umsonst produzierte Adrenalin in ihrem Körper hatten ihr plötzlich den Stecker gezogen, und als sie dann so vollkommen nutzlos im abgedunkelten Zuschauerraum saß und dem Vortrag lauschte, dessen Inhalt sie in- und auswendig kannte, war sie eingenickt. Und danach so schnell wie möglich verschwunden, in ihr Hostel, um in einer großen Lache aus Selbstmitleid endlich richtig tief einzuschlafen und möglichst lange nicht aufzuwachen.

Tja, daraus war nichts geworden, im Gegenteil.

Erst hatten Andreas und sie gar nicht gesprochen, im Taxi nicht, im Hotelzimmer nicht, den ganzen restlichen Tag nicht, bis hinter den weißen Gardinen endgültig das Licht weggewischt war und sich Hannahs Körper nur noch wie eine warme, knochenlose Masse zwischen den weißen

Laken angefühlt hatte. Da hatte Andreas seinen Kopf auf ihren nackten Bauch gelegt und angefangen zu reden. Wie sehr ihn der ganze akademische Betrieb nerve. Wie unbehaust er sich oft fühle. Sein Vater, der ihn verachte. Seine Mutter, die überhaupt nichts verstehe. Der tote Bruder. Seine Frau, die sich für nichts mehr interessiere, was ihm wichtig sei. Diese Leere manchmal, die Versagensängste, die Fragen, ob er im richtigen Leben stecke. Hannah konnte gar nicht so richtig zuhören, so benommen und taumeltrunken war sie. Und dann, ganz kurz bevor sie eingeschlafen war, hatte er ihr ins Gesicht gesehen und ihr mit dem Mittel- und dem Ringfinger die Augenbrauen glattgestrichen, wie er es sonst beim Nachdenken bei sich selber tat, und »Wie geheimnisvoll du bist« gesagt.

Stimmt gar nicht, hatte Hannah gedacht.

Ich bin nicht geheimnisvoll, nur vielleicht sehr, sehr schlimm verliebt und gerade so erschöpft, dass ich nicht sprechen kann.

Am nächsten Morgen hatte er sie mit »Wir sehen uns Montag« verabschiedet, und als Hannah dann Montagmorgen in der Uni aufgeschlagen war, obwohl sie eigentlich in die Bibliothek hätte gehen sollen, hatte er sie auf dem Flur nur beiläufig gegrüßt, hatte den ganzen Tag nicht nach ihr gesehen und auch den ganzen Rest der Woche nicht. Keine WhatsApp-Nachricht, kein wissender Blick, nichts. Bis gestern. Da hatte er tatsächlich kurz den Kopf in ihr Zimmer gesteckt, war aber in der offenen Tür stehen geblieben und hatte nach Jörg Sudmann gefragt.

»Läuft das gut mit euch? Kann er dir helfen?«

Hannah war so perplex gewesen, dass sie zwei Sekunden lang nichts gesagt hatte, und dann hatte er sich seine Frage selbst beantwortet. »Ah, läuft also, prima, freut mich.

Schönes Wochenende, wir sehen uns.« Und hatte die Tür wieder zugemacht.

Und jetzt wusste sie auch nicht weiter.

Wie konnte jemand so nah und dann plötzlich wieder so unendlich weit weg sein? Was für ein abgefucktes Spielchen war das eigentlich und warum war sie nicht in der Lage, da einfach auszusteigen?

In der Schraube war es gegen zwei Uhr voll geworden, und Hannah brauchte etwas zu trinken. Erst eine Cola gegen den Durst, dann einen Gin Tonic, und dabei bloß nicht so aussehen, als hätte sie Gesprächsbedarf. So wie das quietschbunte Glitzermädchen direkt neben ihr, mit pink-türkis gefärbten Haaren, riesigen Creolen in den Ohren, durch die Hannah ihre Faust hätte hindurch stecken können, einem Lidstrich, der ihr fast bis zu den Ohren reichte, und einem grasgrünen Pailletten-Top, das sie wie eine sehr farbenfrohe Echse aussehen ließ. Neben ihr ein Typ, der ohne Unterlass auf sie einquatschte, irgendwas mit seinem »spannenden Projekt« und dass sie ihm gern mal was »pitchen« könne und ob sie jetzt nicht zusammen noch »woandershin« gehen wollten. Das Glitzermädchen drehte sich zum Barkeeper um und bestellte zwei Wodka-Shots, während der Typ mit dem Projekt sich die Haare aus der Stirn wischte und weiter von der Seite auf sie einpumpte: Er mache sich wenig Sorge bei der Investorensuche, man müsse nur genug Awareness generieren, und er könne ihr das gern alles mal in Ruhe erklären.

Das Glitzermädchen bezahlte den Wodka, wandte dem Typen und seinem Projekt demonstrativ den Rücken zu, stellte eines der Wodkagläser direkt vor Hannah auf den Tresen, rollte theatralisch mit den Augen und sagte: »Gehen wir tanzen?«

Hannah hatte eigentlich keine Lust auf Gesellschaft, aber es sprach auch nichts dagegen, die Wodka-Spenderin aus den Fängen dieses Laberlurchs zu befreien.

»Klar«, sagte sie. Sie stießen mit den Shotgläsern an und kippten sich den Schnaps in den Hals.

»Scheiß Männer! Würde die gern verbieten manchmal«, sagte das Glitzermädchen, nachdem Hannah vom Barhocker gerutscht und ihr in Richtung Tanzfläche gefolgt war. Der Typ hatte den Wink offenbar verstanden und hielt schon Ausschau nach einem anderen Opfer.

Die zweite DJane hatte gerade ihr Set begonnen, der Bass pumpte jetzt härter und der Gin und der Wodka taten das, was sie sollten: Endlich war Hannahs Kopf einigermaßen leer gedacht und »Scheiß Männer!« ein Mantra, das sich gut in den Rhythmus fügte und alle anderen Gedanken zum Schweigen brachte.

Das Glitzermädchen war irgendwann verschwunden, jedenfalls sah Hannah sie nicht mehr, als sie gegen sechs aufs Fahrrad stieg, um in der Morgensonne nach Hause zu fahren. Sie frühstückte noch schnell einen Sesamkringel aus der türkischen Bäckerei, die Tag und Nacht geöffnet hatte und aus der es immer süß und heimelig duftete, ließ sich in ihrer Wohnung ins Bett fallen und hoffte inständig, erst am Nachmittag wieder aufzuwachen und nicht noch allzu viel Sonntag totschlagen zu müssen.

Und dann war sie doch aufgewacht, weil gegen zwölf ihr Telefon gepiept hatte. Zweimal.

Die erste Nachricht kam von Andreas.

»Di, 16 Uhr, Ibis-Hotel Prenzlauer Allee«

Na, so was, dachte Hannah.

Die zweite Nachricht kam von Jörg.

»Shalom Hannah, ich erreiche dich seit Tagen nicht, es ist wichtig, bitte melde dich. Ich habe in unserer Sache bedeutende Fortschritte gemacht.«

Bei *»unsere Sache«* hatte Hannah fast aufgehört zu lesen. Was dachten sich diese Idioten eigentlich.

Aber dann hatte sie gesehen, dass Jörg ein Foto angehängt hatte: ein vergilbter Zeitungsausschnitt, den sie sich auf ihrem Handybildschirm erst größer ziehen musste.

»Paradiesischer Abend ohne Sündenfall« war die Überschrift.

Und darunter der Name ihrer Urgroßmutter.

14.

Evelyn war glücklich an diesem Spätsommertag, denn sie hatte ein Geheimnis und sie hatte ein Kaninchen. Das Geheimnis war dunkel, verboten und aus der Erwachsenenwelt, das Kaninchen war weiß mit schwarzen Flecken und würde in diesem Herbst nicht geschlachtet werden.

In der Schule hatte sie nicht gut zugehört, weil sie darüber nachgedacht hatte, welchen Namen ihr Kaninchen bekommen sollte und die Lehrerin hatte sie mehrfach ermahnt, nicht zu träumen und ihre Schwungübungen auf der kleinen Tafel zu machen. Aber jetzt hatte sie einen einstündigen Fußmarsch nach Hause vor sich, von der Schule über den Marktplatz, am Spritzenhaus der Feuerwehr vorbei, den geraden Feldweg entlang, durch das Wäldchen hindurch, bis zu ihrem Haus, wo Tuda auf sie wartete, mit einem Teller Eintopf oder einem Schmalzbrot.

Auf dem Weg musste ihr ein guter Name einfallen, und gleich nach dem Mittagessen würde sie ihr Kaninchen taufen und ihm und seinen todgeweihten Freunden ein paar Büschel Löwenzahn von der Wiese pflücken.

Zu dem Geheimnis und dem Kaninchen war sie am Vortag gekommen, als Tuda unbedingt wollte, dass sie sie irgendwohin begleitete, aber Evelyn hatte zu Hause bleiben und mit ihrer Puppe spielen wollen, und irgendwann war Tuda wütend geworden und einfach gegangen und hatte gesagt: Na, dann bleibst du eben hier.

Das war nach kurzer Zeit gruselig gewesen, denn was, wenn Tuda einfach wegbliebe und nicht wiederkäme und sie hier zurückließe, allein?

Draußen hatte es bedrohlich gegrollt und gerumpelt, und das Licht hatte einen Blaustich bekommen. Evelyn hatte schreckliche Angst vor Gewitter.

Sie hatte ihre Puppe in ihr Puppenbett gelegt und gut zugedeckt und war nach unten in die Küche gegangen. Hier roch es wenigstens nach Tuda, nach Kartoffeln und Rüben und Geräuchertem, nach Scheuermittel, Kernseife und Leintüchern, das beruhigte Evelyn für eine Weile. Durch das Küchenfenster sah sie nach draußen in Richtung Schuppen. Der Schuppen war ihr strengstens verboten, denn dort verwahrte Großonkel Arthur seine Werkzeuge, die alle sehr gefährlich waren. Dort schlachtete er zusammen mit Georg, dem Knecht, die Kaninchen und die Schweine oder zerlegte die Rehe und kochte die Hirschgeweihe aus. Es war ein geheimnisvoller, verbotener Ort, und niemals hatte Evelyn sich getraut, heimlich in den Schuppen zu gehen. Aber die Bäume bogen sich unter den Windböen des aufziehenden Gewitters, der Donner grollte, die Blitze zischten, dicke Regentropfen fielen auf den Vorplatz und da drüben im Schuppen brannte ein funzeliges Licht. Da waren Großonkel Arthur und Georg, dort wäre sie nicht allein. Und weil sich die Angst in ihrer Brust plötzlich so schrecklich aufblähte, schlüpfte Evelyn in ihre Stiefel und rannte aus der Haustür quer über den Vorplatz zum Schuppen.

Als sie die Schuppentür vorsichtig aufgemacht hatte,

hatte sie im trüben Licht nicht viel gesehen. Nur dass Großonkel Arthur und Georg sich umarmt hatten und sich sofort losließen, als sie sie bemerkten. Georg war sofort verschwunden, aber Großonkel Arthur hatte sie an der Hand
genommen und sie dann auf die Hobelbank gehoben und
sie gefragt, was sie denn hier mache? Ob sie denn nicht mit
Trude in die Stadt gelaufen sei? Ob sie vergessen habe, dass
der Schuppen gefährlich sei?

»Da muss ich mich doch drauf verlassen können, Evelyn,
dass du gehorchst und artig bist. Weil, wenn du nicht artig
bist, dann können Trude und du hier nicht bei mir leben,
das weißt du doch, oder? Dann müsst ihr hier weg.«

Das wollte Evelyn auf keinen Fall, und sie entschuldigte
sich und ihr kullerten Tränen aus den Augen, sie wolle
immer artig sein und gehorchen, aber sie habe so Angst
bekommen allein im großen Haus, wegen dem Gewitter.
Da war Großonkel Arthur ganz sanft geworden und hatte
gesagt, dass er ihr etwas vorschlagen wolle. Sie beide könnten von nun an ja ein Geheimnis haben. Und das Geheimnis sei so geheim, dass sie es niemandem sagen dürfe, auch
nicht Tuda. Niemals dürfe sie Tuda erzählen, dass sie hier
im Schuppen gewesen sei und dass sie ihn und Georg gesehen habe. Darauf solle Evelyn nun schwören. Und dann
dürfe sie sich auch eines von den Kaninchen aussuchen, das
solle ihr ganz allein gehören.

»Aber wenn du dich nicht an unsere Abmachung hältst,
Evelyn, wenn du unser Geheimnis verrätst, dann zieh ich
deinem Kaninchen das Fell über die Ohren, genau wie den
anderen. Und dann darfst du nicht mehr bei mir wohnen.
Hast du das verstanden?«

Evelyn hatte genickt und geschworen und »Ich will das
Weiße mit den schwarzen Flecken« geflüstert. Großonkel

Arthur war mit ihr durch den Gewitterregen zum Haus zurückgelaufen und hatte mit ihr zusammen den Ofen angefeuert und auf Tuda gewartet. Da hatte Evelyn keine Angst mehr gehabt.

Der Weg von der Schule nach Hause kam ihr heute besonders lang vor, sie wollte zu ihrem Kaninchen. Poppi würde sie es nennen, Poppi saß nun bestimmt in seinem Stall und wartete sehnsüchtig auf sie, denn Poppi wusste sicher, dass Evelyn seine Lebensretterin war, diejenige, die ihn vor dem Kochtopf bewahrt und dafür einen geheimen Schwur geleistet hatte. Wie Poppi sich freuen würde, wenn sie endlich da wäre.

Sie hatte den Feldweg geschafft und das kleine Wäldchen durchquert, an dessen Ende die Auffahrt zum Forsthaus abbog. Sie hopste die letzten Meter, sodass die Schiefertafel und die leere Blechbüchse, in der ein Brotkanten gelegen hatte, in ihrer Schultasche schepperten, aber dann stoppte sie abrupt, denn dort auf dem Vorplatz des Forsthauses stand ein Auto, das sie noch nie gesehen hatte.

Es war eine schwarze Limousine mit geschlossenem Dach, und vor der Limousine stand eine große, elegante Frau, in einem hellblauen Kleid und einem Hut. Neben ihr ein etwas kleinerer Mann in einem hellen Anzug, ebenfalls mit Hut, sie mussten gerade erst angekommen sein. Oben auf der Treppe zur Eingangstür stand Tuda in ihrer Schürze, die Hände in die Hüften gestemmt.

Evelyn spürte einen Stich in ihrem Bauch. Da war etwas gar nicht gut, etwas Bedrohliches spielte sich ab und es war ihr, als habe sie genau das schon einmal gesehen, ein Bild wie eingefroren, Erwachsene, die sich anstarrten, und zwischen ihnen ein Universum aus Kälte.

»Komm zu mir, Evchen«, hatte Tuda gesagt, als Evelyn

sich vorsichtig genähert hatte, und sie war die Stufen hinaufgelaufen, vorbei an dem Auto und der Frau und dem Mann und hatte sich an Tudas Hüfte gedrückt.

Evelyn wurde heiß, sie bekam rote Wangen und sie wollte am liebsten weg, weil diese Frau sie so anblickte, und erst hatte sie gelächelt und dann hatte sich ihr Blick verändert, sie schlug sich die Hand vor den Mund, sagte leise zu dem Mann »Sie weiß nicht, wer ich bin, sie weiß ja gar nicht, wer ich bin«.

»Wer ist das?«, flüsterte Evelyn. Und Tuda sagte laut, »das ist deine Mutter. Sag Guten Tag.«

Evelyn wollte nicht Guten Tag sagen, aber das war keine Option, man musste sich ja auch entschuldigen, wenn man Hilda an ihren blöden Zöpfen gezogen hatte und es einem kein bisschen leidtat, also sagte Evelyn tonlos »Guten Tag«.

Die Frau war ein paar Schritte auf sie zugekommen und die ersten beiden Stufen der Treppe hinaufgestiegen, sodass ihre Gesichter jetzt ungefähr auf derselben Höhe waren und sagte »Du bist aber groß geworden, meine Kleine«.

»Hast sie ja auch lange nicht gesehen«, sagte Tuda. Dann schob sie Evelyn durch die Tür nach drinnen in die Diele und sagte, Evelyn solle hoch gehen in ihr Zimmer und dort bleiben, und da war Evelyn froh. Sie rannte die Treppe nach oben, in das Zimmer, in dem Tuda und sie schliefen, und warf sich auf ihr Bett, aber weil das Fenster offen stand, konnte sie hören, wie Tuda und die Frau miteinander sprachen, erst leise, dann immer lauter.

»Du kannst hier nicht einfach so auftauchen, Senta.«

»Ich will sie sehen, das ist mein Recht.«

»Dein Recht? Welches Recht? Du hast sie zurückgelassen. Ich habe mich um sie gekümmert, während du dich in Berlin vergnügt hast. Du hast sie vier Jahre lang nicht gesehen. Und du glaubst, du kommst hier angefahren und sie springt dir in die Arme und du nimmst sie einfach mit?«

»Ich will sie sehen. Ich schicke dir seit Jahren Geld für Evelyn. Und Briefe. Und von dir kommt kein Wort.«

»Es geht ihr gut, hast du doch gesehen. Und jetzt verschwinde.«

Evelyn fühlte sich seltsam kalt und taub, so als hätte ein großes Tier sie in einen Kokon eingesponnen. Tuda und die Frau redeten über sie. Die Frau wollte sie mitnehmen, und Tuda wollte das verhindern.

»Liest du ihr wenigstens die Briefe vor, die ich ihr schicke? Das Geld scheinst du ja zu nehmen.«

»Das Geld kann Evelyn gebrauchen, deine geheuchelte Reue nicht. Warum sollte ich ihr das vorlesen?«

»Weil ich ihre Mutter bin. Du kannst mich nicht einfach aus ihrem Leben streichen.«

»Erstmal hast du sie aus deinem Leben gestrichen.«

Evelyn hörte, wie die Schuppentür quietschte, sie hörte schwere Schritte über den Vorplatz gehen und dann die Stimme von Großonkel Arthur, der »Guten Tag« sagte. Und dann: »Trude, warum bittest du die Gäste nicht rein und machst ihnen Kaffee?«

Evelyn zog sich ihre Decke über den Kopf, sie hörte die Haustür schlagen und Gemurmel und Gerumpel unten in der Küche und der Stube. Zwei Männerstimmen, die ruhig miteinander sprachen, das mussten Großonkel Arthur und dieser Mann sein. Sie sprachen über eine Hochzeit, dass sie auf der Durchreise seien, auf dem Weg ans Meer, der fremde Mann sagte, er freue sich, das Kind endlich kennenzulernen, von dem seine Frau so viel erzähle und nach dem sie sich sehne, und Evelyn fragte sich, ob sie wohl dieses Kind sei. Sie hörte Türen auf- und zugehen und dann wieder Tuda und die Frau unten in der Diele, die sich bemühten, leise zu sprechen.

»Sie ist mein Kind, und wenn ich will, nehme ich sie einfach mit.«

»Das wagst du nicht, nach allem, was war. Nur über meine Leiche.«

»Aber mein Geld willst du weiterhin, nicht wahr? Auf das willst du nicht verzichten.«

»Wenn Ulrich noch leben würde, bräuchte ich dein jämmerliches Geld nicht.«

»Er lebt aber nicht mehr. Du willst weiter mein Geld? Dann will ich meine Tochter sehen. Jetzt und in Zukunft.«

»Und wenn sie dich nicht sehen will? Frag sie doch, ob sie bei dir leben will. Frag sie doch, wer ihre richtige Mutter ist.«

Dann wieder Türen, und dann hörte Evelyn eine ganze Weile nichts außer einem immer stärker werdenden Rauschen in ihrem Kopf.

Ich will nicht weg, dachte Evelyn. Ich will bei Tuda bleiben und bei Poppi, was wird aus Poppi, wenn ich nicht mehr da bin, die Frau soll wieder wegfahren mit ihrem Auto.

Evelyn hatte sich ihre Bettdecke über den Kopf gezogen. Mindestens eine Stunde lang wartete sie nun hier oben, und die Frau und der Mann waren immer noch da, das große schwarze Auto stand immer noch unten vor der Tür.

Die Treppenstufen knarzten, jemand war auf dem Weg nach oben zu ihr und tatsächlich war plötzlich Großonkel Arthur an ihrer Zimmertür und sagte, sie solle nach unten kommen und artig sein, da sei wichtiger Besuch aus Berlin, extra für sie.

Evelyn tapste hinter ihrem Großonkel die Stufen hinunter und versuchte angestrengt, nicht zu weinen. In der Stube saßen die Frau und der Mann auf dem Sofa, Tuda im Sessel, alle schauten sehr ernst.

»Evelyn, mein Schatz«, sagte die Frau. »Ich weiß, du weißt gar nicht, wer ich bin. Wir haben uns lang nicht gesehen. Aber ich will, dass sich das jetzt ändert.«

Evelyn war starr vor Angst, und aus dem Kloß in ihrem Hals war ein Geröllhaufen geworden. »Ich will hierbleiben, ich will bitte hierbleiben«, flüsterte sie, und dann war es vorbei mit dem Zusammenreißen, und sie fing an zu weinen und Rotz lief ihr aus der Nase und es war ihr egal, dass sie den nicht mit dem Ärmel abwischen durfte und dass Tuda mit ihr schimpfen würde. Sie wollte nur nicht mitgenommen werden von der Frau und dem Mann in ihrem schwarzen Auto.

»Nein, Liebes, nein, nicht weinen! Du kannst ja hierbleiben«, sagte die Frau. »Aber deine Tante und ich haben besprochen, dass du mich mal besuchen kommst in Berlin. Wir haben da eine große Wohnung, Julius und ich, und es gibt sogar ein Zimmer nur für dich.«

»Kommt Tuda mit?«

»Nein«, sagte Trude bestimmt.

»Schau mal, ich schreibe dir jede Woche einen Brief, und deine Tante liest ihn dir vor. Oder vielleicht kannst du ja auch selber schon lesen, und vielleicht schreibst du mir ja auch einmal. Und wenn du bald Ferien hast, kommst du mich mit dem Zug besuchen«, sagte die Frau, und der Mann neben ihr lächelte freundlich.

Evelyn nickte und hoffte, dass sie jetzt wieder verschwinden könne, sie wollte nicht länger hier stehen und mit der Frau sprechen. Tuda hatte einen ganz starren Blick, so wie sie ihn manchmal bekam, wenn sie die Hühner rupfte. Die

Frau und der Mann sahen verlegen aus und hatten den Kaffee gar nicht angerührt, den man ihnen hingestellt hatte.

»Geh ruhig«, sagte Großonkel Arthur. Evelyn schlüpfte durch die Stubentür, zog in der Waschküche ihre Stiefel an und rannte nach draußen in Richtung Kaninchenstall. Sie hörte, wie der Motor des Autos ansprang und es sich langsam vom Haus entfernte, gerade als sie dabei war, ein paar Blätter Löwenzahn von der Wiese zu pflücken, und da waren ihre Bauchschmerzen schlagartig weg, auch wenn Tuda und Großonkel Arthur nun auf dem Vorplatz standen und stritten. Aber das war nicht so schlimm, sie würden sich wieder vertragen, sie waren alle noch hier und das schwarze Auto war fort.

Im Kaninchenstall vier zuckende Nasen und aufgeregtes Geraschel, als Evelyn den Löwenzahn durch den Maschendraht steckte.

»Häng dein Herz nicht dran, Kleene«, hörte sie Georg sagen, der hinter ihr Brennholz stapelte. »Die sind zum Essen, nicht zum Liebhaben. Noch sechs Wochen, dann sind die alle tot.«

15.

Jörg Sudmann war so zufrieden mit sich und der Welt wie schon lange nicht mehr. Es lief einfach. Er bewegte etwas. Seine Hartnäckigkeit zahlte sich aus. In was für einer Welt wir alle leben könnten, wenn nur jeder Mensch ein bisschen mehr so wäre wie ich, dachte Jörg. Ein bisschen selbstloser, ein bisschen mehr bereit, sich in den Dienst seiner Mitmenschen zu stellen, auch gegen Widerstände.

Jörg holte die Guacamole aus dem Kühlschrank, schüttete die kosheren Grissini in ein Glas und arrangierte dreierlei Sorten Oliven in einem Olivenschiffchen, das er vor Jahren auf einem Markt in Tel Aviv gekauft hatte und von dem er bis heute nicht sicher sagen konnte, ob es kitschig genug war, um als ironisches Statement verstanden zu werden. Egal. Es standen zwei Karaffen mit mit Kohlensäure versetztem Leitungswasser bereit, er hatte alle Sitzgelegenheiten ins Wohnzimmer geräumt, er war bereit für seine Gäste.

Heute war die monatliche Sitzung von Shalom Berlin e. V., einem Verein zur Vertiefung der deutsch-jüdischen Freundschaft und des gemeinsamen Schoah-Gedenkens, dessen Gründer und Vorsitzender er war. Die Zahl der ak-

139

tiven Mitglieder stagnierte, aber Jörg hatte doch in den letzten Jahren eine kleine Gruppe an verlässlichen Mitstreitern um sich geschart: eine pensionierte Grundschullehrerin, zwei Romanistik-Studentinnen, die er auf einer »Meschugge«-Party kennengelernt hatte. Einen Geschichtsstudenten, den er aus einer Facebookgruppe namens »Böse Banalität« kannte, in der Privatfotos aus den Nachlässen von KZ-Aufsehern geteilt wurden. Eine engagierte und leicht erregbare Bankangestellte sowie einen dienstunfähig geschriebenen Polizisten, der nun als »Freiwilliger Wachschutz« am Holocaustmahnmal patrouillierte und Touristen ermahnte, die zwischen den Stelen für Selfies posierten oder gar darauf picknickten.

Sie gingen gemeinsam zu Klezmer-Konzerten, besuchten Vorträge von Schoah-Überlebenden, hin und wieder unternahmen sie Exkursionen zu KZ-Gedenkstätten.

Es schmerzte Jörg ein wenig, dass er bislang keine jüdischen Mitglieder für Shalom Berlin e. V. hatte gewinnen können. Er hatte mehrere Versuche gestartet, Mitschüler aus seinem Jiddisch-Volkshochschulkurs zu rekrutieren. Auch die Austauschstudenten aus Israel, die ihm gelegentlich an der Uni begegneten, hatten bislang immer abgewunken. So richtig verstand Jörg nicht, woran das lag. Warum man seine ausgestreckte Hand einfach nicht ergreifen wollte, ihm ging es doch um Dialog.

Aber nun war da ja Hannah. Die würde ihm nicht entwischen. Sie hatte sich lange gegen seine Hilfe gesperrt und er konnte das ja auch verstehen: Er, der Experte, hatte sie möglicherweise erst mal eingeschüchtert. Und ja, er hatte nicht ganz sauber gespielt. Aber was war ihm anderes übrig geblieben? Hannah war da völlig naiv auf einen Schatz gestoßen: Eine unerforschte jüdische Familiengeschichte, ein unverhofftes Kunsterbe, eine mysteriöse Urgroßmutter – Jörg beneidete sie geradezu.

Und er sah sich als genau die Schlüsselfigur, die jemand wie Hannah brauchte. Er würde der stille Held sein, ohne den Hannah so vieles nicht erfahren hätte. Jemand, von dem sie einst ihren Kindern erzählen würde. Eine Art Mentor an einem möglichen Wendepunkt ihres Lebens. Und wenn er seine Sache gut machte, sprang für ihn möglicherweise auch ein Mentor dabei heraus.

Dabei machte ihm Hannah die Arbeit nicht gerade einfach. Es war wirklich nur Jörgs Engelsgeduld und seinem Engagement für die gute Sache zu verdanken, dass es in ihrem Fall überhaupt voranging. Sie war so unfassbar unzuverlässig. Ging nicht ans Telefon, rief nicht zurück, gab sich wenig kooperativ. Aber Aufgeben war nicht sein Ding, er hatte Professor Sonthausen ein Versprechen gegeben und das würde er halten.

Der Termin bei Marietta Lankvitz war kurz gewesen, Hannah hatte ihn – kaum, dass er aufgetaucht war – für beendet erklärt und Marietta Lankvitz gebeten, ob man ein anderes Mal weitersprechen könne, er hatte also nicht viel mitbekommen. Aber den Namen von Hannahs Urgroßmutter sowie ihren Mädchennamen, den hatte er sich gemerkt. Ebenso, dass die Dame wohl publizistisch tätig gewesen sein musste, beim *Berliner Tageblatt*, und so war er mit Geduld und etwas Glück im Zeitungsarchiv der Staatsbibliothek am Westhafen auf alte Artikel von ihr gestoßen. Launige Berichte über Revuetheaterpremieren und Künstlerfeste, Glossen über neue Modetrends und Tanzstile, er fand sogar einen Fortsetzungsroman unter ihrem Namen.

Jörg hatte sich also eine kleine Mappe mit Spuren von

Senta Goldmann, geborene Köhler, angelegt, aber er hatte nicht vor, Hannah gleich alle zu zeigen. Er hatte sie erst mal ein bisschen angefüttert mit dem Foto eines Artikels und dieser Plan war aufgegangen. Endlich ein Rückruf, bei dem sie zugänglicher, vielleicht sogar ein bisschen dankbar gewesen war. Jörg hatte bei der Beschreibung seines Rechercheaufwands leicht übertrieben, tagelang habe er sich durchs Archiv wühlen müssen, reinste Detektivarbeit sei das gewesen. Er hatte Hannah die vollständige Kopie des Artikels versprochen, wenn sie zu seinem Vereinstreffen käme, das ja für sie in jedem Fall von Interesse sein müsste. Ein bisschen eingebunden werden in die Holocaustgedenk-Szene Berlins, das würde ihr völlig neue Perspektiven eröffnen. Was Hannah brauchte, das war Kontext. Und den konnte Jörg ihr verschaffen.

Hannah war als Letzte gekommen, alle anderen hatten sich schon um Jörgs niedrigen Couchtisch versammelt, und Beate, die pensionierte Grundschullehrerin, hatte gerade damit begonnen, über das neue Projekt von Shalom Berlin e. V. zu sprechen, bei dem sie persönlich den Hut aufhatte – nämlich die Bekämpfung des Antisemitismus unter jungen Muslimen.

»Da macht man sich als Deutscher ja keine Vorstellung von, wirklich erschütternd.« Schon damals, als sie noch im Beruf war, habe sie immer bei sich gedacht, dass man da mal was machen müsste. Weil das ja schließlich zum Deutschsein auch dazugehöre, das Gedenken, das Übernehmen von Verantwortung.

»Na ja, es waren ja jetzt nicht deren Vorfahren, die die KZs betrieben haben«, warf Lena ein, eine von den beiden Romanistikstudentinnen. Und ob der Fokus auf Muslime nicht in die Irre führe, immerhin sei antisemitisches

Gedankengut ja überall verbreitet, auch unter Nichtmuslimen, wer wüsste das besser als die Mitglieder von Shalom Berlin e. V. Und dass ihr ein bisschen unwohl sei, wenn der Verein mit diesem Projekt einen anderen Eindruck erwecken wolle.

»Papperlapapp. Das ist Integrationsarbeit und Bürgerengagement«, sagte Ulla, die sich immer sehr schnell aufregte und irgendwann aus ihrer Stolperstein-Ortsgruppe geflogen war, nachdem sie bei der Verlegung der kleinen Gedenksteine vor den letzten Wohnadressen von Holocaustopfern ein paarmal mit Anwohnern aneinandergeraten war.

Und jetzt kam ja auch erst die gute Nachricht: Beate hatte Kontakt aufgenommen mit einer Schule in Neukölln, da kannte sie die Direktorin noch aus ihrer Zeit im Vorstand vom »Verband Bildung und Erziehung«, und möglicherweise würde der Senat Geld bereitstellen, um mit einer Gruppe besonders verhaltensauffälliger Schüler ein Antisemitismustraining durchzuführen und – »jetzt haltet euch fest« – eine Exkursion nach Auschwitz zu machen.

»Toll«, »Tolle Sache«, »Mensch Beate, *good job*!«, riefen alle durcheinander.

»Die haben mich natürlich gefragt, warum nicht Sachsenhausen? Ist ja viel näher, aber ich habe denen gesagt: Wenn schon, denn schon«, sagte Beate. Sie werde jetzt also mal schauen, wie viel Geld da tatsächlich im Topf sei und wie viele Teilnehmer von Shalom Berlin e. V. mitreisen könnten, aber angesichts der Gefährlichkeit der infrage kommenden Schüler müsse man sowieso über eine klare Manndeckung und einen 1:1-Betreuungsschlüssel nachdenken und vielleicht sei es auch besser, wenn noch der schuleigene Sozialarbeiter mitkäme.

Jörg spürte, wie ihm die Gruppe zu entgleiten drohte, manchmal konnte Beate sehr dominant sein und das schätzte er nicht besonders. Außerdem hatte Lena nicht unrecht mit ihrem Einwand, auch ihm erschien es heikel, den Fokus auf muslimische Schüler zu legen. Ihm war nicht ganz wohl bei der Sache und vielleicht war es besser, Beate in ihrem Eifer ein wenig zu bremsen. Sie hatte ihren Moment gehabt, da wollte er nicht kleinlich sein, aber jetzt war es auch genug. Das war immer noch sein Wohnzimmer hier. Er räusperte sich laut, um das allgemeine Palaver zu unterbinden, denn er hatte ja schließlich auch noch einen Trumpf im Ärmel beziehungsweise dort am äußersten Ende seines Sofas sitzen, etwas glasig vor sich hin starrend.

»Hört mal alle her, Leute! Ja, danke noch mal, Beate, du hältst uns dann auf dem Laufenden, ja? Bestens. So, ich möchte euch jetzt aber jemanden vorstellen, eine Freundin von mir, die heute zum ersten Mal hier dabei ist. Hannah, kannst du vielleicht selbst kurz ein paar Worte über dich sagen?«

Hannah hatte die ganze Zeit auf dem Sofa gesessen und versunken ins Nichts geschaut, so als wollte sie sich unsichtbar machen. Bei dem Wort »Freundin« war Hannahs Blick jedoch plötzlich sehr klar, um nicht zu sagen, stechend geworden, ihr Rücken hatte sich gestreckt und sie war unruhig auf der Sofakante hin und her gerutscht. Alle schauten sie erwartungsvoll an.

»Äh, ja. Also, ich bin Hannah. Und ich wollte gar nicht stören hier, ich wollte eigentlich nur was abholen.«

»Hannah erforscht ihre Familiengeschichte, und ich helfe ihr dabei«, sagte Jörg.

»Das muss ja aufregend sein. Juden oder Nazis?«, fragte Gregor aus der Facebookgruppe »Böse Banalität«.

144

Hannah wusste offenbar nicht, wie das gemeint war, jedenfalls antwortete sie nicht, also hakte Gregor noch mal nach.

»Sind deine Vorfahren Nazis oder Holocaustopfer?«

»Äh, vermutlich eher Holocaustopfer, soweit ich weiß.«

»Du bist Jüdin«, rief Beate. »Das ist ja toll!«

»Nein, bin ich nicht. Und ich würde eigentlich lieber nicht darüber ...«

Jörg unterbrach sie. Gute Güte, war Hannah unvorbereitet zu diesem Treffen erschienen. Wenn sie so ihr Germanistikstudium absolviert hatte, na dann, gute Nacht, Promotion.

»Es geht hier um ein Restitutionsverfahren, Hannahs Vorfahren waren jüdische Kunsthändler, ihre Urgroßmutter eine bedeutende Journalistin. Das ist alles noch neu für Hannah, also fragt sie nicht so aus, ja? Sie muss sich vielleicht auch erst an den Gedanken gewöhnen.«

»Ja, so ein Trauma kann ja auch mehrere Generationen nachwirken«, sagte Lena, die direkt neben Hannah saß und ihr nun beruhigend die Hand auf den Arm legte.

»Ich bin gar nicht traumatisiert. Also jedenfalls nicht davon«, sagte Hannah.

»Wie sind die denn umgekommen, deine jüdischen Verwandten? KZ?«, fragte Kai, der Ex-Polizist. »Todesmarsch? Ghetto?«

»Treblinka«, sagte Hannah. »Und so richtig verwandt sind wir, glaube ich, gar nicht.«

»Und wie gehst du damit jetzt um, also wie arbeitest du das jetzt auf?«, fragte Beate.

»Ich arbeite da gar nichts auf«, sagte Hannah gereizt. »Ich weiß noch fast gar nichts und ...«

»Tust dich ein bisschen schwer, darüber zu reden,

stimmt's?«, sagte Jörg. Hannah schien die ganze Aufmerksamkeit unangenehm zu sein, Jörg spürte das, er war ja nicht aus Stein.

»Schau, Hannah, du bist hier unter Gleichgesinnten, das alles ist sicher schwer für dich und wir sind für dich da. Wir helfen dir bei der Suche nach deinen jüdischen Wurzeln, du könntest einfach mitmachen bei uns, wir treffen uns regelmäßig und ...«

»Danke, wirklich nett, aber ich würde lieber nicht mit euch nach meinen jüdischen Wurzeln suchen und hätte jetzt gern einfach die Unterlagen, die du mir versprochen hast«, sagte Hannah und stand auf.

Betroffenes Schweigen füllte das Wohnzimmer, und sogar Paul hörte kurz auf damit, auf seinen Olivenkernen herumzubeißen.

»Ach so, jetzt verstehe ich«, sagte Ulla schließlich. »Dir geht's hier nur ums Erben, was?«

Hannah sah Ulla entgeistert an.

»Na, jüdische Kunsthändler, Restitution, da zähl ich doch eins und eins zusammen: Du interessierst dich nur für die Kohle, stimmt's? Du hoffst, dass jetzt noch irgendwo ein kleiner Picasso für dich auftaucht. Du willst ein bisschen Entschädigungsgeld abgreifen, aber mit der Geschichte deiner Vorfahren, die im KZ gestorben sind, willst du dich nicht befassen, wie?«

Hannah war die Farbe aus dem Gesicht gewichen. Nicht, dass da besonders viel gewesen wäre, sie müsste mal ein bisschen öfter in die Sonne gehen, würde ihr sicher guttun, dachte Jörg. Diese plötzlich aggressive Stimmung, die Ulla hier reingebracht hatte, gefiel ihm ganz und gar nicht.

»Ulla, bitte«, sagte er.

»Ja, sorry, ich sag nur meine Meinung, ja? Ich meine,

wir sind ja nicht zum Spaß hier, das ist ja ernsthafte Erinnerungsarbeit, die wir hier machen, ja? Warum ist deine Freundin denn hier, wenn sie daran offenbar so gar kein Interesse hat?«

Hannah war aufgestanden und hatte sich den Mantel geschnappt, den sie zuvor hinter seine Stechpalme gestopft hatte. Hallo? Er hatte Kleiderbügel, aber gut, sie war als Letzte gekommen und hatte ihn vermutlich nicht nach einem fragen wollen. Die Stimmung im Wohnzimmer war im Eimer und er selbst war auch sauer. Da brachte er schon mal eine echte Holocaustopferangehörige mit, jemanden mit Stammbaum sozusagen, der diesen Verein hätte bereichern können, und wer versaute es direkt am ersten Tag? Ulla. Wie sie es immer und überall versaute. Kaum zu ertragen, wie sie jetzt in seiner Guacamole herumrührte mit ihrem Grissini, mit diesem selbstzufriedenen Grinsen, während alle anderen peinlich berührt vor sich hin schauten. Vielleicht würde er sie auch rausschmeißen müssen, so wie es die Stolperstein-Leute getan hatten. Aber erst mal musste er Hannah zur Tür bringen und versuchen, die Sache mit ihr zu retten.

Auf das kleine Brettchen über dem Schuhschrank, auf dem Jörg normalerweise seinen Schlüssel ablegte, hatte er den Umschlag mit der Kopie des Artikels gestellt.

»Tut mir leid wegen Ulla, die ist halt sehr ... engagiert«, sagte er und gab ihn Hannah.

»Danke«, sagte sie.

»Vielleicht finde ich noch mehr«, sagte er und versuchte, es verschwörerisch klingen zu lassen.

»Also, wenn ich mich da noch mal richtig reinfuchse ins Archiv und noch was ausgrabe, dann melde ich mich bei dir.«

Hannah seufzte und Jörg wusste nicht so recht, wie er das deuten sollte.

»Tust du ja eh«, sagte sie schließlich und ging.

Richtig, dachte Jörg.

Auf ihn war schließlich Verlass.

16.

Berlin 1931

Natürlich war sie zu spät. Nicht nur ein bisschen spät dran, sondern unverzeihlich spät. Es wäre einfach nicht ihr Stil gewesen, pünktlich am Bahnsteig zu stehen, an dem Tag, an dem ihre kleine Tochter zum ersten Mal zu Besuch kam. Ganz allein, mit dem Zug. Was aufregend genug ist für ein Kind. Ja, da hätte man annehmen können, eine einigermaßen verantwortungsvolle Mutter würde sich rechtzeitig auf den Weg zum Bahnhof machen, um das kleine Ding einzusammeln. Erst recht im Januar, bei Schnee und Eis, wo man damit hätte rechnen können, dass man keinen Wagen bekäme, und falls doch, dass der dann stecken bliebe. Und dass es eine ganze Weile dauern würde, einen neuen Wagen zu finden, der einen zum Bahnhof brachte. Aber so bin ich wohl nicht, dachte Senta.

Verantwortungsvoll. Eine gute Mutter.

Keine große Neuigkeit.

Sie hetzte durch die kleine Empfangshalle in Richtung Gleis. Vielleicht hatte der Zug Verspätung, und Evelyn war noch nicht da. Was aber, wenn sie schon angekommen war und irgendjemand sie mitgenommen hatte? Sie hatte Trude gebeten, ein Schild mit dem Zielbahnhof und ihrer Berliner Adresse am Mantel des Kindes zu befestigen und Evelyn einzubläuen, Gesundbrunnen auszusteigen und einfach stehen zu bleiben, bis Senta sie im Getümmel auf dem Bahnsteig sicher gefunden hätte.

Aber nun war gar kein Getümmel, da standen nur die Handwagen der Kofferträger, der Zug musste also schon da gewesen sein. Senta konnte den ganzen Bahnsteig überblicken und da war keine Evelyn.

Sie lief am Gleis entlang, wie auf einem zugefrorenen See, dessen Eisdecke zu brechen drohte. Um Senta herum nichts als Risse, gleich würde sie die große, dunkle Kälte einfach verschlucken.

Vielleicht war sie nicht ausgestiegen, vielleicht war sie eingeschlafen, und der Schaffner hatte sie nicht rechtzeitig geweckt. Vielleicht hatte sie einfach jemand mitgenommen, ein Fremder. Kinder verschwanden immer wieder in Berlin, und wenn man sie wiederfand, dann meist aufgebläht und mit dem Gesicht nach unten im Landwehrkanal treibend. Es gab auch Banden, die Straßenkinder aufsammelten und zu Taschendieben ausbildeten, einer der Reporter beim *Tageblatt* hatte über einen Kellerverschlag in Kreuzberg berichtet, aus dem ein Dutzend kleiner Jungen und Mädchen befreit worden war, die man dort eingesperrt hatte.

In ihrem Kopf sah Senta ihre Tochter in einem Kindersarg liegen, ein kleines, ernstes Mädchengesicht, die toten Augen fest auf ihre Mutter gerichtet, die an alldem schuld war. Die Panik nahm Senta die Luft, und ihre Augen brannten von den Tränen, die sie mit Mühe zurückhielt, noch zwanzig Meter bis zum Ende des Bahnsteigs, über den nur noch ein paar Tauben tippelten auf der Suche nach heruntergefallenen Proviantkrümeln, weit und breit kein Kind.

Und dann plötzlich beruhigte sich ihr Atem, plötzlich trug das Eis wieder, denn dort, ganz am Ende des Bahnsteigs, kurz bevor sich die Gleise verzweigten, lugte eine Stiefelspitze hinter einem Eisenträger hervor.

Evelyn saß versteckt hinter einer Säule mitten im Taubendreck auf ihrem Koffer, den Mantel fest um sich geschlungen, eine grobe Wollmütze auf dem Kopf, die Augen fest vor sich auf den Boden gerichtet, auch dann noch, als Senta sie erleichtert begrüßte und ungelenk umarmte und sich tausendfach dafür entschuldigte, dass sie nicht pünktlich da gewesen war.

Senta hatte den Fahrer gebeten, vor dem Bahnhof zu warten, und auf der Fahrt zu ihrer Wohnung am Victoria-Luise-Platz redete sie ohne Unterlass auf Evelyn ein. Wie die Reise gewesen sei. Ob sie in der Schule auch schön fleißig sei. Ob sie ihre Ferien genieße. Ob sie Hunger habe. Wie denn Weihnachten gewesen sei. Ob das Christkind ihr was Schönes gebracht habe. Dass in der Wohnung, in ihrem Zimmer, auch noch ein Geschenk auf sie warte. Dass Senta jetzt ein paar Tage Urlaub genommen habe, solange Evelyn da sei. Dass sie ihr aber mal zeigen könne, wo sie jetzt arbeite und dass sie da einen richtigen festen Schreibtisch habe, wo sie ihre Artikel schreibe. Und dass es ein Fest geben werde, einen kleinen Neujahrsempfang bei ihnen zu Hause, für den sie für Evelyn noch ein hübsches Kleid kaufen würden.

Evelyn schaute die meiste Zeit aus dem Fenster des Autos und antwortete leise und einsilbig. Sie war bestimmt müde und ein bisschen nervös, dachte Senta, zum ersten Mal in der großen Stadt. Sie hörte sich selber zu, wie sie vor lauter Befangenheit auf ihre Tochter einflötete, um der Fremdheit keinen Raum zu geben, die zwischen ihnen herrschte.

Das war ihr Kind, eindeutig und nicht zu leugnen. Die dunklen Haare, die hohen Wangenknochen, der prüfende

Blick – das alles fühlte sich vertraut an. Aber Senta ahnte, dass sich für Evelyn gar nichts vertraut anfühlte. Dass sie eigentlich nicht hier sein wollte, dass sie sich schon jetzt nach Trude sehnte und dass Senta einiges würde aufbieten müssen, um diesen ersten Besuch ihrer Tochter zu einem Erfolg zu machen. Oder zumindest nicht zu einem Misserfolg.

Sie hatte für Evelyn die kleine Kammer zurechtgemacht, die eigentlich für ein Hausmädchen bestimmt gewesen wäre: ein schmaler, hoher Raum, in den nicht sehr viel mehr passte als ein kleines Bett. Aber Senta hatte hübsche Gardinen mit bunten Blumen vor das kleine Fenster zum Innenhof gehängt und eine hellblaue Stoffbahn über das Kinderbett gespannt, sodass es aussah wie ein kleiner Himmel. Bei Wertheim hatte sie einen Affen aus braunem Plüsch und mit schwarzen Knopfaugen gekauft und ihn Evelyn aufs Bett gelegt, Julius hatte in einem Geschäft für Künstlerbedarf einen Kasten mit bunten Kreiden besorgt und einen Stapel Papier, falls Evelyn etwas malen wollte.

Evelyn nahm all das stumm zur Kenntnis und bedankte sich artig, aber Senta vermochte nicht zu sagen, ob sie sich freute. Eigentlich hatte sie das Kind am Abend gemeinsam mit Julius noch in das Lokal gegenüber ausführen wollen, zu Bulette und Kartoffelsalat, aber Julius war aufgehalten worden in der Redaktion, es war spät geworden und deshalb machte sie einfach noch ein paar Eierkuchen, die Evelyn hastig gegessen hatte, bevor sie sich anstandslos ins Bett bringen ließ.

»Morgen kaufen wir dir ein paar schöne neue Kleider«, sagte Senta zu Evelyn, als sie ihr die Bettdecke glatt strich, denn in Evelyns Koffer hatte sie kaum Taugliches gefunden. Sie hatte nur die groben Stiefel, die sie schon auf der

Reise angehabt hatte, und einige filzige Wollkleider und Strümpfe dabei. Wenn Senta ihre Tochter bei ihren Schwiegereltern vorstellen und auf dem kleinen Empfang, den sie geplant hatte, vorzeigen wollte, würden sie auf jeden Fall morgen einen Einkaufsbummel machen müssen.

Am nächsten Tag ließ sich Senta mit Evelyn in ein Geschäft für Kinderkleidung am Wittenbergplatz fahren. Hätte sie Evelyns Maße gehabt, hätte sie von ihrer Schneiderin vorab etwas nähen lassen können, aber so würde es auch gehen. Wie eine Puppe ließ das Mädchen sich an- und umziehen, probierte stumm fünf oder sechs Kleider an, ohne je eine Regung zu zeigen.

»Gefällt dir der Stoff? Magst du die Farbe?«, fragte Senta ihre Tochter, unsicher, ob man mit einem siebenjährigen Kind überhaupt modische Fragen diskutieren sollte. Evelyn sagt immer leise »Ja«, sodass Senta am Ende einfach alle Kleider einpacken ließ. Nur bei den Schuhen zeigte Evelyn plötzlich Interesse: Senta hatte für Evelyn ein Paar schlichte blaue Halbschuhe herausgesucht, das zu jedem der Kleider gepasst hätte, aber Evelyn zeigte auf ein Paar rote Lackschuhe und sagte: »Die will ich haben.«

Es waren die teuersten Kinderschuhe im Laden und so recht passten sie auch nicht zu den Kleidern. »Schau, Liebes, ich finde, die blauen passen viel besser«, sagte Senta, aber zum ersten Mal seit ihrer Ankunft blickte Evelyn ihrer Mutter fest ins Gesicht und sagte: »Ich möchte bitte die roten haben. Bitte.«

Also gut, dachte Senta, und ließ die Verkäuferin beide Paare einpacken, das blaue und das rote, und hinterließ ihre Adresse, damit alles nach Hause geliefert werden konnte. Der Groll darüber, dass Trude von all dem Geld, das sie regelmäßig schickte, nicht einmal einen ordentlichen Sonntagsstaat für Evelyn besorgt hatte, sondern das Kind wie ein Bauerntrampel gekleidet in den Zug nach Berlin gesetzt hatte, verdarb ihr die Laune.

Als Nächstes wollten sie Lotte besuchen, und da es nur ein kurzer Weg war und der Eingang zur U-Bahn direkt vor der Tür lag, nahmen sie die Bahn zum Nollendorfplatz. Evelyn war hinter Senta die Stufen zum Bahnsteig hinuntergelaufen und hatte dann vor Schreck nach ihrer Hand gegriffen, als der einfahrende Zug einen Stoß muffige Tunnelluft in ihr Gesicht geweht hatte. Das Quietschen der Bremsen und das Zischen und Rumpeln der aufgehenden Türen schienen sie zu ängstigen. Senta spürte Evelyns klamme Finger in ihrer warmen Hand und drückte sie fest. Das war ein kurzer, schwebender Moment, eine leise Ahnung von Innigkeit, die Senta mehr anrührte, als sie gedacht hätte. Aber kaum hatten sie sich im U-Bahn-Wagen auf eine der Bänke gesetzt, zog Evelyn ihre Hand aus Sentas und schaute aus dem Fenster in den dunklen Tunnel.

Lotte war zu Hause, denn sie hatte kurz vor Weihnachten ein Kind geboren, einen kleinen Jungen, Fritz, den sie nach Lottes verstorbenem Vater benannt hatten. Vor einem Jahr hatte Lotte ihr wildes Leben aufgegeben und Martin Schuddekopf geheiratet, einen kleinen, untersetzten Fuhrunternehmer, der zwar einen albernen Namen und nicht unbedingt das gute Aussehen von Lottes früheren Liebschaften hatte, dafür aber einen Witz und einen Charme, der seinesgleichen suchte. Außerdem vergötterte er Lotte, er hatte monatelang um sie geworben, ohne jemals zudringlich oder weinerlich zu werden, wie so viele Männer vor ihm, die irgendwann glaubten, ein Anrecht auf Zuneigung zu haben. Über Wochen hatte Martin Schuddekopf jeden Tag per Boten einen kleinen Brief mit einem selbst gedichteten Limerick an und über Lotte in die Redaktion geschickt. Die anderen Mädchen hatten Lotte bedauert: Was war das denn nur für ein Vogel, der nicht etwa Blumen schickte, sondern Quatschgedichte wie:

Die Frau meines Herzens heißt Lotte
Ich kreis um ihr Licht wie 'ne Motte.
Ist sie erst meine Frau
weiß ich ganz genau,
dass ich ewig leb, niemals verrotte.

Aber Lotte bekam sich an manchen Tagen gar nicht mehr ein vor Lachen, wenn ihr Berta vom Empfang mit rollenden Augen das Kuvert mit den neuesten Liebeszeilen aushändigte. »Was soll ich mit welkem Gemüse, Senta. Blumen schicken kann jeder«, hatte sie gesagt, und Senta hatte ihr zugestimmt und war dann auch sehr gern ihre Trauzeugin geworden, als Fräulein Lotte Schadow zu Frau Charlotte Schuddekopf wurde.

Jetzt saß Lotte aufrecht in ihrem Ehebett, vier große Daunenkissen im Rücken, und hatte den heiligen Schimmer einer frischgebackenen, glücklichen Mutter. Der kleine Fritz lag friedlich neben ihr in einer Wiege mit weißem Baldachin und gab kleine glucksende Wonnegeräusche von sich, als Senta und Evelyn ins Zimmer traten.

Senta setzte sich zu Lotte ans Bett, und sie unterhielten sich ein wenig über den neuesten Tratsch aus der Redaktion und über Sentas Vorbereitungen für den Neujahrsempfang, den Julius und sie für Freunde und Kollegen bei sich zu Hause veranstalten wollten. Lotte und Martin würden wohl nicht dabei sein können, sie war noch zu schwach auf den Beinen und Martin wollte seine Frau und seinen

Erstgeborenen so wenig wie nur irgend möglich allein lassen, aber Wolff und Gabriele würden wohl kommen, Kerr und Kiaulehn hatten zugesagt, dazu Kolbe und Kokoschka, die Kiesewetter mit irgendeinem ihrer jungen Liebhaber, Thomann vom Gloria-Lichtspielhaus, zusammen mit seiner Frau, die Senta zwar etwas übertrieben exaltiert fand, aber was soll's – es würde auf jeden Fall lustig zugehen und Senta hatte reichlich Sekt und Wein bestellt und Julius hatte versprochen, sich beim Schallplattenhändler nach passender Musik umzusehen.

Die Gesellschaften und Feste waren weniger geworden in der letzten Zeit, zu viel Armut und wirtschaftliche Unsicherheit waren in der Stadt und die große Lust am Feiern war vielen vergangen, seit die Braunhemden immer öfter Veranstaltungen aufmischten und randalierten und ihre schrecklichen Fackelmärsche veranstalteten. Umso mehr freuten sich alle, dass bei Goldmanns noch eingeladen wurde und dass vor allem reichlich zu trinken da sein würde.

Evelyn hatte die ganze Zeit an der Wiege gestanden und unbewegt zugesehen, wie Fritz kleine Spuckebläschen produzierte und die kleinen Händchen zu Fäusten ballte. Als er unruhig wurde, schob Senta Evelyn zur Seite und nahm Lottes Sohn aus seinem Bett. Ein gutes Gewicht auf ihrem Arm war der kleine Fritz, kein Vergleich zu dem zarten Vögelchen, das Evelyn bei ihrer Geburt gewesen war, schwächlich und blass und nicht andeutungsweise so rosig, proper und wohl. Sie begann, ihn zu wiegen und leise zu summen, bis sie Evelyn bemerkte, die sie anstarrte, mit einem dunklen, wissenden Blick.

»Möchtest du ihn auch einmal halten, Evchen?«, fragte Lotte von ihrem Kissenthron herab. »Komm, setz dich zu mir hier ans Bett, du musst nur seinen Kopf gut festhalten.«

Evelyn setzte sich auf den Stuhl, auf dem Senta eben noch gesessen hatte, und hob erwartungsvoll die Arme. Senta legte ihr vorsichtig den kleinen Fritz auf den Schoß, den Evelyn ernst und interessiert betrachtete wie ein besonders ungewöhnliches Insekt. Fritz gluckste und schob mit seiner kleinen rosafarbenen Zunge weitere Kaskaden aus Spuckebläschen aus seinem Mund, während Evelyn ganz still dasaß, und erst war Senta sich nicht ganz sicher, ob sie sich vielleicht getäuscht hatte, denn es sah kurz so aus, als hätte Evelyn den kleinen Fritz mit der Hand, mit der sie seinen Kopf hielt, kräftig ins Ohrläppchen gezwickt. Aber dann fing Fritz an zu weinen, sie hatte also doch richtig gesehen. Evelyn reichte Lotte wortlos ihren jetzt aus vollem Leib krähenden Säugling, und Senta zog sie nach knapper Verabschiedung aus Lottes Wohnung.

»Ich hab gesehen, was du gemacht hast«, sagte Senta im Treppenhaus. Evelyn sah zu Boden und antwortete nicht. Vielleicht schämte sie sich, dachte Senta. Hoffentlich schämte sie sich. Vielleicht war sie aber auch ganz zufrieden mit sich und genoss ihre kleine Sabotage.

Am Abend, als Julius nach Hause gekommen war, gab es Schmalzbrote, und plötzlich wurde Evelyn redselig. Mit Julius plauderte sie fröhlich drauflos, sie erzählte ihm von ihrem Kaninchen und ihren Schulfreundinnen, von Großonkel Arthur, der ihr ein paar Schneeschuhe gebastelt hatte, damit sie auf dem Schulweg nicht im Tiefschnee einsank. Vom Weihnachtsbaum, den sie mit Trude geschmückt hatte, und dem komischen Fisch, den es Heiligabend gegeben hatte, und dass sie sich so sehr an einer Gräte verschluckt hatte, dass sie fast daran gestorben wäre. Sie erzählte von dem Obst, das Trude und sie eingemacht hatten im Sommer, und den Kartoffeln, die sie geerntet und im

Keller gelagert hatten, von der Wildschweinrotte, die eines frühen Morgens in ihrem Gemüsegarten gestanden hatte, und wie Trude zeternd in Nachthemd und Stiefeln vor die Tür gerannt war, um die Tiere zu verscheuchen. Später dann hatte Großonkel Arthur bei der Jagd extra für Trude einen Eber geschossen und einen der großen Hauer aus dessen Kiefer gebrochen, ihn poliert und Trude als Glücksbringer geschenkt. Darüber musste Julius so sehr lachen, dass ihm die Tränen kamen.

Senta saß staunend am Tisch, so viel hatte Evelyn in den letzten beiden Tagen nicht gesprochen, jedenfalls nicht mit ihr. Julius hörte amüsiert zu und fragte nach, und als Evelyn ins Bett gegangen war, sagte er: »Ist doch schön, sie fühlt sich wohl bei uns.«

Aber Senta war sich ziemlich sicher, dass das nicht stimmte, und deshalb war sie kein bisschen enttäuscht, als am nächsten Morgen das Telefon klingelte und ihre Schwiegermutter am Apparat war, um den Tee abzusagen, den sie für den Nachmittag vereinbart hatten.

»Es tut mir leid, Senta, Liebes, aber ich bin vollkommen unpässlich, und was für einen Eindruck würde ich hinterlassen in meinem Zustand, bitte verzeih.«

Helene Goldmann, Julius' Mutter, war eine zierliche, elegante Person mit fragiler Gesundheit. Sie fühlte sich oft schwach und nervlich angegriffen. Viele Wochen des Jahres verbrachte sie auf Kuren und in Heilbädern und war immer auf der Suche nach einem neuen Wunderheiler, der sie von ihren nicht näher zu spezifizierenden Krankheiten befreien könnte. Senta amüsierte sich insgeheim über die Theatralik, mit der Helene ihr Leiden auslebte und über die ritterliche Fürsorge, in die sich Itzig, ihr Schwiegervater, hineinsteigerte. Er behängte seine zarte Gattin mit Pelzen und

Perlen und bezahlte jede noch so halbseidene Therapie, sofern Helene danach verlangte.

Senta wusste, dass Julius' Eltern sich freuten über die Heirat ihres Sohnes. Sie hatten schon ein wenig den Glauben daran verloren, dass er überhaupt jemals eine Frau finden würde, und dass Senta nicht jüdisch war und aus keiner angesehenen Familie kam, schien ihnen nicht so wichtig. Und als Senta gestand, dass es da noch ein Kind gab, das bei einer Tante aufwuchs, hatte Helene nur einmal fast unmerklich geseufzt und Itzig hatte einen tiefen Zug aus seiner Zigarre genommen und ein paar Kringel in Richtung Zimmerdecke geblasen und gesagt: »Die Umstände sind die, die sie sind. Und ein halbes Enkelkind ist allemal besser als kein Enkelkind.«

Aber nun war es Senta ganz recht, dass das Zusammentreffen der Goldmanns mit Evelyn auf ihren nächsten Besuch verschoben war, der Abend würde schon aufregend genug werden. Den halben Tag verbrachte sie damit, die Gläser zu polieren und ein paar Möbel zu verrücken, um mehr Platz zu schaffen. Evelyn schlich durch die Wohnung, unentschlossen und befangen und offensichtlich ohne Idee, womit sie sich die Zeit vertreiben könnte, und deshalb war sie vielleicht ganz froh, als Senta sie ins Badezimmer beorderte, ihr das weiße neue Kleid anzog und ihr die Haare kämmte.

»Mal schauen, ob wir dir ein paar Locken machen können, das sieht bestimmt hübsch aus«, sagte Senta und steckte die elektrische Lockenzange ein. Evelyn saß auf einem Schemel und ließ Senta Strähne um Strähne um den heißen Stab wickeln, bis sie sich in schlaffen Locken um ihren Kopf legten.

»Gleich kommen lauter wichtige Menschen zu Besuch und du darfst dabei sein, Evelyn. Aber bitte sei artig, ja? Du darfst niemanden kneifen.« Und dann musste sie lachen, und Evelyn, die die ganze Zeit regungslos vor ihr gesessen hatte, vielleicht aus Angst, sie würde sich am Lockenstab verbrennen, lachte mit.

Noch so ein kurzer schwebender Moment, dachte Senta. Eigentümlich schön, hier mit ihrer Tochter im Badezimmer zu sitzen. Aber dann war er auch schon wieder vorbei.

Abends bei der Feier saß Evelyn wie eine Puppe auf einem Stuhl und starrte vor sich auf den Boden. Sie ließ sich begutachten und übers Haar streichen, nickte, wenn man ihr sagte, sie sei ja »ganz die Mutter«. Irgendwann waren die Erwachsenen nur noch ganz und gar mit sich beschäftigt, sie stritten über Politik und legten immer neue Platten auf den Plattenspieler, Thomann war schon ganz betrunken und hatte damit begonnen, immer dann, wenn seine Frau nicht guckte, Senta ein bisschen zu sehr auf die Pelle zu rücken. Sie sah sich nach Julius um, in der Hoffnung, er würde sie retten, aber der debattierte mit Wolff und Kiaulehn über »Im Westen nichts Neues«, einen Film über Soldaten im Weltkrieg, der von der völkischen Presse verrissen worden war.

»Mein Gott, das Kind!«, rief plötzlich die Kiesewetter und schlug sich die Hand vor den Mund, und jetzt sah Senta es auch: Evelyn saß immer noch auf demselben Stuhl und rührte sich nicht, aber ihr weißes Kleid war voller Blut, das ihr in einem unablässigen Strom aus der Nase floss.

Alle Gespräche erstarben und alle Augen waren auf Evelyn gerichtet, die sich immer noch nicht rührte und schließlich zu weinen anfing. Senta nahm sie an der Hand und brachte sie in ihr Zimmer. Es war nur Nasenbluten, aber das Kleid war hinüber und Evelyn schluchzte und Senta wusste nicht so recht, wie sie sie trösten sollte.

»Es ist nicht schlimm, du hast doch noch andere Kleider. Und jetzt geh ins Bett, es ist schon spät, morgen gehen wir in den Zoo.«

Auch in den letzten beiden Tagen ihres Besuchs sprach Evelyn wenig, obwohl Senta sich bemühte, ihr Unterhaltung zu bieten. Sie gingen in den Zoo und spazierten Unter den Linden, einmal fuhr eine Gruppe Limousinen an ihnen vorbei und Senta behauptete – ohne sicher zu sein –, in einer von ihnen habe Hindenburg gesessen. Aber nichts davon schien Evelyn wirklich zu erreichen oder zu begeistern, und als Senta sie zum Bahnhof brachte und in den Zug in Richtung Güstrow setzte, war sie erschöpft und erleichtert. Dieser Besuch hatte an ihr gezehrt. Das Gefühl, nicht richtig, nicht liebevoll, nicht streng, nicht aufmerksam genug zu sein. Einfach durch und durch ungenügend.

Trude war Evelyns richtige Mutter. Diejenige, von der sie getröstet werden wollte, die sie lieb hatte und der sie gefallen wollte. Evelyn gehörte nicht zu ihr, und wenn sie ganz ehrlich war, fiel damit eine große Last von ihren Schultern. Es war ein Versuch gewesen, Evelyn nach Berlin zu holen. Sie hatte sich tatsächlich ausgemalt, das Mädchen würde sie bitten, fortan bei ihr und Julius leben zu können, und dass sie dann eine kleine glückliche Familie würden. Aber diese Vorstellung war nach diesen wenigen Tagen schon in all ihrer Absurdität entlarvt worden.

Am Bahnsteig winkte Senta dem Zug hinterher und spürte, wie ihr ums Herz leicht wurde, als sie ihre Tochter davonfahren sah. Zu Hause in ihrer Wohnung am Victoria-Luise-Platz ging sie in Evelyns Zimmer. Sie hatte ihr Hilfe angeboten beim Packen, aber Evelyn hatte gesagt, das könne sie schon allein. Jetzt flutete Enttäuschung Sentas Kopf wie Schmelzwasser: Evelyn hatte alles dagelassen. An der Kleiderstange hingen säuberlich aufgereiht die Kleider, der Affe saß auf dem Kinderbett, die Schachtel mit den Malkreiden lag auf dem Nachttisch, die blauen Halbschuhe standen ungetragen neben der Tür. Nur die roten Lackschuhe hatte sie mitgenommen.

Senta setzte sich auf das schmale Kinderbett und ließ ihren Kopf auf das kleine Kissen sinken. Es roch nach Evelyns Haaren und nach Waschmittel. Senta war müde. Fast wäre sie eingeschlafen, doch da knisterte etwas unter dem Kinderkissen. Senta richtete sich auf und zog ein Blatt Papier hervor: Es war eine bunte Kinderzeichnung, die Evelyn offenbar mit den Malkreiden angefertigt hatte. Sie zeigte eine große Frau mit einem Hut und einem blauen Kleid und ein Mädchen in einem blauen Kleid, mit einem dunklen Lockenkopf und roten Schuhen.

Auf der Rückseite stand in sorgfältiger Kinderschrift: Für Mami. Von Evelyn.

17.

Erster Mittwoch im Monat ist Fußpflegetag, denn die Füße tragen uns durchs Leben, Frau Doktor, die Füße sind das am meisten vernachlässigte Körperteil, man muss sie pflegen und cremen und dankbar sein, dass man überhaupt zwei gesunde Füße hat.

Ja, ja, ja, meine Güte, dachte Evelyn.

Nichts gegen Fußpflege und auch nichts gegen die Fußpflegerin Sonja, die sie hier in der Seniorenresidenz monatlich heimsuchte, die machte das ganz ordentlich, keine Frage. Aber musste sie unablässig darüber reden? Konnte man, während man sich von einer anderen Frau die Hornhaut von den Sohlen schaben ließ, nicht einfach in Ruhe seinen Gedanken nachhängen? Musste sie sich zum hundertsten Mal die gleichen albernen Weisheiten über die Wichtigkeit ihrer alten Füße anhören?

Sonja hatte ihre Utensilien ausgepackt, ihren kleinen Klappschemel aufgestellt und die Plastikwanne mit Wasser gefüllt. Jetzt saß Evelyn in ihrem Sessel, die nackten Füße im warmen, nach Latschenkiefer riechenden Wasser, und war die nächsten zwanzig Minuten gefangen. Ohne jede Möglichkeit, sich Sonjas dussligem Geplapper zu entziehen.

»Na, Frau Doktor? Sie sehen aber wohl aus heute! Na,

Ihnen scheint das gute Wetter ja mal gutzutun. Wie geht's denn Ihrer Enkeltochter?«

Ja nun. Wie ging es ihrer Enkeltochter. Evelyn wusste es nicht und wollte es auch gar nicht so genau wissen, denn Hannah war ja offenbar sehr mit sich und ihren Forschungen zur Familienhistorie beschäftigt und schon seit einer ganzen Weile nicht mehr zu Besuch gekommen. Gut, es stimmte, Evelyn hatte ihr klipp und klar gesagt, dass sie nichts davon hören und nicht darüber sprechen wollte, aber deshalb gar nicht mehr aufzutauchen? Wenigstens anrufen könnte sie ja dann und wann, aber in Wahrheit hasste Evelyn es zu telefonieren, sie und Hannah waren beide nicht gut darin.

»Ist es recht so, Frau Doktor? Die Temperatur? Und was macht die jetzt, Ihre Enkeltochter? Studiert die noch?«

»Sie promoviert.«

»Ach ja, ach Gott. Na, was meine kleine Maus später wohl mal macht?«

Sonja, die Fußpflegerin, hatte nämlich selbst eine Enkeltochter, die drei Jahre alt war und von der sie immer sehr viel erzählte. Eigentlich fragte sie nur nach Hannah, um danach von ihrer »kleinen Maus« zu erzählen, während sie Evelyn die Fußnägel schnitt. Anfang vierzig und schon Oma. Diese Ostfrauen, dachte Evelyn. Warum die nicht alle ein bisschen warten konnten, bevor sie Kinder in die Welt setzten.

»Die kleine Maus ist eine richtige Träumerin, wissen Sie, Frau Doktor? So niedlich, das können Sie sich gar nicht vorstellen. Die kann ja wirklich stundenlang einfach nur so dasitzen und die Gänseblümchen anschauen, die kleine Maus. Zum Piepen, wirklich.«

Ja, piep, piep, dachte Evelyn. Sie hatte auch so eine

kleine Träumerin gehabt und die war jetzt schon seit beinahe zehn Jahren tot. Ihre Tochter Silvia hatte auch gern stundenlang irgendwo gesessen und vor sich hin geträumt. Zu allem hatte man sie antreiben müssen, immer war sie mit dem Kopf in den Wolken gewesen, jedes Blatt, jeden Ast hatte sie betrachten müssen, wenn man mit ihr unterwegs war, jede Katze musste sie streicheln. Beim Einkaufen hatte sie manchmal einfach zwischen den Regalen gestanden und die Konservendosen angeschaut, während Evelyn ihren Einkaufskorb füllte, und später an der Kasse, wenn Silvia gebannt auf das automatische Kassenband starrte, hatte die Verkäuferin jedes Mal »Na, haben Sie Ihr Träumerle wieder dabei, Frau Borowski?« gesagt.

»Ich hab sie ja immer freitags, die kleine Maus, da haben wir Oma-Tag. Da machen wir es uns so richtig gemütlich«, plapperte Sonja und kramte in ihrer Tasche nach der richtigen Feile. »Ich back dann ganz viel mit ihr oder wir malen was zusammen oder lesen vor. So schön ist das, Frau Doktor.«

Backen, basteln, vorlesen – Evelyn wusste gar nicht mehr, was davon sie am meisten gelangweilt hatte. Sie hatte es wirklich versucht, und nach den ersten beiden bleiernen Babyjahren zu Hause, war es ihr auch wie eine einigermaßen willkommene Abwechslung vorgekommen, mit ihrer Tochter etwas gemeinsam machen zu können, und sei es einen Streuselkuchen. Aber Silvia hatte da längst die Nachbarin entdeckt, eine runde, fröhliche Frau mit vier Kindern und großem mütterlichen Talent. Kaum, dass sie laufen konnte, war sie über die Dorfstraße marschiert und hatte bei Frau Hagerle geklingelt. In deren Küche gab es eine Eckbank, dort wurde jeden Tag gebacken, mittags kamen die vier Söhne aus der Schule und machten am Küchentisch ihre Hausaufgaben und zur Belohnung gab es hinterher Grießbrei.

Silvia hatte tagelang auf Hagerles Eckbank gesessen und einfach nur zugesehen. Ab und zu eine Schüssel ausgeschleckt, wenn Frau Hagerle einen Rührteig gemacht hatte. »Suchen Sie Ihr Träumerle, Frau Doktor?«, so hatte man ihr die Tür geöffnet, wenn Evelyn sich nach einer Weile aufgemacht hatte, um Silvia wieder abzuholen. Nicht so sehr, weil sie sie vermisste, sondern weil es sich nicht gehörte, das eigene Kind stundenlang bei der Nachbarin herumsitzen zu lassen. Wo sie doch nur das eine hatte. Und eine Haushaltshilfe noch dazu, die ihr fast alles abnahm, bis auf das Teppichklopfen. Das machte Evelyn gerne selbst, weil sie aus irgendetwas dieses Gefühl von Nutzlosigkeit herausprügeln musste, das sie ausfüllte wie flüssiger Zement.

»Soll ich Ihnen heute auch mal die Nägel machen, Frau Doktor? Ich hab schöne Farben dabei, wollen Sie mal sehen?«, fragte Fußpflegerin Sonja. »Mach ich bei meiner kleinen Maus auch immer, die liebt das ja, wenn ich ihr die Nägel mache, die zeigt das dann ganz stolz in der Kita. Meine Tochter ist ja eigentlich dagegen, wegen der Giftstoffe, können Sie sich das vorstellen, Frau Doktor?«

Oh ja, das konnte sie. Ein kleines warmes Gefühl der Solidarität regte sich in Evelyn, und deshalb sagte sie Ja zu einem neutralen, rosafarbenen Lack auf den Fußnägeln, obwohl niemand außer Sonja ihre Füße jemals zu Gesicht bekam. Sie erinnerte sich gut an Silvias fassungslose Wut, als sie nach einem Tag in irgendeinem ihrer Hippieseminare die kleine Hannah bei ihr abholen wollte, und Evelyn gerade dabei gewesen war, mit ihrer Enkeltochter einen Spatz zu sezieren. Der war gegen die Scheibe ihrer Charlottenburger Wohnung geflogen und auf dem Balkon liegen geblieben. Hannah hatte ihn gefunden und ihre Großmutter gefragt, ob sie den Vogel wieder »heile machen« könne.

»Leider nicht, Hannah, ich bin ja eine Menschenärztin und keine Tierärztin. Aber den hier hätte ich so oder so nicht heilen können, der ist tot.«

Hannah hatte sich den Spatz genau angesehen, mit der morbiden Neugier einer Sechsjährigen, und weil Evelyn noch ein wenig Zeit zu überbrücken hatte und ihr nichts Besseres eingefallen war, hatte sie Hannah gefragt, ob sie mal zusammen schauen wollten, wie so ein Spatz von innen aussieht.

Hannah hatte begeistert Ja gesagt, und da hatte Evelyn ein Skalpell geholt und für sich und Hannah je einen Mundschutz. Sie hatte die Stehlampe an den Esstisch gestellt und den Vogel im Lichtkegel auf ein Bett aus Zeitungspapier und Küchenrolle gelegt. Und dann hatte Evelyn ihn aufgeschnitten. Hatte Hannah das kleine Herz gezeigt, das Gelenk, mit dem die Flügel am Körper befestigt waren. Dann vorsichtig die kleinen Rippen freigelegt, und Hannah hatte erst die des Vogels und dann ihre eigenen gezählt. Sie hatte sich weder geekelt noch Angst gehabt, anders als Silvia, die als Kind vor allem Angst gehabt hatte und kein Blut sehen konnte.

Aber dann Silvias Auftritt, als sie schließlich aufgetaucht war, um Hannah wieder abzuholen und mit in ihre vollgeräumte Kreuzberger Wohnung zu nehmen. Evelyn hatte ihr mit Mundschutz und Handschuhen die Tür geöffnet, und Silvia hatte einen spitzen Schrei ausgestoßen, als sie ihre Tochter in dem toten Vogel herumstochern sah. »Sie ist ein Kind, Mutter. Ein Kind! Warum kannst du nicht einfach was mit ihr malen oder in den Zoo gehen?«

Und dann war sie mit ihrer Tochter an der Hand aus Evelyns Wohnung gestürmt.

Aber Evelyn war glücklich gewesen an diesem Nachmittag. Da war eine Verbindung zwischen ihr und Hannah, etwas, wonach sich Evelyn immer gesehnt hatte und was sie doch nicht herstellen konnte, so wie es anderen gelang. So wie Frau Hagerle, die so herzlich und zupackend gewesen war, zufrieden mit ihrem Leben in der Küche, wo sie teigrührend und kaffeeaufsetzend und hausaufgabenüberwachend alt wurde. Das hatte Evelyn für ihre Tochter nicht sein können, eine zufriedene Mutter, die für alles Verständnis hatte. Für Silvias Angst vor dem Dunkeln, für ihre Trödelei, ihre Schüchternheit. Das Mädchen hatte doch alles. Sie war doch da. Sie hatte sich doch gefreut auf das Baby, nachdem Karl und sie es so lange vergeblich versucht hatten. Sie hatte sich gefreut darauf, Mutter zu werden, auch wenn sie mit Anfang dreißig schon wirklich spät dran gewesen war. Sie wollte sich und Karl ein richtiges Zuhause schaffen, mit allem, was dazugehörte. Ein Kind. Freunde, die zum Kaffee vorbeikamen. Gemeinsames Sonntagsfrühstück. Ein Familienauto in der Garage. Beständigkeit.

Evelyn war überhaupt nicht darauf vorbereitet gewesen, dass sie sich so einsam fühlen würde mit der kleinen Silvia. Wie unendlich lang ihr die Tage vorkamen und wie sehr sie es hasste, dass man sie im Ort zwar Frau Doktor nannte, aber nur, weil sie die Frau von Doktor Borowski war, dem Chirurgen am Kreiskrankenhaus.

Silvia durch den kleinen Ort bei Stuttgart schieben, begraben unter einem riesigen Plumeau, Kaffeetrinken mit den anderen Müttern, sich austauschen über Beikost – Evelyn hatte versucht, Freude daran zu finden, doch es war ihr nicht gelungen. Die Vormittage hatte sie noch ganz gut herumbekommen, aber nach Silvias Mittagsschlaf hatte sie jeden Tag die Viertelstunden heruntergezählt, bis Karl endlich nach Hause kam.

Dann hatte sie ihn ausgefragt über seinen Arbeitstag, wie es im Krankenhaus zuging, und jedes Mal hatte sie gehofft, irgendeiner der Kolleginnen und Kollegen würde sich mal nach ihr erkundigen. Oder fragen, wann sie zurückkäme. Aber ihre Stelle als Assistenzärztin war nach der Geburt von Silvia längst an einen jungen Internisten vergeben worden, niemand hatte mehr mit ihr gerechnet und es schien sie auch niemand zu vermissen.

»So, Frau Doktor, das sieht doch richtig schick aus jetzt. Jetzt haben Sie wieder richtig schön gepflegte Füße. Ich massier die noch ein bisschen, und Sie entspannen sich einfach, ja?«, flötete Sonja.

Evelyn schloss die Augen und versuchte, sich zu entspannen. Entspannung war nicht unbedingt ihr bevorzugter Zustand, wer entspannte, der erschlaffte, der wurde schwach, anfällig und wehrlos. Vielleicht war es auch das gewesen, was ihr diese ersten Jahre mit Silvia so erschwert hatte: die Spannungslosigkeit. Die Abwesenheit von Hektik, von Dringlichkeit, von Entscheidungen, die Leben oder Tod bedeuten konnten. Wie man sie beneidet hatte um ihr entspanntes Kind. So ruhig. So lieb. Das musste doch eine willkommene Abwechslung sein nach den Jahren im Krankenhaus. Endlich nicht mehr arbeiten zu müssen. Da war es doch ganz und gar nicht zu verstehen, dass die Frau Doktor ihre Tochter immer so anherrschte. Immer so ungeduldig und unzufrieden mit ihr war. Sogar die Lehrerinnen in der Grundschule hatten Silvia in Schutz genommen, sie sei nun mal ein bisschen später dran mit allem, ein stilles Kind, das viel Zuwendung bräuchte, viel Nähe, dem man Mut machen müsse. Aber Mut wofür denn, hatte Evelyn bei sich gedacht. Und wie viel Zuwendung denn noch? Sie hatte alles aufgegeben, alles, was ihr wichtig gewesen war, sie schlug ihr Kind nicht, sie stellte Essen auf den Tisch, sie war streng, aber nicht lieblos, und verlangte nichts weiter als ein bisschen Einsatz. Aber Silvia war als Kind wie ein gut gegangener Hefeteig gewesen, der sich nicht vom Fleck bewegte, wenn man ihn schubste, sondern der einfach immer nur Dellen bekam und irgendwann in sich zusammenfiel.

Sie hatte wirklich immer nur das Beste für ihr Kind gewollt.

Tuda hätte das verstanden.

Als Sonja endlich fertig war mit ihrer Fußmassage und Evelyn die Strümpfe wieder anzog, das Wasser ausgoss, ihre Feilen, Scheren, Knipser und Tiegelchen einpackte, überkam Evelyn ein so bleiernes Gefühl von Einsamkeit, dass sie fast über sich selbst lachen musste. Erbärmlich, wie sie hier saß und sich die Zehen hatte lackieren und die Füße massieren lassen. Füße, die geschwollen und fleckig waren, die keiner mehr ansah und die auch niemandem mehr gefallen mussten. Und das nur, weil sie die Gesellschaft einer dussligen Fußpflegerin noch ein wenig in die Länge ziehen wollte.

»Tschüss, Frau Doktor, bleiben Sie frisch, bis zum nächsten Mal«, sagte Sonja und reichte Evelyn die Hand.

Evelyn fischte ein Pfefferminzbonbon aus der Schüssel, die auf dem kleinen Glastischchen neben ihrem Sessel bereitstand, und drückte es Sonja zum Abschied in die Hand.

»Für die kleine Maus.«

»Ach, da freut sie sich sicher, Frau Doktor!«, sagte Sonja.

Glaube ich kaum, dachte Evelyn.

Neben der Schüssel mit den Pfefferminzbonbons stand ihr Telefon und für einen kurzen Augenblick hatte sie den Wunsch, Hannahs Stimme zu hören. Sie hätte nur die Kurzwahltaste 1 drücken müssen. Aber der Moment ging vorbei, wie ein kurzer puckernder Schmerz, und dann war sie wieder allein und ganz bei sich.

18.

Berlin 1932

Julius Goldmann stand vor dem Spiegel im Badezimmer, betrachtete die Schatten unter seinen Augen und zog die Mundwinkel nach oben. Und noch mal, diesmal mit Zähnezeigen. Seit Wochen schlief er schlecht und trank zu viel und man sah es ihm an. Der Mann im Spiegel gefiel ihm nicht, er sah einen schlecht rasierten, müden Grimassenschneider, aber mehr hatte er im Moment nicht in sich. Für heute Abend würde es reichen müssen: für den Vater noch einmal so tun, als wäre nichts. Für die Mutter den fröhlichen Goldjungen mimen, damit sie sich nicht noch mehr sorgte.

Das tat sie ja ohnehin, nur sorgte sie sich immer um die falschen Dinge: ob er genug aß, ob seine Hemden ordentlich gestärkt wurden. Nie, ob er abends nach Hause gekommen war, ohne verprügelt worden zu sein. Ob er und Senta noch eine berufliche Zukunft in dieser Stadt hatten. Ob überhaupt noch irgendetwas Gutes geschehen konnte in der nächsten Zeit. Und was es eigentlich bedeuten würde, wenn die Antwort auf diese Fragen Nein lautete.

Julius konnte nicht behaupten, dass ihn die Entwicklungen der letzten Zeit unvorbereitet getroffen hätten. Das, was da in sein Leben kroch, war schon immer da gewesen und hatte sich nur getarnt. Den ganzen Sommer über hatten Senta und er regelmäßige Ausflüge ans Wasser gemacht, an die Havel und den Wannsee. Weil Senta gern unterwegs war und ihn aus seiner grüblerischen Stimmung reißen wollte und fand, sie müssten öfter mal raus ins Grüne, womit sie sicher recht hatte. Meistens waren sie segeln gegangen, da hatte man immer ein bisschen was zu tun, Leinen straffen, die Pinne halten, das Segel einholen. Weniger Zeit für trübe Gedanken. Aber ab und zu, wenn eine Flaute kam, dümpelten sie so dahin, sahen den Möwen und Schwalben zu, die sich Mücken von der Wasseroberfläche fischten. Sie hörten entfernt die Menschen, die am Ufer im Schatten picknickten, und die kleinen Wellen, die an die Bootswand patschten, am Himmel nichts als Blau. Und je perfekter das Idyll, desto schrecklicher fühlte er sich. Die ganze Szenerie kam Julius vor wie eine Leinwand, die wie eine Kulisse vor eine unermessliche Dunkelheit geschoben worden war.

Und neben ihm Senta. Die spürte, wenn sich diese Lähmung in ihm breitmachte, und seine Hand nahm und ihn anlächelte, als wollte sie sagen: »Ich weiß. Aber glaub mir, es wird schon alles nicht so schlimm.« Dafür liebte er sie besonders, diese Zuversicht, die sich nicht aus Naivität, sondern aus ihrer eigenen Erfahrung speiste. Dass man auch die schrecklichsten Dinge durchstehen kann, solange man seinen Kompass nicht verliert. Ihm war immer alles zugeflogen, ihr nicht. Sie hatte sich seiner Zuneigung nie zu ihrem Vorteil bedient, es gab keine Ansprüche oder Erwartungen, und sein Werben um sie war wie die Anbahnung einer tiefen Freundschaft verlaufen, nicht wie das sonst übliche Taktieren und Jagen und Sich-jagen-Lassen, die ganzen ungeschriebenen Regeln der Großstadtbalz, die Julius so zuwider waren.

Als er sie das erste Mal geküsst hatte, hatte es sich ganz selbstverständlich angefühlt, wie etwas vollkommen Naheliegendes. Es fühlte sich kein bisschen fremd und neu an, sondern eher wie ein Nachhausekommen nach einem langen anstrengenden Tag. Er hatte sie gleich danach gefragt, ungelenk und vielleicht ein bisschen altmodisch, wie er in solchen Situationen war, ob sie ihm wohl bitte die Ehre erweisen könne, das Leben mit ihm zu teilen, und da hatte Senta ihn angelacht und seine Hand genommen und gesagt: »Das tun wir doch längst.« Es hatte niemanden überrascht, als sie ihre Hochzeit verkündeten, eher schienen alle Freunde erleichtert, dass nun endlich offiziell wurde, was allen anderen geradezu zwangsläufig erschienen war.

Anfang des Jahres hatten sie gemeinsam die Redaktion verlassen und eine kleine Nachrichtenagentur gegründet, spezialisiert auf Kulturberichterstattung. Dem *Tageblatt* ging es immer schlechter, und es machten Gerüchte über ein Insolvenzverfahren die Runde, da hatten Senta und er beschlossen, zu gehen, solange sie noch nicht mussten. Zusammen neu anzufangen und mehrere Redaktionen mit Rezensionen, Kritiken, Berichten und Glossen zu beliefern. Das war gut angelaufen, und sie hatten sich rasch einen treuen Stamm an Abnehmern erarbeitet. Senta hatte angefangen, Fortsetzungsromane zu schreiben, sie war schnell und erfindungsreich und lieferte so zuverlässig und pünktlich, dass sie keine Probleme hatte, neue Kunden zu finden.

Aber dann war die Reichstagswahl gekommen im Juli, die NSDAP stärkste Kraft. Da konnte der Spätsommer noch so golden sein, da konnte Senta ihn noch so liebevoll anlächeln, Julius sah die Kulisse an den Rändern zerfasern, aufbrechen, überall quoll das Grauen hervor.

Der Herbst war besser auszuhalten, der war trübe und

regnerisch, so wie ein Herbst in Berlin zu sein hat. Eine Anpassung der Wetterlage an das politische Klima und Julius' innere Verfasstheit. Das *Berliner Tageblatt* musste tatsächlich Insolvenz anmelden, der ganze Verlag stand unter Druck. Mehr als hunderttausend Menschen hatten in Potsdam an einem Reichsjugendtag der NSDAP teilgenommen, Julius hatte Fotos gesehen, junge Männer und Frauen mit dieser debilen Verzückung im Gesicht, wie Kleinkinder beim Anblick des Weihnachtsbaumes. Noch eine Reichstagswahl, die NSDAP wieder stärkste Kraft. Lange hatte man es für ausgeschlossen gehalten, dass ein kulturloser Möchtegern wie Hitler jemals Reichskanzler werden könne, aber nun schien es mehr und mehr unvermeidbar. Hindenburg hatte während der Regierungsbildung alle politischen Demonstrationen bis auf Weiteres verboten, man konnte also wenigstens den schrecklichen Fackelzügen und Massenaufläufen entgehen. Dafür klärten sich endgültig die Fronten. Niemand wahrte mehr die Form, alles trat nun offen zutage. Was vorher nur heimliche Verachtung gewesen war, wurde nun nicht länger verborgen. Julius war es beinahe recht, jetzt wusste er, woran er war, wenn ihn der Leiter eines Revuetheaters nicht mehr zu den Premieren einlud. Wenn er von Redaktionen gebeten wurde, Kritiken zu entschärfen. Wenn der Apotheker, der immer unfreundlich gewesen war, ihm offen ins Gesicht sagte, dass er keine Juden mehr bediene und er sich seine Pillen woanders kaufen solle. Wenn die Nachbarin von gegenüber, die sich bislang immer zurückhaltend über Lärm beschwert hatte, nun im Treppenhaus zischte, es wäre Zeit, dass mal richtig aufgeräumt würde mit Leuten wie ihm.

Senta hatte versucht, es vor ihm zu verbergen, aber er

hatte ihre hitzigen Telefonate mit Trude durchaus mitbekommen, in denen Senta mit dem Ende aller Geldzuwen-
dungen gedroht hatte, wenn Trude Evelyn nicht mehr nach
Berlin kommen ließe. Trude schien zunehmend Angst zu
haben, das Kind käme bei Senta und ihm unter »jüdischen
Einfluss«, was immer das sein mochte. In den Zeitungsredaktionen schrieb man plötzlich vorsichtiger, mit Aus-
nahme der völkischen und antisemitischen Blätter, deren
Texte in Duktus und Wortwahl dem Gebell der SA-Männer
glich. Und es waren nicht nur die Ungebildeten oder die
seit jeher Überzeugten, die plötzlich von der »Verjudung«
sprachen: Julius kannte hochangesehene jüdische Professoren und Beamte, die sich um ihre Zukunft sorgten, weil
Kollegen ihnen ganz nüchtern erklärten, man habe ja gar
nichts gegen sie persönlich, wirklich nicht, aber man müsse
doch verstehen, dass die Juden aus dem deutschen Volks-
körper entfernt werden müssten, wenn die Nation wieder
zu alter Größe finden wolle.

Nichts für ungut.

In seinem Kopf hatte Julius längst begonnen, seine Kontakte im Ausland zu sortieren. Er hatte einen alten Schulfreund in der Schweiz, einen ehemaligen Kommilitonen in
Dänemark, entfernte Verwandtschaft in Brasilien. Er hatte
versucht, mit seinem Vater darüber zu sprechen, aber der
wollte davon nichts wissen.

»Das geht auch wieder vorbei«, hatte er gesagt. »Bitte
reg deine Mutter nicht auf mit diesem Gerede. Schreihälse
gab es immer und wird es immer geben, aber sich davon
einschüchtern lassen?«

Und mit diesem unverbrüchlichen Optimismus hatte
Itzig Goldmann in diesem Dezember auch seinen alljährli-
chen Empfang im Kunstsalon geplant. Das war in den letz-

ten Jahren immer ein gutes Geschäft gewesen, da suchte so manch einer aus der Berliner Kulturelite noch ein Weihnachtsgeschenk. Eine gute Gelegenheit, jüngere Künstler zu zeigen, die alten niederländischen Meister, auf die Itzig Goldmann eigentlich spezialisiert war, waren nichts für spontane Käufer. Er hatte seine treuesten Kunden und Sammler eingeladen, ein paar Freunde und Bekannte und auch einige Künstler. Er hatte wie jedes Jahr für Getränke gesorgt und wenn es so ablief wie in den vergangenen Jahren, würde er die Ausgaben am Ende des Abends wieder eingespielt haben, weil immer eine kleine Skulptur oder eine Zeichnung verkauft wurde, manchmal auch ein größeres Bild.

Julius hatte versucht, seinen Vater von dieser Tradition abzubringen, wenigstens in diesem Jahr. Es wäre vernünftiger, sich nicht zu exponieren, es war so viel Unruhe in der Stadt, so viel fiebrige Nervosität. Aber Itzig war wild entschlossen, seinen Empfang wie in jedem Jahr abzuhalten. Und Julius und Senta würden selbstverständlich anwesend sein müssen, wie sähe das sonst aus, wenn der feine Herr Journalistensohn der Sache fernbliebe, und überhaupt sei es nun auch langsam genug mit der Schwarzmalerei.

Während Senta sich im Bad ausgehfertig machte, schenkte sich Julius ein großes Glas Weinbrand ein und schaute aus dem Fenster. Er hatte nie woanders gelebt als in Berlin, er wollte auch nicht woanders leben. Wovon auch? Aber der Gedanke an einen Rettungsring, den ein Freund aus dem sicheren Ausland in seine Richtung werfen könnte, sollte es hier unaushaltbar werden, beruhigte ihn ein wenig. Auch wenn es immer noch unvernünftig schien, ernsthaft ans Auswandern zu denken. Senta und er waren erfolgreich, sie waren einigermaßen unbeschadet durch die

Wirtschaftskrise gekommen, sie lebten komfortabel. Vielleicht hatte sein Vater recht und das alles war eine kurze nationalistische Aufwallung und am Ende würde es schon nicht so arg kommen. Im Ausland müssten sie ganz von vorne anfangen. Und ob Senta Evelyn zurücklassen würde? Und ihre alte Mutter, der sie manchmal noch Geld schickte, wenn genug übrig war?

Als Senta aus dem Badezimmer kam, wurde ihm leichter ums Herz. Sie sah bezaubernd aus in ihrem knielangen schwarzen Kleid und sie war guter Stimmung. Es war gut, dass sie heute Abend mit dabei war. Sie war furchtlos und munter und kam mit jedem gleich ins Gespräch. Er bewunderte, wie schnell sie all die ungeschriebenen Regeln der Berliner Gesellschaft verinnerlicht hatte, wie selbstverständlich es ihr war, sich mit Schauspielerinnen, Schriftstellern und Bankiers zu unterhalten und mit dem gleichen ehrlichen Interesse mit den Fahrern, den Zeitungsjungen und den Müllmännern umzugehen. Sie wäre eine fantastische Reporterin geworden, dachte Julius. Eine viel bessere als er. Er war eigentlich zu schüchtern für den Beruf, den er ergriffen hatte, und am wohlsten fühlte er sich immer dann, wenn er schreiben konnte, ohne dafür viel mit anderen Menschen sprechen zu müssen. Er genierte sich ein wenig deswegen und kam sich undankbar vor, denn Senta hatte sich so hart erkämpfen müssen, was ihm ganz selbstverständlich offengestanden hatte. Beim *Berliner Tageblatt* war er ihr Mentor gewesen, er hatte dafür gesorgt, dass ihre Manuskripte auch unter ihrem Namen veröffentlicht wurden, denn gut waren sie allemal. Den Neid der anderen Mädchen und die Herablassung der Kollegen hatte Senta still ertragen und nicht einen schlechten oder auch nur lauen Text geliefert. Julius dagegen war sich sicher, die

Hälfte der Zeit mittelmäßige Texte zu schreiben und nur manchmal mit Glück etwas wirklich Gutes hervorzubringen.

»Dein Anzug wird dir zu groß, du musst wirklich mehr essen«, sagte Senta, als sie ihm das Weinbrandglas aus der Hand nahm und ihm ein Haar vom Jackett zupfte. »Nicht dass du einfach irgendwann verschwunden bist, Goldmännchen.«

Sie nahmen einen Wagen zum Lützowplatz, wo Goldmanns Kunstsalon lag. Die Fensterfront war hell erleuchtet, einladend im trüben Schneeregen, den man in den Lichtkegeln der Straßenlaternen sehen konnte. Itzig hatte wie in jedem Jahr ein wenig umgeräumt, um mehr Platz zu schaffen, und einen langen Tisch in der Mitte des Raumes mit Gläsern und gekühlten Getränken aufgestellt. An den Wänden hatte er die großen und monumentaleren Gemälde ersetzt durch mehrere kleinere Werke, »Mitnehmware« nannte er das.

Als Senta und Julius durch die Tür kamen, stand er aufrecht mitten in seinem Salon, schwarzer Dreiteiler, enger Krawattenknoten, die wenigen Haare nass zur Seite gekämmt. Er war ganz allein.

»Ah, da seid ihr ja. Ihr seid die Ersten. Mutter lässt sich entschuldigen, sie fühlt sich nicht wohl.«

Itzig küsste Senta auf beide Wangen und ging dann zum Tisch. »Ihr trinkt doch was, oder? Ich schenke euch ein, die anderen müssten jeden Moment hier sein.«

Julius hörte den Wasserhahn aus der winzigen Kammer hinter dem Ausstellungsraum tropfen, zusammen mit dem leisen Ticken einer Wanduhr wurde daraus ein asynchroner Akkord, wie ein stolpernder Herzschlag. Er bemerkte, wie

fahrig und unkonzentriert sein Vater eine der Weißwein-
flaschen öffnete und wie aufgesetzt seine Fröhlichkeit
schien. Sie waren die ersten Gäste, dabei waren sie vergleichsweise spät dran. Im vergangenen Jahr war der
Kunstsalon um diese Zeit schon gut gefüllt gewesen.

»Es haben doch einige abgesagt«, sagte Itzig. »Kronbach ist verhindert, Schmidt hat die Grippe, Deggenbach
hat überraschend Besuch bekommen. Die Kaisers haben
sich gar nicht gemeldet, na, mal sehen ...«

Itzig stocherte hilflos im Hals der Weinflasche herum,
der Korken war abgebrochen und steckte nun fest. Julius
nahm seinem Vater die Flasche und den Korkenzieher aus
der Hand.

Er hatte es kommen sehen. Menschen, die sein Vater für
Freunde hielt, wenigstens für anständige Menschen mit
Rückgrat und Manieren, wieselten aus seinem Leben, jetzt,
da es nicht mehr opportun schien, mit »Leuten wie ihnen«
zu verkehren. Erst vor einigen Wochen hatte Itzig ihm voll
ungläubiger Betroffenheit von einem Stammkunden erzählt, der schon einiges bei ihm gekauft hatte und nun über
ihn verbreitete, er sei ein Betrüger, er habe völlig überzo-
gene Preise und auch, was die Echtheit einiger Werke an-
ging, gab es Gerüchte.

Senta hatte Itzig in ein Gespräch verwickelt, über einen
Schlagersänger, dessen Affäre mit einer deutlich älteren
Opernsängerin gerade Stadtgespräch war, und endlich ging
die Türglocke. Es war Peterson, ein junger Grafiker, zusammen mit seiner Freundin, einer Kostümschneiderin. Danach die Westerhagens, die bislang immer regelmäßig gekauft hatten. Und nur wenige Minuten später kam noch
eine Gruppe von Künstlern, die Itzig in den letzten Jahren
ausgestellt, verkauft und gefördert hatte. Junge Männer

mit wenig Geld, die auch die Aussicht auf ein kostenloses Glas Wein gelockt haben mochte, aber das war zweitrangig. Sie waren da. Der Salon füllte sich langsam, Stimmen vertrieben die Stille und Zigarettenrauch die viel zu klare Luft. Julius sah seinen Vater plaudern, Schultern klopfen, Handküsse verteilen. Er würde heute vielleicht nichts verkaufen, aber er würde auch nicht mit einer monumentalen Demütigung ins Bett gehen müssen.

Spät am Abend, als die ersten Gäste schon wieder im Begriff waren zu gehen, kam Schelling, der Auktionator. Ein feister Mann, den Julius noch nie hatte leiden können. Etwas Schmieriges, Pomadiges war an ihm, und Julius musste sich zusammenreißen, ihm nicht zu lang auf die Hände zu starren, wo ein Siegelring seine wulstigen Finger quetschte. Schelling versteigerte vor allem Nachlässe, und Itzig hatte regelmäßig etwas bei ihm gekauft, sofern es in sein Portfolio passte. Schelling galt als gerissener Witwentröster, der sofort zur Stelle war, wenn im Berliner Großbürgertum jemand starb. Immer einen Hauch früher, als anständig gewesen wäre, stattete Schelling ungebetene Hausbesuche ab. Um den trauernden Angehörigen anzubieten, ihnen ein wenig finanzielle Erleichterung zu verschaffen, indem er Einzelstücke oder gleich ganze Kunstsammlungen zu Geld machte. Wer hatte in einem Trauerfall nicht das Bedürfnis, jemand möge sich wenigstens einer der vielen Dinge annehmen, die es zu erledigen gab? Und so hatte Schelling oft dort ein gutes Geschäft gemacht, wo andere einen Verlust zu verkraften hatten.

Schelling hatte jemanden mitgebracht, einen hageren Mann im langen Ledermantel, der eine absurd kleine Nase hatte. Er sah ungewöhnlich aus, ein Mann mit einem so markanten Schädel und dann war da mitten im Gesicht nur so ein kleines Stupsnäschen, wie bei eine Kinderpuppe. Das musste er später Senta erzählen, wobei: Sie würde es ohnehin bemerkt haben, denn das waren genau die Dinge, für die sie ein so gutes Auge hatte, Details. Und als er zu ihr hinüberblickte, sah er, dass sie es auch sah. Dass sie nur so tat, als würde sie dem aufgeregten Geplapper der Kostümbildnerin zuhören und einfach weiter nickte, mit dem Blick aber an Schelling und seinem Begleiter festhing und sich unwillkürlich an die Nase fasste.

Wie sehr er sie liebte in diesem Moment.

Senta entschuldigte sich bei ihrer Gesprächspartnerin, kam herüber zu Julius und nahm ihn an der Hand.

»Was wollen denn die beiden Vögel hier?«, flüsterte sie. »Lass uns mal hingehen.«

Sie zog Julius hinter sich her, der wenig Lust hatte auf ein Gespräch mit Schelling, aber der breitete schon die Arme aus, so als wären er und Julius alte Freunde, und Julius ließ sich widerwillig von seinen großen Pranken umfangen und auf den Rücken klopfen.

Senta verwickelte Schelling in ein Gespräch, und Julius wollte sich dem merkwürdigen Begleiter zuwenden, aber der hatte ihm schon halb den Rücken zugedreht und sah sich sehr intensiv um. Die kleine Nase entpuppte sich beim näheren Hinsehen als Kriegsverletzung, es war eher ein Narbengebilde als eine Nase. Julius roch den intensiven Ledergeruch des Mantels, und als er den Mann ansprach, um ihm ein Getränk anzubieten, lehnte der ab »Danke, ich wollte mich nur mal umsehen«, bevor er sich knapp von Schelling verabschiedete und verschwand.

Der Abend war danach schnell vorüber. Die wenigen Gäste verabschiedeten sich langsam, und zum Schluss war es tatsächlich Schelling, der noch eine kleine Zeichnung kaufte, und zwar nicht ohne zu betonen, dass es zuallererst der Rahmen sei, der ihm gefiel.

»Ach, er ist kein schlechter Kerl«, sagte Itzig zu Julius und Senta, als er das Rollgitter von außen herunterließ. Gerade wollte Julius seinen Vater fragen, ob er Schellings dubiosen Begleiter kannte, da hörte er Senta aufschreien.

Sie war hinter Julius einen Schritt zurückgetreten, und das tat er nun auch. Direkt neben der Eingangstür zu Itzig Goldmanns Kunstsalon lag etwas auf dem Boden. Es war eine selbst für Berliner Verhältnisse ungewöhnlich große tote Ratte. Und direkt darüber stand in großen weißen Buchstaben »JUDA VERRECKE!« an der dunkelgrauen Hauswand.

19.

Es kam selten vor, dass Hannah gemeinsam mit ihrer Groß-
mutter auf dem Friedhof Grunewald-Forst herumlief.
Ziemlich genau zweimal im Jahr, an Silvias Todestag im
Juni und heute, am zweiten Weihnachtsfeiertag, dem totes-
ten aller toten Tage des Jahres, so dunkel und grau, wie ein
Tag in Berlin nur sein kann. Sie hatten sich mit dem Taxi
herfahren lassen, von der Havelchaussee einen kleinen
Waldweg entlang, auf dem Autos eigentlich gar nicht fahren durften. Aber Evelyn hatte darauf bestanden und dem
Fahrer beim Bezahlen gesagt, er solle einfach warten, länger als eine Viertelstunde würde es ohnehin nicht dauern
und dann könne er sie gleich wieder zurückfahren.

Fast geschafft, dachte Hannah. Fast vorbei, diese knappe
Woche aus schrecklichen Tagen rund um Weihnachten.
Endlich würden die Glühweinstände abgebaut und bald
darauf auch die ganzen Lichter verschwinden. Heute noch
durchhalten, und dann würde sie bis Silvester einfach auf
dem Sofa liegen oder ins Kino gehen und sich selbst beloh-
nen dafür, dass sie wie jedes Jahr am zweiten Weihnachtsfeiertag zu Evelyn gefahren war, obwohl sie wochenlang
nicht geredet hatten.

Evelyn hatte so getan, als wäre nichts und als hätte sie

nicht im Traum damit gerechnet, Hannah könnte ihren Weihnachtsbesuch absagen. Und weil Weihnachten war, gönnte sie sich im Café des Seniorenpalais ein Stück Walnuss-Marzipan-Torte, nur um die Hälfte auf dem Teller liegen zu lassen und sich dann bei Hannah ein bisschen zu laut über die geschmacklose Weihnachtsdekoration zu beschweren. Alles wie immer also. Und dann fuhren sie »Silvia besuchen«.

Evelyn stapfte im langen Pelzmantel und mit einem schwarzen Filzhut auf dem Kopf durch den Nieselregen, sie passierten das Friedhofstor, und Hannah war wie jedes Mal verblüfft und fast sogar ein bisschen amüsiert über Evelyns forcierten Schritt. Für eine Frau in ihrem Alter, die sich wenig bewegte und die Tage weitestgehend in einem Sessel sitzend verbrachte, konnte sie sehr bestimmt über einen Waldweg schreiten, den Gehstock in den festgetretenen Sandboden stechen und die Gräber rechts und links nur mit knappen Blicken streifen, so wie man Menschen ansieht, die man für Versager hält. Und kein Zweifel – Tote waren für Evelyn auch irgendwie Versager. Besonders die Toten, die man traditionell hier vergrub. Dieser Friedhof war der Selbstmörderfriedhof, ganz in der Nähe einer Stelle, an der die Havel einen Knick machte und wo strömungsbedingt häufig Wasserleichen angeschwemmt wurden. Hier hatte man sie verscharrt, seit über hundert Jahren, und selbst als ein Suizid kein Ausschlusskriterium mehr für ein Begräbnis auf einem konfessionellen Friedhof war, behielt dieser Ort seinen Namen.

Evelyn steuerte zielstrebig auf eine efeubewachsene Fläche zu, in der Silvias Urnengrab lag. Ein großer, liegender Feldstein, der Hannah an ein Dinosaurier-Ei erinnerte, darauf in Messingbuchstaben: Silvia Borowski, 1956–2008.

Schade eigentlich, dass man heutzutage nicht mehr die Berufe der Verstorbenen mit auf die Grabsteine schrieb, so wie früher, dachte Hannah. An den alten Grabmalen stand manchmal »Prokurist« oder »Schrankenwärter«, konnte man sich dann ja vorstellen, wie der wohl gestorben war. Aber was hätte man Silvia schon auf den Grabstein schreiben sollen? »Kreuzbergerin« vielleicht noch am ehesten. Silvia war eine Kreuzbergerin gewesen und ja, das war wie eine Art Beruf. Sie war Demoanmelderin und Transpi-Bastlerin gewesen, Kinderladen-Gründerin, sie hatte im Eine-Welt-Laden, in einer Fahrradwerkstatt und im Bioladen gejobbt. Sie hatte einen guten Ruf als »Warzenbesprecherin« gehabt und in ihrer Küche feministische Lesekreise und Nachbarschaftstreffen veranstaltet. Sie war eine alleinerziehende Mutter gewesen, die sich und ihr Kind durchbrachte und sich selbst darüber nicht vergaß. Hannah erinnerte sich, als Kind nachts häufig in einem Stapel von Jacken aufgewacht zu sein, auf irgendeiner Erwachsenenparty, zum Schlafen abgelegt im Nebenzimmer. Sie erinnerte sich an Anti-Atomkraft-Demos, Friedensmärsche, Amis-raus-aus-dem-Irak-Sprechchöre, sie oben auf Silvias Schultern oder an ihrer Hand. Sie beide mit Rucksäcken an Deck griechischer Fähren schlafend, auf dem Weg zu irgendeiner Insel, wo sie in umgebauten Ziegenställen hausten. Sie erinnerte sich an Musikfestivals irgendwo in Brandenburg, bei denen die Erwachsenen alle nackt in Seen sprangen und die Kinder auslachten, die sich schamhaft ihre Badeanzüge überpellten. Wo immer irgendwo ein Lagerfeuer brannte und irgendwer trommelte, und der Geruch von Marihuana und in riesigen Töpfen vor sich hin köchelndes Curry den Gestank der wenigen DIXI Klos überdeckten.

Es war eine bunte Kindheit voller Liebe gewesen, weil

Liebe das war, was Silvia im Übermaß zu verteilen hatte, an Menschen, an politische Konzepte, an das, was sie für »die gute Sache« hielt. Und jetzt lag sie hier und war tot und nach wenigen Wochen hatten sich alle daran gewöhnt gehabt, alle alten Gefährten und Freundinnen, nichts deutete darauf hin, dass irgendjemand außer Evelyn und Hannah jemals Silvias Grab besuchte. Was also hatte es ihr genutzt, sich so verströmt und gekümmert zu haben?

Hannah erinnerte sich, einmal mit ihrer Mutter zusammen hier gewesen zu sein, als Kind. Es war ein Frühlingstag gewesen, und es war schön im Wald, sie waren zusammen zwischen den Rhododendron-Büschen herumgeschlichen, auf der Suche nach dem Grab von Nico, der Velvet-Underground-Sängerin. »Hier will ich auch mal liegen«, hatte Silvia gesagt. »Oder verstreut werden, auf einer Wiese oder im Meer.« Und dann hatte sie noch ein paar Bestattungsrituale aufgezählt und welche Musik gespielt werden sollte und laut darüber nachgedacht, ob es wirklich besser war, sich verbrennen zu lassen, oder ob es nicht eigentlich richtiger wäre, langsam zu verwesen und dabei der Natur als Nahrung zu dienen, sodass ihre Körperenergie nicht verschwendet, sondern zurückgegeben würde an den ewigen Kreislauf des Lebens. Da hatte Hannah eine so kalte Angst gepackt, dass sie behauptet hatte, ihr sei schlecht, und dann hatte sie ihre Mutter an der Hand sehr entschieden weggezogen von diesem Ort.

Und jetzt lag sie tatsächlich hier.

»Jetzt liegt sie hier«, sagte Evelyn neben ihr, ein Megafon für Hannahs Gedanken. »Schon fast zehn Jahre.«

Hannah legte ihre schon etwas schlaffe Rose, die sie im kleinen Blumenlädchen des Seniorenpalais gekauft hatte, auf das Grab ihrer Mutter und suchte die Traurigkeit in sich, die sie an diesem Tag normalerweise spürte. Sie war da, aber sie war zum ersten Mal nicht ganz so laut und wuchtig. Es war okay, hier zu stehen. Es war sogar so okay, dass sie nach Evelyns Hand griff und ihre Großmutter von der Seite ansah, wie sie da auf das Grab ihrer Tochter schaute, als handelte es sich um eine Petrischale, in der sich eine besonders ungewöhnliche Bakterienkultur unkontrolliert vermehrt hatte.

Evelyn seufzte und drückte Hannahs Hand. Und dann sagte sie: »Hannah, du musst anfangen, dein Leben zu leben.«

Hannah ließ Evelyns Hand los.

»Wie meinst du das?«

»Sterben ist schwer, Hannah. Leben ist nicht mal halb so schwer. Und jetzt musst du mal langsam damit anfangen.«

»Tu ich doch.«

»Nein. Tust du nicht. Kommst du voran mit deiner Arbeit über diesen Schriftsteller?«

Tatsächlich war Hannah in den vergangenen Wochen ganz gut vorangekommen. Zum ersten Mal. Sie hatte geschrieben, eine Einleitung und den ersten Teil eines ersten Kapitels. Sie hatte noch mal ihre Exzerpte durchgesehen, all die kopierten Distelkamp-Verweise, die ganzen wissenschaftlichen Aufsätze, die Äußerungen einstiger Weggefährten, den ganzen Wust an Unterlagen, der sich auf ihrem Schreibtisch stapelte und in ihrem Laptop in irgendwelchen Ordnern lag, und plötzlich hatte sich in ihrem Kopf eine Struktur gebildet, wo vorher nur Nebel gewesen war.

Vielleicht hatte es an Andreas gelegen, endlich war diese Anspannung raus, diese permanente Grübelei, ob sie sich etwas einbildete, was gar nicht da war, dieses ständige Suchen nach Zeichen. Jetzt waren die Dinge vergleichsweise klar: Sie trafen sich einmal in der Woche immer zur selben Zeit, immer im selben Hotel, zwei bis drei Stunden lang. Sie vögelten und redeten, und zum ersten Mal in ihrer akademischen Laufbahn hatte sie plötzlich das Gefühl, sie könnte diese Promotion bewältigen und es wäre nicht einfach nur der Ersatz für einen Plan B.

»Ich bin dran, Omi, und es läuft gut. Ich lebe mein Leben, was immer das heißen soll. Aber du könntest dabei etwas hilfreicher sein, ehrlich gesagt. Warum können wir nicht über diese Sache mit deiner Mutter reden? Ich weiß überhaupt nichts über sie, und ich verstehe nicht, warum du mir nichts erzählst. Und willst du gar nichts über diese verschollenen Bilder wissen?«

»Nein.« Evelyn wandte sich zum Gehen. »Komm jetzt, das Taxi wartet.«

Aber Hannah blieb, wo sie war.

»Du bist meine einzige Familie, Omi. Alle sind weg. Alle außer dir. Und du könntest jederzeit einfach tot umfallen. Warum kannst du mir nicht ein paar Fragen beantworten? Warum stehen wir hier zweimal im Jahr auf diesem Scheiß-Friedhof, und ich weiß eigentlich überhaupt nichts?«

Evelyn seufzte schwer und stützte sich auf ihren Gehstock.

»Ich rede nicht über meine Mutter, weil ich nichts zu sagen habe. Sie war keine Mutter für mich. Sie hat sich für ein anderes Leben entschieden. Und ihre verschollenen Bilder interessieren mich nicht.«

»Ja, super, dann ist ja alles ganz einfach für dich«, sagte Hannah. »Deine Mutter ist an allem schuld! Warst du denn eine bessere? Warum musste Mama ins Internat? Warum habt ihr kaum geredet in den Jahren, bevor sie gestorben ist?«

»Das reicht, Hannah, das Taxi wartet, komm jetzt.«

Von wegen, dachte Hannah. Es reichte noch lange nicht. Sie hatte ja noch gar nicht richtig angefangen mit dem Fragenstellen. Sie lief neben Evelyn her zurück in Richtung des Waldparkplatzes, wo das Taxi wartete, und fühlte eine beinahe sadistische Freude. Sie konnte ja schlecht weglaufen, ihre Großmutter, sie würde sich wohl ein paar Fragen anhören müssen, hier draußen, im grauen Dezemberlicht, mitten im Grunewald, weit und breit kein Fernseher, den man einschalten und laut stellen konnte, keine Möglichkeit, Hannah einfach auszublenden oder rauszuschmeißen.

»Omi, warum hast du Mama ins Internat geschickt? Sie hat mir immer erzählt, dass sie Heimweh hatte und wie schrecklich sie es dort fand. Sie hat zu mir gesagt, dass sie mich niemals weggeben würde, so wie du sie weggegeben hast. Wenn du so enttäuscht warst von deiner Mutter, wieso hast du es dann genauso gemacht?«

Evelyn schwieg eisern.

»Na komm, nun sag schon, warum? War sie dir lästig? War sie dir im Weg? Hat sie deine Erwartungen enttäuscht? War es einfach praktischer für dich, sie wegzuschicken? Hast du nicht ertragen, dass sie nicht so ist wie du?«

Evelyn schwieg weiter, und Hannah ließ die Fragen in der feuchtkalten Waldluft hängen. Wie konnte man ernsthaft an einem solchen Ort begraben werden wollen, so fernab von allem, so düster, ein Klischee von einem Totenacker, feucht und kalt und deprimierend. Wer sollte denn bitte schön Trost finden an so einem Ort, zwischen all den verwitterten Kreuzen, den Kriegsgräbern und den kleinen steinernen Puttenköpfen mit ihren toten Augen, die überall aus dem Efeu glotzten.

Aber für ein Verhör war es ein sehr geeigneter Ort. Es

gab kein Entkommen. Evelyn schnaufte, so als würde sie zum Sprechen ansetzen, verkniff es sich dann aber doch, bis es schließlich aus ihr herausbrach.

»Dein Großvater und ich haben deine Mutter ins Internat geschickt, weil es das Beste für sie war. Es war eine tadellose Schule. Ich habe immer für deine Mutter gesorgt und ihr alles möglich gemacht. Auch euer Landstreicher-Leben in Kreuzberg.«

Landstreicher-Leben. So, so, dachte Hannah.

»Ich habe diese Wohnung gekauft, damit ihr nicht auf der Straße sitzt. Ich habe ihr Geld gegeben, wenn sie wieder keine richtige Arbeit hatte. Ich habe mich um dich gekümmert, wenn sie unterwegs war, auf ihren Selbstfindungsreisen oder bei irgendwelchen Schamanen oder was weiß ich. Und trotzdem hat sie uns verlassen, Hannah. Dich und mich. Deine Mutter hat uns verlassen. Sie hat uns im Stich gelassen. Sie hat nichts dafür getan, wieder gesund zu werden. Sie hat einfach aufgegeben. Also hör auf, mir zu erzählen, was für eine schreckliche Mutter ich war. Ich habe mein Bestes gegeben.«

Aus Hannah war plötzlich alle Wut gewichen und alle Fragen gleich mit. Sie wünschte, sie hätte sich direkt ins Bett beamen können, weg von diesem grauen Ort und auch weg von ihrer Großmutter mit ihrer strengen und unerbittlichen Intensität. Wortlos gingen sie das letzte Stück Weg, und als sie durch das Friedhofstor traten und sich nach dem beigen Mercedes umschauten, der sie wieder zurück in die Stadt bringen sollte, sahen sie nur einen leeren Parkplatz. Kein Taxi weit und breit. Nur eine Krähe, die im Kadaver eines frisch überfahrenen Eichhörnchens herumpickte.

20.

›Die Deutsche Frau kocht mit Kraut‹ war eine Sammlung von Rezepten, die Trude persönlich zusammengestellt hatte. Ein Werk, das sie mit Stolz erfüllte, denn sie hatte jedes einzelne Rezept mehrfach erproben und verfeinern müssen. Auch das war Dienst am deutschen Volke: wochenlang nichts als Weißkohl in immer neuen Varianten zu kochen und den Lieben daheim vorzusetzen. Den Wutanfall von Onkel Arthur zu ertragen, der nach dem siebten Kraut-Gericht in Folge gedroht hatte, die Weißkohlköpfe in der Vorratskammer für Schießübungen zu benutzen, wenn er noch einen Tag länger Kraut essen müsse. Und was eigentlich mit den Kartoffelvorräten sei, die Kartoffel sei schließlich auch ein deutsches Gemüse, ein magenschonendes noch dazu.

Nun, hatte Trude da spitz gesagt, da täusche er sich aber, denn die Kartoffel sei eben kein deutsches Gewächs, sondern von Friedrich dem Großen aus Amerika nach Preußen gebracht worden und daher sei die Kartoffel trotz ihrer Bekömmlichkeit, ihrer Sättigungseigenschaften und ihres Wohlgeschmacks dem Weißkohl unterlegen, jedenfalls was ihre Herkunft betreffe.

Ein gutes Thema für den anstehenden wöchentlichen

Gruppenabend der NS-Frauenschaft, befand Trude. Die Rückbesinnung auf das, was deutsche Erde hervorbrachte.

Als Ortsgruppenleiterin war Trude verantwortlich für die inhaltliche Ausgestaltung der Versammlungen, und auch wenn es reichlich Schulungsmaterial gab, schadete es nicht, den Frauen neben den Unterweisungen in Handarbeit, Haushaltsführung und Weltanschauung auch dann und wann ein wenig historischen Hintergrund zu vermitteln.

Man durfte nicht zu viel erwarten, das wusste Trude. Sie war hier unter Bauern gelandet, einfachen Leuten, die praktische Antworten auf die alltäglichen Fragen ihres Lebens brauchten. Die Frauen, die zu den Gruppenabenden ins Gemeindehaus kamen, wollten vor allem zusammen sticken und dabei den neuesten Tratsch austauschen, aber mit ›Die Deutsche Frau kocht mit Kraut‹ würde Trude gleich zwei Fliegen mit einer Klappe schlagen. Am Kleinen das Große erklären, am scheinbar Alltäglichen den weltumspannenden Zusammenhang. Die großen Entscheidungen mochten in Berlin getroffen werden, von mächtigen Männern, aber in der eigenen Küche konnte jede Einzelne von ihnen einen Beitrag leisten, und sei es, das richtige Gemüse zu kochen.

Als Trude zwei Jahre zuvor in die NSDAP eingetreten war, hatte sie es ihrem Onkel zunächst verheimlicht. Der hatte sich oft genug abfällig über Hitler geäußert, und es war immer noch ratsam, keinen Unfrieden zu stiften. Vor allem, seit die Großeltern tot waren und Trude mit Evelyn einfach dageblieben war, obwohl sie nun keine richtige Aufgabe mehr hatte. Da war es ihr wie eine Fügung des Schicksals vorgekommen, dass ausgerechnet Doktor Scharnow, der Arzt, der zuerst am Unfallort ihres Bruders gewe-

sen und ihr, ohne es zu ahnen, die Todesnachricht über-
bracht hatte, die Parteimitgliedschaft nahegelegt, geradezu
ärztlich verordnet hatte. Mit dem Hinweis, dass Frauen
ihrer Qualifikation gebraucht würden für diesen nationa-
len Aufbruch. Dass Trude eine Führungspersönlichkeit sei,
wie es sie in diesem Landstrich nicht so häufig gebe. Und
so war Trude mit dem Aufbau einer Ortsgruppe der
NS-Frauenschaft betraut worden.

Endlich kam wieder Ordnung in die Dinge. Alles fügte
sich, alles ergab wieder einen Sinn. Die Stimmen aus dem
Volksempfänger sprachen direkt zu ihr, dieses Gerät war
wie ein geheimes Portal in eine andere Welt, und Trude war
ergriffen von der Stärke und der Entschlossenheit, mit der
dort das Ende aller Demütigungen beschworen wurde. Von
Demütigung verstand Trude etwas. Ihr ganzes bisheriges
Leben war eine einzige Aneinanderreihung von Demütigung
und Undankbarkeit gewesen und damit war nun Schluss.
Sie war jetzt jemand. Wenn sie über den Güstrower Marktplatz ging, grüßten die Frauen ehrfurchtsvoll, denn es war
Trude, die Buch über die Anwesenheit bei den Gemein-
schaftsabenden führte. Es war Trude, die genau registrierte,
wer den rechten Arm nicht hob zum Deutschen Gruß. Sie
wusste auch ganz genau, wessen Kinder nicht in der HJ oder
beim BDM waren. Wie man seinen Kindern dieses Geschenk
vorenthalten konnte, war Trude unbegreiflich. Die Gemein-
schaft, die Wanderungen, das gemeinsame Singen am
Lagerfeuer, die Volkstänze, die endlich wieder gelehrt wurden. Das war doch das Beste, was einem jungen Menschen
widerfahren konnte, das Aufgehobensein in einer Gruppe
Gleichgesinnter, eingeschworen auf die große Sache.

Ein bisschen beneidete Trude Evelyn fast um ihre Erleb-
nisse mit dem Jungmädelbund. Die Vollmondbetrachtun-

gen, der Sport, die gemeinsamen Übernachtungen in Heuschobern und Zelten. Als erwachsene Frau war man doch sehr aufs Häusliche reduziert. Evelyn hatte ihr einmal gestanden, dass einige der älteren Mädchen die NS-Frauenschaft als »Krampfgeschwader« bezeichnet hatten, und das hatte sie mehr geschmerzt als angemessen gewesen wäre.

Trude musste die Rezeptsammlung noch vervielfältigen lassen, in der kleinen Druckerei des Güstrower Parteiheims. Danach wollte sie Evelyn von der Schule abholen, und sie freute sich darauf, mit ihr gemeinsam durch den Ort zu gehen. Gerade jetzt, da man sie endlich mit Respekt behandelte. Sie war nicht mehr die dahergelaufene Bittstellerin aus Rostock, es traute sich niemand mehr, offen über sie zu tratschen oder über die Gründe zu spekulieren, warum sie mit ihrer Nichte zusammen Unterschlupf im Forsthaus suchen musste. Und es war gut, wenn Evelyn das sah. Sie hatte keinen Grund mehr, mit gesenktem Blick herumzulaufen und sich von irgendwelchen Güstrower Bürgerschranzen ignorieren zu lassen, die glaubten, sie seien was Besseres.

Auf dem Weg nach draußen fiel Trudes Blick auf einen Brief, der an sie adressiert war und den Onkel Arthur mit ins Haus gebracht und auf das kleine Tischchen neben der Eingangstür gelegt haben musste. Sentas rundliche Handschrift, ein Berliner Poststempel. Trude seufzte schwer. Sie wusste, was in dem Brief war, die übliche Geldzuwendung und Details zu Evelyns anstehendem Berlinbesuch. Wo Senta war, war Unordnung, waren Komplikationen, war Ungemach. Dieses Geld, auf das Trude angewiesen war, war eine der größten Demütigungen überhaupt. Dass sie Evelyn dafür dem schlechten Einfluss ihrer Mutter ausset zen musste, war das eine. Dass Evelyn, die doch so rein und unbedarft war, in einer jüdischen Sippe herumgereicht wurde, war das andere. Wie sie am Küchentisch plötzlich Schiffe und Kraniche aus altem Zeitungspapier gefaltet und dann stolz verkündet hatte, Opa Itzig habe ihr das beigebracht. Nicht auszudenken, es würde in Güstrow die Runde machen, Evelyn, das Ziehkind der Frau Ortsgruppenleiterin, habe jüdische Verwandtschaft, zu der sie regelmäßigen Kontakt pflege.

»Kein Wort von der Judensippe, Evelyn. Zu niemandem! Weder von Opa Itzig noch von irgendeinem anderen Goldmann wird in diesem Haus gesprochen, hast du verstanden? Und erst recht nicht vor anderen Menschen. Das muss ein Geheimnis bleiben, sonst bringst du uns alle in Schwierigkeiten. Und du willst uns doch nicht in Schwierigkeiten bringen?«

Evelyn hatte stumm den Kopf geschüttelt, das brave Kind. Wie unverzeihlich es war, dass Senta ihr eigen Fleisch und Blut dieser Familie aussetzte. Jede ihrer falschen Entscheidungen musste die arme Evelyn ausbaden und sie, Trude, gleich mit. Auf dem Weg vom Forsthaus nach Güstrow packte Trude eine solche Wut, dass sie ein paar Kiefernzapfen durch die Gegend trat: Sie saß hier in diesem Kaff und tat ihr Bestes, und Senta lebte das große Leben in Berlin. Das Leben einer Dame, die sie doch gar nicht war. Nichts weiter als eine nutzlose Person war sie, das Unglück aller Menschen, mit denen sie je in Kontakt gekommen war, und die trotz all ihrer Schwächen und Fehler immer genau das bekommen hatte, was sie wollte.

Berlin. Eines Tages würde Trude auch hinfahren. Nur einmal in der Menge stehen, wenn der Führer sprach. Nur einmal die neue Größe spüren, direkt in den Straßen der

Reichshauptstadt. Das war ihr Traum. Aber alles, was ihr blieb, waren der Alltag und die Pflicht und die Hoffnung, es würde sich irgendwann gelohnt haben.

Das kleine Parteiheim der NSDAP lag direkt neben der Praxis von Doktor Scharnow, so konnte er sein Amt als Ortsgruppenleiter neben seinen Sprechstunden und Hausbesuchen am besten ausüben. Trude nutzte gern die Gelegenheit, dort nach dem Rechten zu sehen oder vielleicht hilfreich zu sein. Insgeheim hatte sie die Hoffnung, eine feste Anstellung bei Doktor Scharnow zu finden, so wie damals in Rostock. Er war so ein feiner und anständiger Mann. Kümmerte sich bis zur Erschöpfung um seine Patienten und um den Aufbau der wichtigen Parteistrukturen. Aber wer kümmerte sich um ihn? Seine Frau, die Mutter seiner drei Söhne, gefiel sich gut als Arztgattin, sie war eine eingebildete Schnepfe, die viel Geld zum Friseur trug, soviel wusste Trude. Auch das politische Engagement ihres Mannes schien sie nicht zu teilen. Er brauchte jemanden an seiner Seite, der ihm beistand, ihm eine geduldige Zuhörerin war, und Trude konnte genau das sein. Es gab eine Verbindung zwischen ihnen, das fühlte sie ganz sicher. Ein zartes Band, seit dem Tag, an dem Ulrich starb und Doktor Scharnow sie aus ihrer Ohnmacht zurück in die schreckliche Realität geholt hatte. Seit diesem Tag erlaubte sich Trude ein leises Sehnen, wenn sie abends im Bett lag und ihre Gedanken an einen guten Ort schicken wollte. Und als sie Doktor Scharnows Praxis betrat, um die Druckvorlage zu ›Die Deutsche Frau kocht mit Kraut‹ abzuliefern, kam er extra aus seinem Behandlungszimmer, im weißen Kittel, das Stethoskop um den Hals. Er begrüßte sie freudig, dankte ihr für ihre Arbeit und legte ihr zum Abschied die Hand auf den Arm. Nur ganz kurz.

Diese Berührung brannte noch eine ganze Weile nach, den ganzen Weg von der Ortsmitte zu Evelyns Schule. Hoffentlich hatte es sonst niemand gesehen. Obwohl. Nein. Hoffentlich hatten es alle gesehen. Hoffentlich hatte die Sprechstundenhilfe es bemerkt und die Patienten im Wartezimmer auch. Und dann die richtigen Schlüsse gezogen, nämlich dass sie, Trude, eine nicht ganz unwichtige Person im Leben des Herrn Doktor war.

Evelyn stand allein vor dem Schultor und war blass um die Nase. Trude legte ihr sofort die Hand auf die Stirn, sie hatte in der letzten Zeit viele Infekte gehabt, mit ungewöhnlich starken Fieberschüben. Vielleicht war es das Wachstum, vielleicht konnte Trude Evelyns Berlinbesuch diesmal doch absagen. Sich um ein krankes Kind zu kümmern traute sie Senta noch viel weniger zu, als Evelyn in gesundem Zustand angemessen zu versorgen. Aber Evelyn hatte keine Temperatur, ihre Stirn war kühl. Sie tippelte von einem Bein aufs andere, ihr Blick flatterte.

»Ich glaub, die machen was, Tuda!«, flüsterte sie schließlich. »Die machen was Schlimmes.«

»Wer macht was Schlimmes?«

»Die anderen. Sie haben's vorhin gesagt.«

»Was haben sie gesagt?«

»Dass sie was Schlimmes tun wollen. Was Verbotenes. Komm!«

Evelyn nahm Trudes Hand, zog sie mit sich Richtung Hauptstraße und von dort nach Westen in Richtung Friedhof. Das war nicht ganz der Weg, der Trude vorschwebte, aber letztlich war es auch kein großer Umweg, und sie versuchte, Evelyn mit Fragen zu ihrem Schultag aus der Reserve zu locken, aber das Kind antwortete einsilbig und gehetzt. Als sie die Neukruger Straße entlanggingen, an einer moosbewachsenen Friedhofsmauer entlang, hörte Trude von Weitem schon das Gejohle.

»Da sind sie, Tuda, bitte komm!«

Evelyn zog Trude zu dem eisernen Gittertor des jüdischen Friedhofs. Eine Gruppe Jungen und Mädchen, etwas älter als Evelyn, vielleicht zwölf, dreizehn Jahre alt, standen lachend um ein Grabmal herum. Einer der Jungen warf sich immer und immer wieder gegen den alten Grabstein, die Mädchen und die anderen Jungen feuerten ihn an, und als der Grabstein schließlich umfiel, brachen sie in Jubel und Gelächter aus. Insgesamt fünf Grabsteine hatten sie auf diese Weise schon umgeworfen, und jetzt sah Trude, wie einer der Jungen seine Hose öffnete, sie sah einen Strahl und den Dampf, der vom Boden aufstieg, der Geruch von Ammoniak und feuchter Erde wehte ihr in die Nase. Es war Theodor, der jüngste Sohn von Doktor Scharnow, ein schüchterner, etwas dicklicher Junge, der von den anderen Jungen nun gebufft und umarmt wurde, während die Mädchen kreischten und lachten.

Evelyn stand bewegungslos vor dem Tor und starrte. Bis Trude schließlich ihre Hand nahm, sie vom Tor wegzog und sagte: »Komm, Evchen, lass sie. Das geht uns alles überhaupt nichts an.«

21.

»Oh, Sie haben Ihren Freund gar nicht dabei?«

Marietta Lankvitz öffnete die Tür zu ihrem Kellerbüro und schien enttäuscht, Hannah allein davor stehen zu sehen. »Na, dann kommen Sie mal rein.«

Kurz dachte Hannah, Marietta Lankvitz spräche von Andreas, aber dann fiel er ihr wieder ein, der Auftritt von Jörg Sudmann, wie er bei ihrem letzten Besuch einfach hereingeschneit war, so als wäre es das Selbstverständlichste von der Welt. Sie hatte sich absichtlich heute kurzfristig einen Termin geben lassen, um nach dem Stand der Dinge zu fragen, weil sie wusste, dass Jörg nicht in der Stadt war. Der war mit seinem seltsamen Verein auf irgendeiner Exkursion, heute würde er garantiert nicht unangekündigt hier auftauchen.

Hannah klopfte sich den Schneematsch von den Stiefeln und zog den Kopf ein, um sich nicht am niedrigen Türrahmen zu stoßen. »Das war nicht mein Freund beim letzten Mal. Ehrlich gesagt wäre es mir lieber gewesen, er hätte nie erfahren, dass ich hier bin«, sagte sie.

»Tatsächlich?«

Marietta Lankvitz sah sie erstaunt an.

Sie trug das kinnlange Haar einen Ton auberginiger als

beim letzten Mal, dazu einen Mohairpullover mit Farbverlauf von Sonnengelb über Orange nach Dunkelrot. Hannah folgte ihr in die Maulwurfsgänge ihres Kellers, der gar nicht nach Keller roch, sondern eher sakral, wie eine Kirchenkrypta. In einer kleinen Küchenecke setzte Marietta Lankvitz Teewasser auf, und Hannah erzählte ihr die ganze vergurkte Geschichte zwischen ihr und Jörg Sudmann. Was für ein anstrengender Typ er sei. Dass er seine Hilfe mehr oder weniger aufdränge und sie gern darauf verzichten würde, und überhaupt seien sie keine Freunde und ganz bestimmt kein Paar.

»Oje, das tut mir wirklich schrecklich leid, wie dumm von mir, dass ich das nicht sofort gemerkt habe«, sagte Marietta Lankvitz, während sie eine dicke Teekanne, die ungefähr die Größe ihres Kopfes hatte, sowie zwei Tassen und eine Dose mit Keksen auf einem Tablett in Richtung der kleinen Sitzecke balancierte. »Er war sehr überzeugend am Telefon, und er scheint sich ja auch wirklich gut auszukennen in der Materie. Warum interessiert er sich denn ausgerechnet für Sie und für Ihren Fall so sehr?«

»Keine Ahnung. Nazi-Fimmel? Nichts anderes zu tun gerade? Und er möchte meinen Professor nicht enttäuschen, der ihn darum gebeten hat, mir zu helfen.«

»Ach, tatsächlich.« Marietta Lankvitz hatte das Tablett abgestellt, sich auf einen der beiden Sessel gehievt, Tee eingegossen, und nun zupfte sie mit der einen Hand Flusen aus ihrem Pullover und befühlte mit der anderen ihre Ohrmuschel, die aus ihren auberginefarbenen Haaren hervorlugte.

»Na, da können Sie sich ja glücklich schätzen – Sie scheinen ja ein paar Menschen in Ihrem Leben zu haben, die sich für Sie und Ihre Belange interessieren. Keks?«

Hannah griff in die Dose mit den dänischen Butterkeksen

und hoffte, sie könnten nun das Thema wechseln. Sie war schließlich nicht hier, um über die Männer in ihrem Leben zu reden. Sondern über die verschollenen Bilder.

»Also, wegen der Bilder«, stotterte Hannah. »Gibt es da schon, also, haben Sie da schon was gefunden?«

Marietta Lankvitz kicherte amüsiert in ihre Teetasse. »Nein, meine Liebe, so schnell geht das nicht. Restitution ist ein langwieriges und schwieriges Unterfangen. Erst mal müssen wir ja herausfinden, um welche Bilder genau es sich eigentlich handeln könnte, an die Ihre Frau Urgroßmutter sich da erinnert und die sie beschrieben hat.«

»Und wie macht man das?«

»Nun, man wühlt sich durch Werkverzeichnisse, alte Auktionskataloge, wissenschaftliche Arbeiten. Und wenn man Glück hat, findet man ein Bild, auf das die Beschreibung passt. Bei manchen ist das einfacher, bei anderen schwieriger. Nehmen Sie zum Beispiel den Vermeer, an den Ihre Frau Urgroßmutter sich zu erinnern meint. Sie beschreibt das Bild mit ›Junge Frau, am Fenster stehend, Abendlicht, blaues Kleid‹. Man weiß nicht sehr viel über Jan Vermeer, aber man weiß, was sein Lieblingsmotiv war: junge Frauen, die in schummrigem Licht vor Fenstern herumstehen. Es gibt bislang nur drei Dutzend erhaltene und eindeutig Vermeer zugeschriebene Gemälde, aber es könnten natürlich noch weitere existieren. Und könnte eines von ihnen im Besitz von Itzig Goldmann gewesen sein? Gibt es dafür irgendeinen Beleg? Das ist die Frage, der ich gerade auf den Grund gehe.«

»Verstehe«, sagte Hannah. »Aber mal angenommen, Sie finden was und können relativ sicher sagen, um welches Bild es sich handelt – wo findet man es dann?«

»Tja, das ist so eine Sache. Sehen Sie, die Nazis haben

den Kram nicht aus Liebhaberei beschlagnahmt. Die brauchten Devisen, die mussten ja einen Krieg finanzieren. Viele Kunstgegenstände wurden einfach ins Ausland verkauft, manche Sachen wurden eingelagert und liegen vielleicht immer noch hier ganz in der Nähe in Museumsdepots, andere hängen vielleicht bei irgendwelchen Leuten überm Sofa. Da kommen wir nicht einfach so dran, die sind dann wie im Dornröschenschlaf. Keks?«

O ja, dachte Hannah. Her mit dem buttrigen Mürbeteig, kauen, nachdenken, ein bisschen Zeit gewinnen, bevor sie wieder eine dumme Frage stellen würde, die Marietta Lankvitz zum Kichern brachte. Hannah hatte ganz vergessen, wie sehr sie dänische Butterkekse mochte. Früher hatte Evelyn immer mehrere der blauen Dosen in ihrer Vorratskammer gehabt und die leeren für Hannah gesammelt. Hannah hatte Steine, Perlen, Muscheln und Legos darin aufbewahrt, später Postkarten und Zettelchen, ein Autogramm von Sporty Spice, einen nie abgeschickten Liebesbrief, ein bisschen Gras. Die Dosen lagerten jetzt im Keller, vielleicht sollte sie sie doch wieder hoch in die Wohnung holen. Und Evelyn eine neue Dose mitbringen, wenn sie sie das nächste Mal besuchte, als Friedensangebot.

Marietta Lankvitz putzte die dicken Gläser ihrer Brille und blinzelte Hannah freundlich an. »Unsere einzige realistische Chance darauf, die Bilder zu finden, ist der Kunstmarkt. Sobald wir die Bilder identifiziert haben – und daran arbeite ich gerade –, werden sie bei ›Lost Art‹ eingestellt, das ist eine Internetplattform für verloren gegangene Kunstgegenstände. Und wenn eines der Bilder irgendwo den Besitzer wechselt, also beispielsweise versteigert wird, dann wird von den Auktionshäusern in der Regel nachgesehen, ob das Bild eine saubere Provenienzgeschichte hat.«

»Saubere was?«, fragte Hannah.

»Na ja, wenn ein Bild bei ›Lost Art‹ auftaucht, dann deshalb, weil der Verdacht naheliegt, dass es unrechtmäßig den Besitzer gewechselt hat. Und so was schmälert den Verkaufswert, das ist wie ein Makel.«

»Und dann bekommt man das Bild zurück?«

»Nein, Liebes. Leider nicht so einfach. Es gibt nämlich keine gesetzlichen Ansprüche. Unsere einzige Waffe ist die Moral.«

»Moral? Ach du Scheiße«, entfuhr es Hannah.

»Ja, allerdings. Eine wirklich monumentale Riesenscheiße«, sagte Marietta Lankvitz. »Die zivilrechtlichen Ansprüche sind alle längst verjährt, es gibt nur ein freiwilliges Agreement zwischen einigen Ländern, sich um die Rückgabe gestohlener Kunstgegenstände zu bemühen. Aber wenn Ihr Liebermann oder Ihr Munch oder Ihr Vermeer bei einem saudischen Prinzen im Schlafzimmer hängt, tja, Pech für uns.«

»Das heißt, wir haben nur eine Chance, wenn jemand freiwillig auf die Kunstwerke verzichtet?«

»Na ja, nicht ganz. Also mal angenommen, jemand findet beim Aufräumen von Opas Dachboden einen alten Vermeer. Den hängt man sich ja in der Regel nicht übers Bett, den will man zu Geld machen, man lässt ihn also versteigern. Jetzt stellt sich raus, das Bild wurde von den Nazis beschlagnahmt, enteignet, geraubt. Oder ein jüdischer Vorbesitzer musste es weit unter Wert verkaufen, und es gibt Erben, die eigentlich einen Anspruch darauf hätten. Dann schmälert diese unappetitliche Vergangenheit den Wert des Bildes auf dem Kunstmarkt, kein seriöses Auktionshaus würde so ein Bild heute noch annehmen und versteigern. Man hat also ein Interesse, sich mit den Erben zu vergleichen und sie auszubezahlen, auch wenn die keinen Rechtsanspruch haben. Keks?«

Keks. Ja, unbedingt. Hannah war schon lange nicht mehr so regelmäßig zum Essen aufgefordert worden, es fühlte sich gar nicht so schlecht an.

»Eine andere Möglichkeit ist: Die Bilder liegen in irgendeinem Museumsdepot oder in einer privaten Kunstsammlung. Das wäre natürlich sehr rufschädigend, wenn herauskäme, dass die Naziraubkunst besitzen und nicht zurückgeben oder sich mit den rechtmäßigen Erben vergleichen wollen. Die staatlichen Museen in Deutschland sind eigentlich auch verpflichtet, die Herkunft ihrer Bestände zu erforschen und gestohlene Bilder zurückzugeben und viele leisten da schon ganz gute Arbeit. Andere suchen aber sicher nicht ganz so gründlich, wie sie sollten.«

Hannah griff noch einmal in die Keksdose, ohne dazu aufgefordert worden zu sein.

»Kann ich denn irgendwas tun?«, fragte sie.

»Sie müssen vor allem Geduld haben. Es kann sein, dass wir schnell etwas finden und Sie dann plötzlich reich werden. Es kann sein, dass es viele Jahre dauert. Es kann auch sein – und die Wahrscheinlichkeit ist leider groß –, dass wir gar nichts finden. Was Sie tun können, ist, so viel über Ihre Urgroßmutter und Ihre jüdische Schwiegerfamilie herauszufinden wie möglich. Sprechen Sie mit Ihrer Großmutter, vielleicht hat die die Goldmanns ja kennengelernt. Vielleicht hat sie ja sogar einige der Bilder selbst gesehen.«

»Die redet da nicht drüber. Ist nicht so einfach, an sie heranzukommen. Meine Großmutter ist … speziell«, sagte Hannah.

»Na, da ist der Apfel ja nicht weit vom Stamm gefallen, wie?«, sagte Marietta Lankvitz und strich sich das Haar hinter ihr abstehendes Ohr. Hannah verschluckte sich fast an ihrem Kekskrümel. Sie hatte nicht damit gerechnet, von einer zwergenhaften Frau in einem Mohairpullover, der aussah wie ein Tequila Sunrise, »speziell« genannt zu werden.

Als Hannah aus dem warmen Keller nach draußen in die feuchtkalte Januarluft trat, hatte sie von Marietta Lankvitz einen neuen Termin in zwei Wochen bekommen. Bis dahin wollte sie ihre Bilderrecherche abgeschlossen und noch ein paar letzte Gutachten zusammengesucht haben, dann könne sie vielleicht schon ein bisschen mehr darüber sagen, wie die Chancen stünden, die verschollenen Bilder der Goldmanns tatsächlich zu finden. Außerdem hatte Hannah einige kopierte Zettel bekommen, mit allem, was die Akten über den Kunsthändler Itzig Goldmann hergaben – unter anderem seine letzte Wohnadresse, von wo er gemeinsam mit seiner Frau 1942 deportiert worden war: Tile-Wardenberg-Straße, Ecke Wikingerufer in Moabit.

Hannah friemelte sich die Stöpsel ihrer Kopfhörer in die Ohren und stapfte zur U-Bahn. Dieses Treffen war irgendwie unbefriedigend gewesen, irgendwas rumorte und holperte da in ihr, eine Gefühlsunwucht, die sie nicht so recht ergründen konnte. Die Aussicht auf möglichen unverhofften Reichtum, weil sie die Erbin eines verschollenen jüdischen Kunstvermögens war, nach dem nun gesucht wurde, war ja eigentlich nichts Schlechtes. Im Gegenteil. Und trotzdem fühlte sich das alles schal und falsch an. Sie hätte gern mit Andreas darüber geredet, vielleicht hätte der Ordnung oder wenigstens angenehme Leere in ihren Kopf bringen können – entweder, weil er etwas Kluges zu sagen wusste oder sie so ansah, wie er sie manchmal eben ansah, wenn sie allein waren. Und während Hannah in der U-Bahn in Richtung Moabit saß, überlegte sie, ihn einfach anzurufen. Aber sie hatte ja einen Schwur geleistet: keine Impulsanrufe mehr, bei denen sie sich doch nur um Kopf und Kragen redete und hinterher enttäuscht war, weil er förmlich und kühl blieb. Er musste die Sache diskret behandeln, das verstand sie. Also kein privater Kontakt bis auf ihre verabredeten Zeiten, dienstags im Hotel. Und heute war erst Donnerstag.

Am Hansaplatz stieg sie aus der U-Bahn und lief in Richtung Wikingerufer, zur Adresse, die Marietta Lankvitz ihr gegeben hatte. Die private Wohnadresse der Goldmanns, hier hatten sie ihr gemeinsames Leben verbracht und von hier hatte man sie irgendwann abgeholt. Hannah versuchte, sich die Wohnung eines wohlhabenden jüdischen Intellektuellenpaares im Berlin der Zwanziger- und Dreißigerjahre vorzustellen: hohe Altbaudecken, Stuck, vielleicht reich verzierte Tapeten an den Wänden, so wie sie heute auch wieder halb ironisch in Studenten-WGs an die Wände geklebt wurden. Alte, wuchtige Bücherregale und Schränke, knarzendes Parkett, kostbare Teppiche. Bestimmt hatte es bei den Goldmanns ein Dienstmädchen gegeben, eins im schwarzen Kleid und mit weißer Schürze. Und dann sicher irgendwann nicht mehr. Wahrscheinlich hatte es sehr vieles sehr plötzlich nicht mehr gegeben: Freunde, grüßende Nachbarn, Kino- oder Theaterbesuche. Ärzte, die einen behandelten. Geschäfte, in denen man einkaufen durfte. Wovon hatten sie gelebt, nachdem sie den Kunsthandel aufgeben mussten? Ob sie nach und nach ihre Möbel verkauft hatten? Ihren Schmuck, die Bücher, die Teppiche, die Bilder, die sie zu Hause an den Wänden hatten? Hannah versuchte, sich zwei alte Menschen vorzustellen, wie sie mit Judensternen an den Mänteln durch ein graues Berlin liefen. Sie versuchte sich vorzustellen, wie die beiden ein letztes Mal ihre Wohnungstür abschlossen und dann mit einem kleinen Koffer in der Hand auf die Transportfläche eines Lasters gescheucht wurden. Ob sie da schon wussten, dass man sie umbringen würde?

Das alles waren Bilder wie Filmszenen. Unwirklich und irgendwie klischeehaft. Wer weiß, vielleicht konnte Hannah herausfinden, in welchem Stockwerk genau die Goldmanns gewohnt hatten, dann könnte sie versuchen, die Wohnung einmal von innen zu sehen. Vielleicht würde ihr das alles dann näher rücken.

Aber als sie schließlich an der angegebenen Adresse war, stand dort gar kein Haus mehr. Es gab nur einen Parkplatz, ein paar Mülltonnen und einen Fahrradschuppen, rechts und links davon 60er-Jahre-Neubauten, mit kleinen Fenstern und mit Balkonen aus Waschbeton.

Auf der anderen Straßenseite taperte ein alter Mann mit einer Lidl-Tüte in der Hand hinter seinem winzigen Hund her, und Hannah sah, wie das Tier das vor Kälte zitternde Bein an einem Poller hob. Ihr fiel diese Frau wieder ein, die sie damals bei Jörg Sudmann getroffen hatte. Die ihr vorgeworfen hatte, es ginge ihr doch eigentlich nur ums Erben. Vielleicht hatte die ja recht. Und auch wieder nicht, denn das Erbe bereitete ihr ein seltsames Unbehagen. Wenn Marietta Lankvitz tatsächlich etwas fand, wenn irgendwo ein Munch oder ein Liebermann oder ein Vermeer auftauchen würde, könnte möglicherweise viel Geld fließen. Weil sie einen moralischen Anspruch darauf hätte. Aber hatte sie den? War sie hier nicht nur zufällig die Nutznießerin eines Verbrechens, dessen Opfer sie gar nicht war, nicht einmal mittelbar? Was würde sie anstellen mit dem Vermögen, das man einer jüdischen Familie geraubt hatte, die streng genommen nicht ihre war? Denn es gab ja keine Blutsverwandtschaft mit den Goldmanns – wobei: War das nicht auch schon wieder so ein Nazi-Ding, die Sache mit dem Blut? Waren sie nicht trotzdem eine Familie?

Hannah fror und sie verfluchte sich dafür, einen weiteren Winter kein Geld für eine richtige Winterjacke ausgegeben zu haben und sich in einem viel zu dünnen Übergangsmantel durch die kalten Monate zu quälen. Aber da war noch etwas anderes, ein Gedanke, der so kalt war, dass es schmerzte: Was, wenn es noch einen anderen Grund dafür gab, dass sich Evelyn nicht für die Bilder interessierte und nicht darüber sprechen wollte? Was, wenn das nicht nur etwas mit dem schwierigen Verhältnis zu ihrer Mutter zu tun hatte, sondern mit Schuld? Wenn Evelyn schon deshalb nichts mit dem verschollenen Vermögen von Holocaustopfern zu tun haben wollte, weil sie damals auf der Seite der Täter gestanden hatte?

Hannah lief zurück zur U-Bahn und alles erschien ihr auf einmal klar. Schrecklich klar. Sie hatte keinen Anspruch auf irgendetwas, erst recht keinen moralischen. Sie hatte ja nicht einmal das Naheliegende getan und ihre Großmutter mal nach ihrem Leben im Nationalsozialismus gefragt. Oder wenigstens ihre Mutter, als die noch lebte, denn die hatte das vermutlich sehr wohl getan. Vielleicht gab es für das schwierige Verhältnis zwischen Silvia und Evelyn noch ein paar mehr Gründe als einige unschöne Jahre im Internat. Wie konnte es sein, dass sie auf diesen naheliegenden Gedanken nicht schon längst gekommen war? Wie verdammt naiv war sie gewesen? Oder vielleicht auch nur zu bequem?

In Hannahs Manteltasche vibrierte ihr Telefon. »Achtung! Würg! Jörg!« stand auf dem Display, damit sie nicht aus Versehen einfach so dran ging, wenn Jörg Sudmann anrief.

Aber jetzt schien das summende Telefon in ihrer Hand wie ein Zeichen. Sie atmete lange aus, drückte auf den grünen Hörer und sagte: »Hallo, Jörg, gut dass du anrufst. Wir müssen uns treffen. Unbedingt.«

22.

Berlin 1936

Man durfte keine fremden Tagebücher lesen, das wusste Lotte natürlich. Es gab kaum einen größeren Vertrauensbruch. Andererseits gab es ja Gründe dafür, dass sie hier in Julius Goldmanns Tagebuch blätterte. Einen praktischen und dann auch einen moralischen. Der praktische war, dass es sich um ein dickes, in Leder gebundenes Büchlein handelte. Sie hatte Senta versprochen, es zu verbrennen. Und nun hatte sie Sorge, es könnte in der Glut ihres Kachelofens nicht vollständig zerstört werden, deshalb riss sie einzelne Seiten heraus und warf sie durch die gusseiserne Luke. Dabei ließ es sich fast nicht vermeiden, ein paar Zeilen zu lesen, und als sie erst mal damit angefangen hatte, war es ihr mehr und mehr unmöglich, aufzuhören.

30. April '33
Heute eigentlich Termin bei Doktor Isakowitz wegen des rechten Knies: Er kann mich nicht mehr behandeln, sie haben ihm die Zulassung entzogen. Es ist alles ein Wahnsinn. Erst die Beamten, jetzt die Ärzte, und überall schreien sie »Boycott«. Im Treppenhaus bellt die Lehmann jedes Mal »Heil Hitler«, wenn man ihr begegnet, schreckliche Person. Sorgenvoller Abend.

Seit drei Jahren konnte Lotte beobachten, wie Julius Goldmann mehr und mehr verschwand. Geradezu verlosch. Wie ihre Freundin Senta mit all ihrem unerschütterlichen Pragmatismus versuchte, Kurs zu halten und ihm beizustehen und ihre Sorgen vor ihm zu verbergen. Sie hatte mitbekommen, wie sich Freunde abgewandt hatten, plötzlich nicht mehr aufgetaucht waren oder ganz offiziell verkündet hatten, sie verkehrten nicht mehr mit Juden. Es gab auch Freunde, die Senta die Scheidung nahegelegt hatten und die daraufhin nicht mehr eingeladen worden waren. »So weit kommt's noch«, hatte Senta gesagt, »dass ich mir von diesen Schreihälsen meine Ehe zerstören lasse.«

3. September '33
Blumfeld geht nach Palästina, mit Frau und Tochter. Will sich in Haifa mit eigenem Unternehmen versuchen. Erdmanns haben Verwandtschaft in Boston und verkaufen ihr Geschäft hier weit unter Wert. Mit Vater gesprochen, er hält weiter nichts von Exil. Er glaubt, sie erschießen Hitler, aber selbst wenn, was kommt dann? Auf der Straße nur Begeisterung über die Diktatur. Sentas neuen Fortsetzungsroman gelesen, kurz sogar gelacht.

Lotte und Martin hatten ihre Freunde in den vergangenen Monaten mindestens einmal in der Woche besucht. Und immer mal wieder sachte nachgefragt, ob es nicht vielleicht doch besser wäre, für eine Weile das Land zu verlassen, bis sich der Irrsinn gelegt hatte. Das konnte ja nicht ewig so weitergehen. Wo sollte das hinführen? Wollten die Menschen wirklich so dringend einen neuen Krieg?

Aber Julius mochte seine Eltern nicht zurücklassen, die unter keinen Umständen ins Ausland wollten. Und Senta hatte Evelyn. Und ihre Mutter, um die sich zwar eine ihrer Schwestern kümmerte, aber dennoch. »Und wovon sollen wir leben? Wer braucht deutsche Schreiberlinge im Ausland?«, hatte Julius anfangs noch gesagt. Doch nach und nach verlor dieses Argument an Überzeugungskraft, denn es war für Julius Goldmann nun auch in Berlin beinahe unmöglich geworden, zu arbeiten und Geld zu verdienen.

Jahrelang war er ein engagierter Kulturberichterstatter gewesen, keine Opern- oder Theaterpremiere, für die er nicht Logenkarten bekommen hatte. Keine Ausstellungseröffnung, zu der er nicht eingeladen war. Lotte hatte Senta immer ein wenig beneidet um die Premierenfeiern in verrauchten Theaterkantinen. Um die Künstlerfeste und die Konzerte, auf denen sich Senta und Julius abends herumtrieben, um dann bis spät in die Nacht noch Berichte und Kritiken zu schreiben. Aufregend und lebendig erschien ihr das, zumal im Gegensatz zu ihrem ziemlich ruhigen Leben als Ehefrau und Mutter.

Aber dann hatten die Nazis Julius kaltgestellt, zusammen mit den jüdischen Schauspielern, den Schriftstellern und Redakteuren in den Zeitungen. Bei der Reichskulturkammer hatten sie keinen Hehl daraus gemacht, wessen Stimmen in Zukunft zu verstummen hatten. Julius Goldmann wurde gemieden, nicht mehr eingeladen, angefeindet. Plötzlich war er niemand mehr.

»Manchmal bin ich ganz froh, dass Julius das Haus kaum noch verlässt«, hatte Martin einmal düster zu ihr gesagt. »Dann sieht er wenigstens die schlimmen Plakate nicht und die beschmierten Hausfassaden an den jüdischen

213

Geschäften und das antisemitische Gegeifer auf den Zeitungstitelseiten.«

4. Januar '34
Heute den Verlag ganz auf Senta überschrieben. Keine Möglichkeit mehr, unter dem Namen Goldmann weiter zu arbeiten oder unsere Kunden zu halten. Sie schreibt weiter unter ihrem Mädchennamen, ich helfe, wo ich kann, im Hintergrund. Konstantin schreibt aus Brasilien. Wir sollen kommen, aber es ist mir unvorstellbar.

Lotte schämte sich bei jeder neuen Seite, die sie aus dem Ledereinband riss und kurz überflog, bevor sie sie zusammenknüllte und in die Glut warf. Andererseits war sie die Letzte, die die Möglichkeit hatte, einen Blick auf diese Zeilen zu werfen, und wer wusste schon, ob nicht doch eines Tages Zeugnis abzulegen sei über das, was Menschen wie Julius Goldmann gerade widerfuhr. Im Flur polterte Fritz mit einem Spielzeugauto herum und machte Rennwagengeräusche, bald würde Martin nach Hause kommen und bis dahin musste sie ihre Fassung wiedererlangt und das Buch vollständig zerstört haben.

Was für ein schrecklicher Tag. Senta hatte sie zu sich in die Wohnung eingeladen, sie wollte ihr Kleider zeigen, die ihr nicht mehr passten. Sie aß kaum noch und wurde immer dünner und alles, was ihr nun ohnehin um den Leib schlackerte, wollte sie loswerden, am liebsten an Lotte. Kein gutes Gefühl, die ehemaligen Lieblingskleider einer Freundin aufzutragen, aber Lotte wusste, dass sie Senta eine Freude damit machte.

27. August '34

Mutter geht es schlecht, sie verträgt die Hitze nicht und jammert, weil sie nicht in Kur kann. Vater glaubt immer noch an einen Putsch und dass dann das Schlimmste vorbeiginge, ich weiß nicht, woher er seinen Optimismus nimmt. Senta sorgt sich, weil ich nicht esse.

Lotte hatte sich über den Zustand der Wohnung gewundert. Bei Senta und Julius herrschte normalerweise kreative Unordnung, es lag immer irgendwo eine aufgeschlagene Zeitung herum, Bücher stapelten sich auf Tischen neben halb vollen Aschenbechern, meistens fand sich noch ein Cognac-Glas vom Vorabend auf dem Tischchen neben dem Sessel – aber heute war es auffallend aufgeräumt gewesen. Senta erschien Lotte dafür ganz und gar nicht aufgeräumt, sie war fahrig und mürrisch und offenbar mit den Gedanken vollkommen woanders. Sie schimpfte über ihre Schwägerin, die Evelyns Berlin-Besuche zu verhindern suchte, mit immer neuen Schikanen und immer dreisteren Forderungen. Sie schimpfte über den Betreiber des Kinos an der Ecke, in das sie häufig gegangen waren, aber neuerdings hatte der ein »Juden nicht erwünscht«-Schild an der Eingangstür. Sie erzählte, wie sie am Morgen Besorgungen gemacht habe, und da sei eine Kinderhorde auf dem Weg zur Schule gewesen, die ein Mädchen geschubst und gehänselt habe. Als Senta sie angesprochen und aufgefordert habe, das Mädchen in Ruhe zu lassen, habe sich der Gemüsehändler eingemischt und gesagt, es sei ja kein Wunder, dass »eine wie sie« so ein Judengör verteidige. Und jetzt gehe sie eben woanders Kartoffeln kaufen.

28. März '35

Berufsverbot für jüdische Schriftsteller. Eine solche Langeweile und Kulturlosigkeit wird sich über dieses Land legen. Thiel ist verhaftet worden, grundlos und willkürlich. Nach drei Tagen haben sie ihn grün und blau geprügelt aus der Haft entlassen. Friedmann schreibt aus Kopenhagen und bietet Hilfe an. Dänisch-Wörterbuch besorgt, für alle Fälle.

Senta hatte in den letzten Jahren ohne Pause gearbeitet. Sie hatte den kleinen Nachrichtenverlag allein am Leben gehalten, mit der Unterstützung zweier Angestellter, die Termine wahrnahmen, Kritiken und Rezensionen verfassten. Julius redigierte, manchmal schrieb er noch Texte für Senta, die sie unter ihrem Namen veröffentlichte, nur, um nicht aus der Übung zu kommen. Ansonsten kämpfte er mit abnehmendem Erfolg gegen seine Schwermut. Senta arbeitete oft bis spät in die Nacht. Sie koordinierte ihre Mitarbeiter, charmierte Zeitungsredakteure, besorgte die Buchhaltung und beschimpfte Auftraggeber, die nicht rechtzeitig zahlten. Sie hatte immer seltener Zeit, und Lotte drängte sie manchmal zu Spaziergängen im Grünen, damit sie kurz auf andere Gedanken kam, aber alles, woran Senta denken konnte, war, dass man in der Woche zuvor Friedland, den liebenswürdigen Kohlenhändler, hier im Grunewald gefunden hatte, an einen Baum gefesselt und totgeschlagen.

Lotte ließ immer mal wieder diskret durchblicken, dass Martin sicher bereit wäre, ihnen Geld zu leihen, falls die finanzielle Lage kompliziert würde. Falls sie und Julius Hilfe bräuchten. Senta hatte von alledem nichts wissen wollen, sie kämen zurecht. Aber als Lotte vor Sentas Kleiderschrank gestanden hatte, war ihr aufgefallen, dass der Pelz fehlte.

»Hab ich verkauft, ich friere doch eh nicht, kennst mich doch«, hatte Senta gesagt und schnell das Thema gewechselt.

18. September '35
Schrecklicher Streit mit Senta. Es wäre besser für sie, sich von mir scheiden zu lassen, aber sie will nichts davon hören. Die Stegemann hatte es ihr auch schon nahegelegt, seitdem will sie keinen Kontakt mehr. Sie drängt mich, nach Kopenhagen zu gehen, allein, sie will hier in Berlin die Stellung halten. Nach Nürnberg scheint es mir unausweichlich, hier bin ich vollkommen nutzlos. Aber ohne sie? Die Eltern zurücklassen?

»Stand die Lehmann vorhin eigentlich schon wieder im Treppenhaus rum und hat geglotzt?«

Senta hatte sich eine weitere Zigarette angezündet, obwohl im Aschenbecher vor ihr noch die letzte glimmte. Sie hatten nach der Kleideranprobe in der Küche gesessen und einen Tee getrunken, und Lotte musste berichten, dass die schreckliche Nachbarin, eine glühende Hitler-Verehrerin, wie immer durch ihren Türspalt ins Treppenhaus gespäht hatte, als Lotte in den dritten Stock hochgelaufen war. Die Lehmann hatte es sich zur Lebensaufgabe gemacht, die Goldmanns zu schikanieren, sie kontrollierte, wer bei ihnen ein und aus ging, und begegnete man ihr zufällig, kläffte sie einem »Heil Hitler!« entgegen, als gäbe es eine Medaille für besonders zackiges Grüßen.

»Ich schwöre dir, Lotte, wenn die Alte irgendwann die Treppe runterfällt, dann war ich es«, sagte Senta düster.

»Sie verleumdet uns, sie bedroht uns, sie beschwert sich andauernd. Wir werden noch richtige Probleme bekommen wegen der.«

Lotte hatte Sentas Hand gedrückt und noch einmal gefragt, ob sie helfen könne, irgendwie. Ob es nicht doch besser wäre, Berlin zu verlassen und irgendwo neu anzufangen.

Und dann hatte Senta ihre Zigarette ausgedrückt und Lotte leise erzählt, dass sie Vorkehrungen getroffen hätten. Es gebe einen Kellerverschlag, in einem Haus ganz in der Nähe, zu dem sie Schlüssel hätten, und dort hätten sie für jeden von sich einen Koffer deponiert, mit Kleidung, etwas Geld und ihren Papieren. »Falls es mal schnell gehen muss und wir nicht mehr in die Wohnung können. Dann versuchen wir, nach Rostock zu kommen und von da mit dem Schiff nach Dänemark.«

4. Dezember '35
Hausdurchsuchung bei Eli und Sophie. Ein Nachbar hat sie angezeigt, wegen »verschwörerischer Umtriebe und Verbindungen zu Kommunisten«. Sophie haben sie laufen lassen, sie sorgt sich entsetzlich um Eli. Keine Information. Die Wohnung haben sie verwüstet und angeblich Flugblätter gefunden.

Und dann hatte es plötzlich Sturm geklingelt. Senta und Lotte waren zusammengezuckt, dann hörten sie, wie jemand an die Tür hämmerte und eine Stimme rief:

»Aufmachen! Polizei!«

Senta hatte Lotte eindringlich angesehen und ihren Zeigefinger an die Lippen gepresst. Keinen Mucks sollte sie machen, während Senta schnell aus dem Zimmer huschte.

Als sie wiederkam, hatte sie ein kleines ledergebundenes Büchlein in der Hand, packte Lotte am Arm und flüsterte: »Nimm das und verbrenn es. Julius kommt jeden Moment nach Hause, du musst ihn abpassen und ihm sagen, er muss verschwinden. Sofort. Und jetzt geh!«

»Sofort aufmachen!«, rief die Stimme vor der Tür unter lautem Gepolter, während Senta Lotte durch die niedrige Dienstbotentür schob, die die Küche mit einem engen zweiten Treppenhaus verband. Lottes Puls hämmerte an ihre Schädeldecke, als sie die engen Stufen hinunterstolperte. Bevor sie die Tür zum Innenhof öffnete, blieb sie kurz stehen, bis sich ihr Herzschlag beruhigt hatte. Gut möglich, dass sie hier auch Polizei postiert hatten, und tatsächlich: Vor der Eingangstür stand ein Uniformierter, der Lotte mit einem harten Blick fixierte, als sie durch die Tür schlüpfte.

»Heil Hitler!«, sagte Lotte und lächelte den Mann so strahlend an, wie es ihr möglich war. Er grüßte zurück, aber hielt sie nicht auf, und so lief Lotte, nach Julius Ausschau haltend, in Richtung U-Bahnhof.

Er kam ihr auf der Treppe entgegen, den Hut tief in die Stirn gezogen und den Mantelkragen hochgestellt, aber sein Gesicht hellte sich auf, als er Lotte sah. Sie hakte ihn unter und zog ihn zurück in den U-Bahnhof, in eine dunkle Nische neben der Fahrplananzeige und flüsterte ihm ins Ohr.

»Die Polizei ist in deiner Wohnung, du kannst da nicht hin jetzt. Ich soll dir von Senta sagen, du musst verschwinden.«

Julius versuchte, sich aus Lottes Griff zu winden, aber sie hielt ihn am Mantel fest.

»Julius, wenn du da jetzt hingehst, verhaften sie dich.

Damit hilfst du Senta kein bisschen. Sie will, dass du dich in Sicherheit bringst. Beeil dich und verschwinde.«

Sie hörte das Quietschen und Rumpeln der einfahrenden U-Bahn. Aus Julius' Gesicht war alle Farbe und alle Spannung gewichen. Er drückte Lotte die Hand, stieg in den ersten Waggon und Lotte schaute ihm hinterher, wie er im dunklen Tunnel verschwand.

Das Tagebuch wog schwer in ihrer Manteltasche. Hätte sie es ihm geben sollen? Aber Senta hatte ihr gesagt, sie solle es verbrennen, und so fuhr Lotte so schnell wie möglich nach Hause, bat das Mädchen, den Ofen neu anzufeuern und Fritz sein Abendbrot zu machen.

8. *März '36*
Sentas Geburtstag. Frühstück ans Bett, langer Spaziergang, abends Besuch. Der erste freie Tag ohne Arbeit seit Langem. Das alles ist eine solche Zumutung für sie und ich kann nichts tun. Kein Geburtstagsbrief von Evelyn bislang.

Die Seiten aus Papier waren alle verbrannt, nun warf Lotte den leeren Ledereinband in den Ofen. Was hatte die Polizei von Senta und Julius gewollt? In den letzten Monaten waren immer wieder jüdische Bekannte verhaftet worden, weil Kollegen oder Nachbarn sie verleumdet und angezeigt hatten, meistens wegen angeblicher Umsturzpläne, kommunistischer Gesinnung oder angeblicher Verstöße gegen irgendein Berufsverbot. Manche wurden nach Tagen wieder freigelassen und kehrten zurück in verwüstete Wohnungen, in denen jede Schublade durchwühlt, jede private Aufzeichnung konfisziert worden war. Von anderen hatten sie nie wieder etwas gehört.

Julius war sicher kein Kommunist. Aber er hatte sich Feinde erschrieben in den vergangenen Jahren, es gab gewiss den ein oder anderen gedemütigten mittelmäßigen Schauspieler oder Schriftsteller oder Opernsänger, der noch eine Rechnung offen hatte. Oder die schreckliche Nachbarin hatte die Polizei verständigt, unter irgendeinem Vorwand. Der würde es eine besondere Freude sein, die Goldmanns in Schwierigkeiten zu bringen, da war Lotte sich sicher.

Beim Gedanken an Senta bekam Lotte Gänsehaut, obwohl sie immer noch direkt am Ofen saß. Sie hoffte, das Telefon würde klingeln und ihre Freundin wäre dran, um ihr zu sagen, dass alles in Ordnung sei. Eine Verwechslung vielleicht. Dass Julius später einfach nach Hause gekommen sei und sie gerade gemeinsam Abendbrot äßen. Dass niemand verhaftet worden sei. Dass die beiden Notfallkoffer immer noch ungenutzt im Kellerverschlag stünden.

Aber das Telefon blieb stumm, und der Ledereinband von Julius Goldmanns Tagebuch kohlte und stank noch eine Weile in ihrem Ofen, ohne gänzlich zu verbrennen.

23.

Aufwachen und sofort gute Laune haben – Hannah wusste gar nicht, wann ihr das das letzte Mal passiert war. Sie hatte tief und traumlos geschlafen und war sofort aufgestanden, um voll kribbliger Vorfreude zu duschen und in den Tag zu starten, ganz ohne ihre morgendliche Routine aus Selbsthass und trübsinnigem An-die-Wand-Starren. Heute war Dienstag, später würde sie Andreas treffen, das allein war schon ein Grund, gut gelaunt zu sein. Und heute hatte sie aufregende Dinge mit ihm zu besprechen.

Während die Espressokanne auf dem Herd den Kaffee hoch röchelte, blätterte Hannah noch einmal in ihren Unterlagen, um ganz sicherzugehen, dass sie sich nicht getäuscht hatte. Aber es stimmte, sie war gestern zufällig auf eine kleine Sensation gestoßen, die ihr Promotionsvorhaben entscheidend voranbringen würde. Georg Distelkamp, Autor und Essayist des frühen 20. Jahrhunderts, der weder zu Lebzeiten noch posthum den ganz großen schriftstellerischen Durchbruch gehabt hatte, war schon deshalb kein schlechter Gegenstand einer Doktorarbeit, weil er wenig bekannt und dementsprechend wenig erforscht war. Sein Werk dafür war umfangreich, es gab also einiges zu entdecken. Hannah hatte monatelang gelesen und Material

zusammengetragen, sich Thesen und eine Struktur überlegt. Aber dann hatte sie vor ihrem Computer gesessen und
keine Zeile geschrieben. Wie ein altes, viel zu langes Kabel,
das man nach Jahren wieder aus einem Schuhkarton holt,
hatte sich all das Wissen über Distelkamp in ihrem Kopf
unentwirrbar verknotet, alles, was vorher klar war, ergab
plötzlich keinen Sinn mehr, und im Grunde hatte Hannah
in all den Stunden in der Bibliothek und am Küchentisch
vor ihrem aufgeklappten Laptop mit dem leeren Word-
Dokument nur den einen Gedanken gehabt: dass sie es
nicht konnte. Sie hatte es einfach nicht drauf. Und wenn
sie sich weiter ganz still verhielt und sich nicht rührte,
würde es vielleicht niemandem auffallen.

Aber dann war etwas in Bewegung geraten. Na ja, was
heißt »etwas«. Ihr Leben war in Bewegung geraten, die
Erstarrung löste sich langsam, auf einmal waren da ein
paar Risse in ihrer Eierschale.

Sie hatte endlich angefangen zu schreiben und beim er-
neuten Durchlesen war es ihr gar nicht so schlecht vorgekommen. Und dann hatte sie noch mal die abfotografierten
Tagebuchseiten Distelkamps, die sie sich für viel Geld im
Archiv bestellt hatte, durchgesehen. Seine Handschrift war
schwer zu lesen, aber Hannah war mit der Zeit immer besser darin geworden und vor einigen Wochen war sie auf
eine Passage gestoßen, die sie nicht losgelassen hatte: Kurz
nach dem Erscheinen seines ersten, weitgehend unbeachte-
ten Romans, in dem Distelkamp den europäischen Faschis-
mus erahnt und einen utopischen Gegenentwurf skizziert
hatte, hatte er in seinem Tagebuch ein paar grundsätzliche
Gedanken über die Wechselwirkungen von Macht, Utopie
und Literatur notiert, und diese Gedanken kamen Hannah
seltsam vertraut vor. Sie hatte schon seit Wochen das

Gefühl, genau das schon einmal woanders gelesen zu haben, aber sie war nicht darauf gekommen, wo. Gestern war es ihr wie Schuppen von den Augen gefallen: Nur ein paar Seiten später schrieb Distelkamp, er erwäge, seine Überlegungen zusammen mit seinem Buch »an den von mir so verehrten CC zu schicken. Bin jedoch nicht sicher, ob ich den Mut aufbringe, ihn mit meinen Gedanken zu behelligen.«

Plötzlich war alles ganz klar: »CC« musste Carl Cornelissen sein, der zu Distelkamps Zeiten schon eine Professur in Leipzig hatte und später zu einem der wichtigsten Philosophen Europas wurde, dessen Ruhm unter anderem durch einen grundlegenden Text zu Macht, Glauben und Utopie begründet lag. Und in diesem Text standen an zentraler Stelle wortgleich Distelkamps Überlegungen. Nur eben nicht als Zitat, sondern als eigener Gedanke Cornelissens, der danach berühmt wurde, während Distelkamp weitgehend unbekannt blieb. Der arme Georg Distelkamp musste seine Ideen also doch in einem Brief an sein verehrtes Vorbild geschickt haben. Und der hatte sich einfach daraus bedient. Wenn das alles stimmte, dann hatte Hannah eine europäische Geistesgröße des Ideenklaus und Plagiats überführt. Sie konnte es kaum erwarten, Andreas davon zu erzählen.

Am frühen Nachmittag fuhr sie zum Alexanderplatz und lief in Richtung Prenzlauer Allee. Dort hinter einer Tankstelle lag das Ibis-Hotel, in dem sie und Andreas sich immer dienstags für zwei Stunden trafen. Es lag zentral und gut erreichbar, aber weit genug von ihren jeweiligen Wohnungen entfernt, um möglichst niemandem zufällig zu begegnen. Normalerweise kam Hannah zuerst und nahm von den Empfangsmitarbeiterinnen die Zimmerkarte entgegen, die sie wie jede Woche mit derselben professionellen

Gleichgültigkeit begrüßten. Aber heute wollte sie nicht oben in einem der stickigen Zimmer auf Andreas warten, sie setzte sich in die kleine Lounge, die nur aus ein paar Hockern bestand, um ihn gleich am Eingang abzufangen. Vielleicht könnten sie heute ja ausnahmsweise einfach mal den Sex überspringen und essen gehen oder so was.

Andreas kam zwanzig Minuten zu spät. Er war unrasiert und sah fahl im Gesicht aus, und als er Hannah in der Lobby sitzen sah, runzelte er die Stirn.

»Was machst du hier unten? Komm, lass uns hochgehen, ich hab nicht viel Zeit.«

Keine Entschuldigung für seine Verspätung, im Fahrstuhl nach oben sah er Hannah nicht an, sondern wischte nervös auf seinem Handy herum, und im Zimmer warf er sich stöhnend aufs Bett, nahm Uhr und Brille ab und schloss die Augen.

»Alles okay bei dir?«, fragte Hannah, als sie sich vorsichtig aufs Bett setzte, unsicher, wohin mit sich und all den aufregenden Dingen, die sie eigentlich loswerden wollte.

»Ach, kein guter Tag heute, einfach. Lauter Deadlines und Sitzungen, mein Telefon steht nicht still, und ich komme kaum zum Arbeiten. Komm, zieh dich aus.«

Hannah zögerte und sah ihn irritiert an. Was war das hier? Ein Arzttermin? Aber dann wurde sein Blick weicher, er lächelte schief und sagte »Bitte!«, und Hannah zog sich doch den Pullover über den Kopf und die Jeans aus und schlief mit ihm, sportlich und sachlich, als wäre es ein Gefallen, den man jemandem schuldete und den man abarbeitete, ohne dabei allzu großzügig zu sein.

Hinterher lagen sie nebeneinander, und Andreas redete über Artikel, die er zu schreiben hatte und bei denen er nicht vorankam, seinen Verlag, der ihm im Nacken saß, wegen seines neuen Manuskripts, das kommende Semester, das er vorbereiten musste und darüber, wie strunzdumm die meisten seiner Studenten waren. Hannah hörte sich sein Lamento geduldig an. Sie lag nackt unter der weißen Hotelbettwäsche und wartete, ob Andreas sie vielleicht etwas fragen würde. Wie es ihr ginge oder wie sie vorankäme. Und als Hannah merkte, dass er neben sich auf dem Nachttisch nach seiner Uhr tastete, sagte sie: »Ich glaube, ich bin gestern auf etwas gestoßen, für meine Diss. Auf etwas wirklich Sensationelles.«

»Ach ja?« Andreas sah sie amüsiert an, während er sich Uhr und Brille wieder anzog und seine Hose vom Boden fischte. Hannah erzählte hastig, was sie gefunden hatte und was ihre Vermutung war, aber sie hatte das Gefühl, Andreas hörte nur mit halbem Ohr zu, er hielt schon wieder sein Handy in der Hand und wischte auf dem Bildschirm herum, und schließlich sagte er: »Das ist sicher einfach nur Zufall, Hannah, und selbst wenn nicht: Die haben früher alle voneinander abgeschrieben. Du, ich muss los. Erzähl mir das nächstes Mal ausführlicher, ja?«

So viel zu Hannahs guter Laune.

Als Andreas gegangen war, stellte sie sich noch eine halbe Stunde unter die heiße Hoteldusche und schrubbte sich mit dem Gratisduschgel die Enttäuschung und die Scham von der Haut. Im Grunde hätte nur gefehlt, dass Andreas ihr einen 50-Euro-Schein aufs Bett legte. Was hatte sie sich eigentlich eingebildet? Hatte sie wirklich gedacht, es ginge ihm um sie? Sie hatte sich so geschmeichelt gefühlt von seinem Hunger nach ihr, wie er diese wöchentlichen Treffen arrangiert hatte und wie nah sie sich dann waren. Sie hatte sich eingebildet, es sei etwas Besonderes, dass er sie ins Vertrauen zog über den Zustand seiner Ehe und seiner Manuskripte, dass er seine Sorgen bei ihr ablud und sich von ihr den Kopf kraulen ließ, während er nach dem Sex auf ihrem Bauch lag. Wie er sie immer angeschaut hatte, ihr ganz tief in die Augen geschaut und gesagt hatte: »Was in deinem Kopf wohl so vor sich geht, das wüsste ich gern!« Und dann hatte sie gelächelt und nichts gesagt, denn was sollte man auf so was schon sagen. Es war ja noch nicht mal eine Frage.

Aber heute hatte sie ihn eingeweiht in das, was in ihrem Kopf vorging. Sie hatte ihre Aufregung mit ihm teilen wollen und angenommen, dass ihn das interessieren würde. Da hatte sie offenbar falsch gelegen, oder er hatte recht und das, was sie da meinte gefunden zu haben, war nur ein Zufall und keine Sensation. Nächste Woche würde sie noch einmal mit ihm sprechen. Und wenn er wieder so reagierte wie heute, dann würde sie sich dringend und endgültig etwas aus dem Kopf schlagen müssen.

Wie passend zu ihrer Stimmung, dass sie am Abend mit Jörg Sudmann verabredet war. Gut, diesmal war es ihre Idee gewesen, er hatte sich ausnahmsweise nicht aufgedrängt, und sie erwartete jetzt ohnehin nicht mehr viel Gutes von diesem Tag.

Sie war ein bisschen zu früh in die Ankerklause gekommen, weil sie einfach in Ruhe und allein schon mal ein Bier trinken wollte, um sich einzustimmen auf einen anstrengenden Abend mit dem penetrantesten Menschen, den sie kannte.

Andererseits musste man Jörg Sudmann zugutehalten, dass er sich wirklich für Hannah zu interessieren schien. Vielleicht ein bisschen mehr, als Hannah lieb war, aber er war zurzeit mehr oder weniger der einzige Mensch, der wirklich Anteil nahm an ihrer Suche nach ihrer Familiengeschichte. Bislang hatte sie noch nicht wirklich etwas aufgetan, sondern einfach gewartet, dass sich die Dinge von allein ergaben. Oder dass Evelyn endlich anfangen würde, mit ihr zu reden. Aber so würde sie nicht weiterkommen. Nichts geschah einfach so.

Jörg betrat pünktlich um acht die Ankerklause, im Trenchcoat und mit Schiebermütze, wie ein Möchtegern-Sherlock-Holmes. Oder jemand, der sich schon mit Ende zwanzig so kleidete wie ein fünfzigjähriger Geschichtsprofessor auf dem Weg zu seiner wöchentlichen Bridge-Runde. Hannah atmete tief ein und aus, es nutzte nichts, sie hatte sich das selbst eingebrockt. Also winkte sie Jörg, der sofort freudig seine kleinen Zähne bleckte und an ihren Tisch kam und, noch bevor er seinen Mantel ausgezogen hatte, Hannah feierlich einen Umschlag überreichte.

»Hab dir was mitgebracht«, sagte er, betont beiläufig, aber mit einem Gesichtsausdruck, der verriet, dass er da etwas wirklich Kostbares auf den Tisch legte.

Hannah öffnete den Umschlag und schüttete den Inhalt auf den Holztisch. Es waren etwa fünfzig kopierte Zeitungsseiten. Artikel von Senta Goldmann, manche auch von Senta Köhler. Beiträge über neue Tanzstile, eine Restaurantbesprechung, ein Text über einen Schlagersänger, ein anderer über eine amerikanische Schauspielerin, sogar eine Art Fortsetzungsroman gab es, Titel »Die Turteltauben aus der Hasenheide«. Ganz unten noch zwei Artikel über den Kunstsalon Goldmann, die nicht aus Sentas Feder stammten: In einem ging es offenbar um einen vereitelten Überfall, aber der andere war besonders interessant. Er handelte von einer Feier zum zehnjährigen Bestehen des Salons, und er war versehen mit einem etwas unscharfen Foto: eine Gruppe von Männern und Frauen mit Gläsern in der Hand, in der

Mitte ein kleiner Mann im Anzug und mit Uhrenkette, der dem Fotografen zuprostete. Bildunterschrift: »Kunsthändler Itzig Goldmann im Kreise seiner Gäste«.

»Hab dir ja gesagt, vielleicht finde ich noch mehr«, sagte Jörg, sichtlich zufrieden mit sich.

Sie bestellten beide ein Bier, und Jörg orderte noch zwei Wodka dazu, stellte einen vor Hannah auf den Tisch und als sie von der Lektüre aufsah, hob er das Wodkaglas und sagte: »Auf die Freundschaft!«

Hannah musste lachen. »Na gut, du Vogel. Prost. Und danke.«

Der Wodka brannte angenehm in Hannahs Hals, und als sie ihr Glas auf den Tisch stellte und sah, dass Jörg dem Kellner bedeutete, sie könnten noch zwei davon vertragen, protestierte sie nicht.

»Und jetzt erklär mir mal bitte, warum du dich so für meine Angelegenheiten interessierst.«

Jörg zögerte kurz, nahm einen großen Schluck Bier, so als müsse er Anlauf nehmen. Dann seufzte er und erzählte Hannah die Geschichte seines Versagens als akademischer Netzwerker. Von seiner Angst, nicht weiterzukommen, im Mittelbau zu versanden, nicht die richtigen Beziehungen zu haben, um seinen großen Traum von der akademischen Karriere zu verwirklichen. Wie sehr er das unterschätzt habe, die Wichtigkeit von persönlichen Verbindungen, schließlich sei er fachlich über jeden Zweifel erhaben. Und trotzdem voller Angst zu scheitern. »Und da kannst du dich wirklich glücklich schätzen, dass der Sonthausen sich so um dich kümmert, Hannah, also dem scheinst du ja nicht total egal zu sein, so wie der sich für dich ins Zeug legt.«

Der Kellner brachte die nächsten beiden Wodka-Shots, und das war Hannah mehr als recht, denn eigentlich fand sie gerade nicht, dass sich Andreas Sonthausen für sie ins Zeug legte. Aber Jörg Sudmann so ehrlich verzagt zu sehen, rührte sie fast ein wenig. Dass ausgerechnet er, der große Bescheidwisser, tatsächlich haderte und unsicher war. Das hätte sie nicht für möglich gehalten.

»Der Sonthausen ist wichtig für mich, der ist so gut vernetzt und sitzt in so vielen Auswahlkommissionen, und er war der Erste, der sich mal für mich interessiert hat. Und jetzt kann ich ihm einen Gefallen tun, indem ich dir helfe, und dann wird er mir möglicherweise auch mal einen Gefallen tun. Und außerdem ...«, Jörg nahm noch einen Schluck Anlaufbier, »... interessiert mich deine Geschichte tatsächlich.«

Dann fragte Jörg, warum Hannah ihn eigentlich angerufen und um dieses Treffen gebeten hatte, wo sie ihn doch eigentlich seit Wochen immer nur abwimmelte. Jetzt war es Hannah, die erst mal einen großen Schluck Bier nahm, und als der Kellner fragte, ob es noch mehr Wodka sein dürfte, nickte sie. Dann erzählte sie Jörg von Evelyn, ihrer Großmutter, der einzigen noch lebenden Verwandten, die sich stur weigerte, mit Hannah über früher zu reden, ihr etwas über ihre Urgroßmutter zu erzählen oder ihr in irgendeiner Form bei der Suche nach den verschollenen Bildern zu helfen. Die jedes Mal, wenn Hannah die Goldmanns erwähnte, sofort das Gespräch beendete und darauf beharrte, dass dies alles eben keine Familienangelegenheit sei. Dass Hannah sich irgendwie schuldig fühlte, bei dem Gedanken an dieses Erbe. Und dass ihr plötzlich diese Frage gekommen war, die sie umtrieb. Und zwar – Wodka Nummer drei, vielen Dank, Prost – »Ich frage mich, ob meine Großmutter vielleicht ein Nazi war«.

Und dann war es Jörg, der lachen musste.

»Was ist daran lustig?«

»Na ja, du sagst das so, als wäre es was Besonderes. Die allermeisten unserer Großeltern waren Nazis. Manche richtig überzeugte, manche einfach nur, weil Nazi zu sein in dieser Zeit bequemer war, als kein Nazi zu sein. Einige waren vielleicht politisch nicht total überzeugt und haben sich trotzdem weggeduckt. Aber die allerwenigsten waren im Widerstand.«

Klar, das wusste Hannah. Eigentlich. Nur, dass sie bislang nicht darüber hatte nachdenken wollen, was das eigentlich mit ihr zu tun hatte. Mit ihrer Angst, durch Fragen etwas über ihre Großmutter zu erfahren, was sie lieber nicht gewusst hätte. Weil sie sie dann vielleicht nicht mehr würde lieben können. Oder auf eine andere Art und Weise würde lieben müssen.

Der Wodka brannte sich durch ihre Speiseröhre und Hannah hörte nur so halb zu, als Jörg zu einer emotionalen Rede anhob, über ihre moralische Pflicht, den Toten Gerechtigkeit widerfahren zu lassen, den Auftrag an ihre Generation ernst zu nehmen und ihre Großmutter zum Sprechen zu bewegen.

»Wenn deine Großmutter deine letzte lebende Verwandte ist, dann bist du ja auch ihre letzte lebende Verwandte. Du musst sie an ihre Pflicht als Zeitzeugin erinnern. Am besten nimmst du das Gespräch auf Video auf, ich könnte mitkommen und dir mit der Technik helfen, also ich habe eine Kamera und ein Stativ und einen Fragenkatalog, den du einfach abarbeiten könntest. Das wäre auch dann für den Verein von Interesse, wir bei Shalom Berlin e. V. denken schon länger über eine Dokumentation nach, und das wäre bei dir doch toll, diese Doppelperspektive, Täter und Opfer in EINER Familie …«

»Meine Güte, Jörg, was bist du eigentlich für ein Freak!«
Was für eine absurde Vorstellung, ausgerechnet Evelyn
würde vor einer laufenden Kamera und in Anwesenheit
eines überengagierten Nachwuchshistorikers tatsächlich
irgendetwas von früher erzählen. Eher würde sie sich mit
einem stumpfen Taschenmesser selbst den Fuß amputieren,
soweit kannte Hannah ihre Großmutter.

Was für ein Spektakel dieser Typ war, dachte Hannah.
Fast empfand sie ein wenig Mitleid mit Jörg Sudmann, der
ja eigentlich das Gute wollte und es dann immer direkt
übertreiben musste. Immer alle Regler ganz nach rechts,
immer ein bisschen zu nah und zu penetrant. Kein Wunder,
dass er sich schwer damit tat, echte Förderer zu finden,
wenn er eine solche Nervensäge war. Andererseits hatte er
natürlich recht: Sie musste noch einmal einen ernsthaften
Versuch unternehmen, Evelyn zum Reden zu bringen. Und
wenn sie dabei nur ein kleines bisschen von Jörgs Furor in
sich aktivieren könnte, würde das sicher nicht schaden.

Der Kellner, der längst bemerkt hatte, dass hier zwei
Menschen vorhatten, sich an diesem Abend das Hirn ab-
zuschrauben, stellte zwei neue Gläser Wodka vor ihnen ab.
Prost, weg damit.

Hannah fühlte sich streitlustig. »Sag mal, du und dein
komischer Verein: Kommt ihr euch nicht selber ein bisschen albern vor? Ich meine, was ist denn das für ein Hobby:
KZ-Besuche organisieren. Ist ja gut, dass ihr das macht,
aber irgendwie finde ich diese Besessenheit mit diesem ganzen Nazikram, na ja … befremdlich. Ich hatte das Gefühl,
ihr fühlt euch vielleicht einen Hauch zu wohl dabei.«

Jörg zuckte mit den Schultern. »Vielleicht hast du dich
ja auch einen Hauch zu wohl dabei gefühlt, lieber nichts
über die Nazivergangenheit deiner Vorfahren zu wissen.

Und wenn ich nicht so besessen wäre, hättest du diesen Stapel Zeitungsartikel jetzt nicht. Außerdem hat doch jeder seine kleine befremdliche Besessenheit, oder nicht?«

Touché, dachte Hannah und ersäufte den Gedanken an Andreas in einem großen Schluck Bier. Jörg war aufgestanden und zur Jukebox gelaufen und wählte zu Hannahs Überraschung einen ziemlich guten Song aus, sie hatte ihn eher für jemanden gehalten, der sich etwas darauf einbildete, nur Klassik zu hören. Oder Free Jazz. Der Holztisch waberte schon mächtig vor ihren Augen, es brauchte noch zwei weitere Wodkas, bevor sie und Jörg beinahe Bruderschaft getrunken hätten. Jörg hatte es vorgeschlagen, aber Hannah hatte ihn ausgelacht, Bruderschaft trinken, so weit kommt's noch.

Auf dem Weg nach Hause musste Hannah sich bei ihm unterhaken, weil sie nicht mehr ganz trittfest war. Jörg hatte angeboten, sie noch zu begleiten. Wie zwei miteinander vertäute Dampfer umschifften sie die Urinpfützen am Kotti und die dahinschlendernden Party-Touristen in der Oranienstraße. »Gar nicht übel«, dachte Hannah, und als Jörg sie vor ihrer Haustür verabschiedete und keine Anstalten machte, noch mit hoch zu wollen oder ihr die Zunge in den Mund zu schieben, wie eigentlich fast jeder Typ, mit dem sie sich in den letzten Jahren gemeinsam betrunken hatte, sagte sie zu ihrer eigenen Überraschung: »Bist ja doch gar nicht so ein Arschloch, wie ich dachte.«

»Danke«, sagte Jörg. »Und du machst echt miese Komplimente, aber ist schon okay.«

»Ich ruf dich an.«

»Glaub ich erst, wenn ich es sehe«, sagte Jörg und tippte sich zum Abschied an die gottverdammte Schiebermütze.

24.

Das Klingeln klang immer gleich, und trotzdem hatte Senta einen untrüglichen Instinkt dafür entwickelt, wann es den erfreulichen Besuch einer Freundin ankündigte und wann eine lebensverändernde Katastrophe.

Seit die Gestapo erst vor ihrer Tür und dann in ihrer Wohnung gestanden und nach Julius gefragt hatte, seit sie ihn verleugnen musste, behaupten musste, ihr Mann und sie lebten in Trennung und sie wisse nicht, wo er sei, wolle es auch gar nicht wissen, seit sie den Tag in einem Polizei-dienstzimmer verbracht hatte, wo ein schmallippiger Mann in Uniform mit ihr über Rassenschande gesprochen und ausgiebig all die Lügen aufgezählt hatte, die Sentas Nach-barin über sie und Julius verbreitet und angezeigt hatte, seit diesem Tag gab es in Sentas Kopf ein spezielles Tor, hinter dem ihre Rüstung für schlechte Nachrichten bereitstand. Und dieses Tor öffnete sich immer dann, wenn das Telefon ging oder wenn es an der Tür klingelte. Was immer es war, sie würde diese Rüstung anziehen und dann einfach mar-schieren, immer geradeaus, ohne allzu viel nachzudenken. So lange, wie es eben nötig war.

Der Tag, an dem sie Julius beinahe abgeholt hätten, an dem er verschwinden musste und sich ohne sie bis nach

Kopenhagen durchgeschlagen hatte, dieser Tag lag nun beinahe ein Jahr zurück. Seitdem war keine Minute vergangen, in der sie ihn nicht vermisst und überlegt hatte, auch zu gehen, doch alles aufzugeben, seinem Drängen endlich nachzugeben, den kleinen Notkoffer zu nehmen und in Rostock eine Fähre nach Dänemark zu besteigen.

Aber.

Da war der kleine Verlag, für den sie beide so hart gearbeitet hatten. Da waren die alten Goldmanns. Und da war Evelyn.

Es war schwierig genug geworden, den Kontakt zu ihrer Tochter nicht vollständig zu verlieren. Immer gab es Gründe, warum Trude es leider ganz und gar nicht einrichten konnte, mit dem Geld, das Senta ihr schickte, eine Zugfahrkarte für Evelyn zu kaufen. Auch ihrem derzeitigen Besuch waren zähe Verhandlungen vorausgegangen, und Senta schmerzte es deshalb besonders, dass sie in dieser Woche so wenig Zeit für ihre Tochter gehabt hatte. Immerhin: Sie waren einkaufen gegangen, auch wenn Senta gerade eigentlich das Geld nicht hatte. Aber es schien Evelyn Freude zu machen, und beim Aussuchen der Kleider waren manchmal Momente zwischen ihnen entstanden, die sich warm und vertraut anfühlten. Evelyn war groß für eine Vierzehnjährige und dünn wie ein Stock, so wie Senta es gewesen war. »Halt dich gerade« sagte sie ihrer Tochter, immer wenn sie bemerkte, dass Evelyn die Schultern hängen ließ und versuchte, sich kleiner zu machen, als sie war.

Ansonsten waren ihre Unterhaltungen zäh, vor allem, wenn Senta nach Trude fragte und nach Evelyns Alltag in Güstrow. Senta wusste, dass Evelyn Julius vermisste und sich wegen Trude nicht traute zu fragen, wie es ihm ging. Also erzählte sie einfach ungefragt. Dass es ihm gut gehe und sie sich keine Sorgen um ihn machen müsse. Dass er im Moment woanders lebe, in einem anderen Land, aber gar nicht so weit weg. Dass er Briefe schreibe und sich in jedem einzelnen Brief auch nach Evelyn erkundige und sie grüßen lasse.

Das Frühstück an diesem Morgen war ihr vorletztes, am nächsten Tag ging Evelyns Zug zurück, und Senta hatte längst aufgegeben, die Stille zwischen ihnen mit hilflosem Geplauder zu füllen.

Und genau in diese Stille hinein klingelte das Telefon.

Senta schloss kurz die Augen und sammelte sich, bevor sie aufstand und in den Flur ging, zu dem Tischchen, auf dem das Telefon stand. Die Küchentür schloss sie hinter sich, damit Evelyn ihr Gespräch nicht hörte. Es war Itzig, die Stimme belegt und kraftlos.

»Sie schließen mir den Salon, Senta. Jetzt ist es endgültig so weit. Sie wollen bis morgen eine Inventur, ich soll alle Kunstwerke auflisten. Du musst kommen und mir helfen, ich kann das nicht alles tippen.«

Senta ließ Evelyn allein in der Wohnung zurück und fuhr zum Lützowplatz, wo sie ihren Schwiegervater schon durch die schwach erleuchteten Fensterscheiben seines Kunstsalons sehen konnte. Schwarzer Anzug, Uhrenkette, die Haare tadellos gekämmt, wie eine Statue stand er aufrecht in der Mitte des Raumes. Die Form zu wahren war ihm immer schon besonders wichtig gewesen, und in diesen letzten Monaten umso mehr. Je größer die Zumutungen und Schwierigkeiten, desto tadelloser sein Erscheinungsbild. Sie hatten ihn aus der »Reichskammer der bildenden Künste« ausgeschlossen, wie alle Juden, und damit war es ihm unmöglich, weiter mit Kunst zu handeln. Eine Weile lang hatte er noch die Hoffnung, wenigstens nicht-arische

Künstler verkaufen zu dürfen. Er hatte Briefe geschrieben an Museen und Galerien, um Tauschgeschäfte vorzuschlagen: Bilder jüdischer Künstler, die dort nicht mehr ausgestellt werden durften, gegen Bilder arischer Künstler, die er nicht mehr verkaufen durfte. Vergeblich. In den Wochen zuvor hatte er notgedrungen angefangen, seine Bestände zu versteigern, und Schelling, der Auktionator, hatte keine Sekunde gezögert, seine eigene Provision um fünf Prozent zu erhöhen.

»Muss jeder sehen, wo er bleibt, Itzig«, hatte er gesagt. »Aber wieso gibst du mir nur den Ausschuss? Ich weiß doch, was du alles noch in deinem Lager stehen hast.«

Das stimmte, Itzig Goldmann hatte nicht vorgehabt, seine kostbarsten Stücke von einem Krisengewinnler verschleudern zu lassen. Er hatte immer noch die Hoffnung, es käme nicht zum Äußersten. Oder er konnte sich einfach nicht trennen von den Kunstwerken, die ihm die liebsten waren, die ihn bewegten und trösteten und ihn an das Schöne und Gute glauben ließen in dieser dunklen Zeit.

»Da bist du ja, Liebes, bitte komm rein, es tut mir leid, wir müssen uns beeilen«, sagte Itzig, als Senta durch die Tür in den Salon trat und nasskalte Novemberluft hinter sich herschleifte. »Schnaps?«

Senta hatte ihren Schwiegervater selten trinken sehen, erst recht nicht bei der Arbeit, aber heute hatte er sich offenbar aus dem Schränkchen eine der Flaschen geholt, die eigentlich für nervöse Kunden vor einem größeren Kauf reserviert waren.

Senta lehnte ab, sie wollte klar bleiben bei dem, was jetzt anstand.

Es hingen schon keine Bilder mehr an den Wänden des Salons, Itzig hatte alles abgehängt und auf dem Boden an die Wand gelehnt. Den Perserteppich hatte er eingerollt und auf einem Tisch die Schreibmaschine bereitgestellt. Senta setzte sich und zog das erste Blatt Papier ein.

»Was soll ich schreiben?«

Itzig ließ sich in einen der Sessel sinken und sagte eine ganze Weile gar nichts.

»Alles, was noch da ist, muss aufgelistet werden, Senta. Sie ziehen es ein. Und morgen muss ich den Schlüssel abgeben.«

Er stöhnte und goss sich noch ein Glas voll Schnaps ein, den er sich schnell und diskret in den Hals kippte, wie eine Medizin.

»Schelling hatte recht, ich hätte doch alles selbst verkaufen sollen«, sagte Itzig. »Jetzt ist es zu spät.«

Dann erhob er sich, ging zu den an der Wand lehnenden Bildern und begann zu diktieren.

…

Ludwig Gansheim, Flusslandschaft, 1898
Friedrich B. Carl, Stillleben, 1911
Max Liebermann, Schreibtisch, 1910
Leopold van de Heyden, Porträt des Stifters, 1802
…

Itzig räumte Leinwände hin und her, suchte nach Signaturen, strich liebevoll über Rahmen. Eine Stunde lang diktierte er, und Senta tippte konzentriert eine Seite nach der anderen, bis sie ihren Schwiegervater unterbrach.

»Wir müssen was davon verstecken, Itzig. Du kannst das doch nicht alles einfach hergeben.«

Itzig ging eine Weile auf und ab und schüttelte den Kopf.

»Die haben sich hier gründlich umgesehen, Senta. Die

haben mir Spitzel vorbeigeschickt, die sich gezielt nach bestimmten Künstlern erkundigt haben und dann nie wieder aufgetaucht sind. Die wissen, was hier hängt. Wenn ich etwas unterschlage, bringe ich mich und Helene nur noch mehr in Gefahr.«

Sie schwiegen eine Weile, weil Senta ein neues Farbband einlegen musste. Dann löschte Itzig plötzlich das große Licht, nur die Lampe an Sentas Tisch brannte noch. Er zog einen Stuhl heran und setzte sich ganz nah neben sie, er nahm ihre Hand und raunte: »Es gibt nur ein Bild, von dem niemand weiß. Es ist mein kostbarster Besitz, ich habe es nie öffentlich ausgestellt und niemandem davon erzählt. Komm mit, ich zeige es dir.«

Senta folgte ihm durch den dunklen Salon nach hinten in die kleine Abstellkammer. Itzig schloss die Tür, sodass sie nun völlig im Dunkeln standen, erst dann betätigte er den Lichtschalter. Die nackte Glühbirne, die von der Decke baumelte, warf ein funzeliges Licht auf sie beide.

»Hilf mir, Liebes.«

Senta half Itzig, einen Schrank zu verrücken, hinter dem ein in die Wand eingelassener Tresor zum Vorschein kam. Itzig öffnete die Tür und nahm ein kleines, in Papier eingeschlagenes Bild heraus, das er vorsichtig auswickelte. Es hatte einen schlichten Holzrahmen und war etwas größer als ein Blatt Schreibmaschinenpapier. Senta brauchte ein wenig, bis sie erkennen konnte, was auf dem Bild zu sehen war: eine Frau in einem langen blauen Gewand, die vor einem geöffneten Fenster stand, durch das rotgoldenes Licht in den Raum und auf ihr Gesicht fiel.

»Das habe ich vor einiger Zeit aus dem Nachlass eines holländischen Kaufmanns ersteigert. Ich bin sicher, dass es ein Vermeer ist, auch wenn es dazu bislang keine offiziellen

Expertisen gibt. Aber ich habe es einem befreundeten Restaurator gezeigt, ein echter Vermeer-Kenner, der meinen Eindruck bestätigt hat: Das Motiv, die Lichtsprache, der Strich, der Faltenwurf des Kleides, die ganze Aura dieses Werks – alles spricht dafür. Schau, hier unten ist es beschädigt worden, deshalb fehlt die Signatur. Ich wollte längst Gutachten erstellen lassen, um meinen Verdacht zu bestätigen, aber jetzt ist es zu spät. Wenn ich recht habe, ist dieses Bild von unschätzbarem Wert.«

Senta sah ihren Schwiegervater an, der nach Worten zu ringen schien.

»Du kannst es mir geben, Itzig. Ich verstecke es für dich.«

»Das ist zu gefährlich, Senta. Das alles ist viel zu gefährlich für dich, und du solltest eigentlich gar nicht mehr hier sein. Julius hatte recht, es gibt für niemanden von uns hier eine Zukunft. Wir sind alt, uns erwartet nichts mehr, aber ihr könnt zusammen im Ausland neu anfangen. Er braucht dich. Ich bitte dich, fahr zu ihm.«

»Ich kann hier nicht einfach weg. Was ist mit euch? Und dem Verlag? Und Evelyn?«

»Noch haben wir Geld, Helene und ich kommen zurecht, bitte sorge dich nicht um uns. Was nutzt der Verlag, wenn niemand mehr frei schreiben kann, was er denkt? Und Evelyn hat ein Zuhause, Senta. Und ihr Zuhause ist nicht hier bei dir in Berlin.«

»Gib mir das Bild, ich verstecke es für dich.«

»Ich schenke es dir, Senta. Nimm es, mach es zu Geld und fang damit neu an. Aber du musst mir versprechen, dass du Berlin verlässt. Fahr zu Julius. Das hier wird alles nicht gut enden.«

Senta versprach es. Und als sie wenig später den Kunstsalon Goldmann verließ, am letzten Abend seiner Existenz, hatte sie ein rahmenloses Ölgemälde in ihrer Tasche, geschützt zwischen zwei Pappen, umwickelt mit Zeitungspapier, das sie so diskret wie möglich nach Hause und in Sicherheit bringen musste.

Der nächste Tag war ein Tag voller Abschiede. Senta brachte Evelyn zum Bahnhof, ermahnte sie mehrfach, auf ihren Koffer zu achten und nicht einzuschlafen auf der Fahrt. Sie umarmte sie lange und ignorierte, wie steif sich Evelyn in ihren Armen machte. Evelyn konnte nicht wissen, dass sie ihre Mutter für eine Weile nicht wiedersehen würde. Dass dies womöglich ein Abschied für immer war. Dass in ihrem Koffer, heimlich eingenäht zwischen Außenleder und Innenfutter, ein wertvolles Bild versteckt war. Ein Bild, das Evelyn helfen sollte, falls Senta es nicht mehr würde tun können. Ein Schatz, von dem Senta nur hoffen konnte, Trude würde ihn in Evelyns Sinn verwenden.

Vom Bahnhof fuhr sie nach Hause, in ihre Wohnung, die ohne Julius so leer und trostlos war. Sie holte ein scharfes Küchenmesser und schlitzte das Sofakissen auf, in das sie vor einer Weile ihre Ersparnisse eingenäht hatte. Sie nahm einen Briefumschlag aus dem Sekretär, schrieb Lottes Adresse darauf und steckte ihren Wohnungsschlüssel hinein. Dann ging sie zu ihrem Kleiderschrank und zog drei Kleider übereinander, verfluchte sich dafür, ihren Pelzmantel verkauft zu haben, entschied sich für das praktischste Paar Schuhe, das sie besaß, schloss die Wohnungstür hinter sich und lief in Richtung U-Bahnhof, ohne sich noch einmal umzusehen. Bloß kein Aufsehen erregen, einfach verschwinden.

Senta dachte an Itzig Goldmann, der wohl gerade die

Liste mit Kunstwerken und den Schlüssel seines Geschäfts an einen Abgesandten der Reichskammer übergab. Sie dachte an das Versprechen, das sie ihm gegeben hatte, und an Julius, den sie, wenn alles gut ging, in wenigen Tagen wiedersehen würde. Sie stieg in eine Bahn in Richtung Westen, sie würde den zweiten Notkoffer aus dem Versteck holen und dann versuchen, noch heute einen Zug in Richtung Rostock zu bekommen.

Das war's dann also, dachte Senta. Mach's gut, Berlin, du glitzerndes, stinkendes, alles und jeden verschlingendes, schrecklich-schönes Monster. Es war lange gut in deinem Bauch, aber jetzt spuck mich aus. Lass mich gehen. Wir sind fertig miteinander.

25.

Die »Operation Schokoladenfabrik« begann pünktlich um neun Uhr in einer Starbucks-Filiale am Potsdamer Platz. Hannah hatte sich – auf Mariettas Geheiß – einen Hosenanzug und eine Bluse angezogen, ein Aufzug, in dem sie sich so verkleidet vorkam, als trüge sie ein Prinzessinnenkleid.

Apropos Prinzessin: Marietta Lankvitz hatte für ihre Undercovermission ein pinkfarbenes Kostüm ausgewählt, eine Farbe, die auf schmerzhafte Weise mit dem Rot ihrer Haare konkurrierte. Mit einem großen Becher Milchschaum in der Hand thronte sie in einem der schon etwas fleckig gewordenen Sessel, vor sich eine riesige Louis-Vuitton-Handtasche.

»Wozu die riesige Tasche? Wollen Sie die Bilder gleich mitnehmen?«, fragte Hannah, nachdem sie sich auch einen Kaffee geholt hatte.

»Nein, Liebes, das ist meine Platz-Tasche. Jede Frau sollte eine haben. Wenn Sie eine Schlacht gewinnen wollen, müssen Sie auch Raum einnehmen. Und da ich nicht viel Körpermasse zu bieten habe, stelle ich meine Handtasche neben mich auf den Tisch, und *zack!* – schon vergrößert sich mein Raum. Merken Sie sich das ruhig, wenn Sie mal etwas verhandeln müssen, kaufen Sie sich eine richtig große Handtasche, sie wirkt Wunder. So. Und jetzt lassen Sie uns noch einmal den Plan durchgehen.«

Den Plan hatte Marietta Hannah einige Tage zuvor in ihrem Kreuzberger Hinterhofkellerbüro erklärt. Es war der Termin, an dem sie Hannah das Ergebnis ihrer Recherchen präsentiert hatte, zu den Bildern aus dem Kunstsalon Goldmann, an die sich Hannahs Urgroßmutter in ihrer eidesstattlichen Versicherung erinnern konnte.

Das Ergebnis war durchwachsen.

Das Bild eines Schreibtisches mit einem Bücherstapel darauf, von Max Liebermann: Hing bis Ende der 50er-Jahre möglicherweise in einem Museum im schweizerischen Chur, wo es leider bei einem Brand vollkommen zerstört wurde.

Die Zeichnung eines alten, trauernden Mannes mit Hut von Oskar Kokoschka: Nicht nachvollziehbar, welche Zeichnung das sein könnte, allerdings gab es in den frühen 90er-Jahren eine Auktion mehrerer Kokoschka-Zeichnungen, die alle telefonisch von einem anonymen Sammler aus Singapur ersteigert wurden. Möglich, dass die gesuchte Zeichnung darunter war, aber die Chancen, da jemals wieder ranzukommen, gingen gegen null.

Ein Paar am Strand, Segelboote im Hintergrund: Von Peder Krøyer, den Senta Goldmann als Künstler vermutete, gab es unzählige Strandszenen dieser Art, es ist also nicht nachzuvollziehen, welches Bild gemeint war. Bei allen öffentlich ausgestellten Bildern ist die Provenienz lückenlos geklärt, es könnte sich also um ein Bild handeln, das in einem Depot verschwunden oder in Privatbesitz war. »Das ist genau die Art von Gemälden, die jahrzehntelang bei irgendwem über der Couch hängen, und wenn die Oma stirbt, stellt der Sohn den Schinken in den Keller oder gibt ihn einem Trödler, weil er gar nicht ahnt, wie wertvoll es ist. Nicht auszuschließen, dass das irgendwann, irgendwo noch mal auftaucht, aber dann nachzuweisen, dass die Nazis es Itzig Goldmann gestohlen haben: so gut wie unmöglich.«

»Okay, das klingt bislang alles nicht sehr ermutigend«, sagte Hannah. »Was sind denn die nicht ganz so schlechten Nachrichten?«

»Oh, es sind eigentlich sogar ziemlich gute Nachrichten, denn es betrifft die beiden wertvollsten Bilder, an die sich Ihre Urgroßmutter erinnert: einen Munch und einen Vermeer. Der Munch soll eine Waldszene mit Fabelwesen darstellen, das ist bei Munch ein recht häufiges Motiv. Es gibt ein Bild mit einer Waldszene, das als verschollen gilt und von dem Abbildungen existieren. Eine stammt aus dem Versteigerungskatalog eines Auktionshauses und neben die Abbildung hat jemand handschriftlich ›I. G.‹ geschrieben. Das könnte für Itzig Goldmann stehen und wäre ein gutes Indiz dafür, dass sich dieses Bild mal in seinem Besitz befunden hat.«

»Und der Vermeer?«

»Tja, der Vermeer ist das größte Rätsel, meine Liebe. Wenn Itzig Goldmann wirklich einen echten Vermeer hatte, wäre das eine Sensation, denn es gibt nur sehr wenige als Vermeer anerkannte Bilder. Es müsste also ein Bild sein, von dem die Forschung bislang gar nichts weiß. Und Itzig Goldmann war ja ein angesehener und auch erfahrener Kunsthändler und sicher nicht naiv, ich kann mir nicht vorstellen, dass er einer Fälschung aufgesessen ist.«

»Und wo könnten die Bilder jetzt sein?«

»Nun, ich habe eine vage Vermutung«, sagte Marietta.

»Aber um das herauszufinden, müssen wir beide gemeinsam eine Schokoladenfabrik stürmen.«

Eine Woche später war es also so weit. Hannah und Marietta würden gleich zwar keine Schokoladenfabrik betreten oder gar stürmen, dafür aber die Firmenzentrale von *Kopp Süßwaren*, einem traditionsreichen Familienunternehmen, nicht weit vom Potsdamer Platz entfernt. Sie würden sich als Journalistinnen ausgeben, als Mitarbeiterinnen eines kleinen Kunstmagazins. Marietta hatte für sie beide einen Interviewtermin mit Paula Josephine Kopp vereinbart, siebenundzwanzig Jahre alt, gemeinsam mit ihren drei Brüdern designierte Firmenerbin, seit Neuestem zuständig für die firmeneigene Kunststiftung.

»Typische Geschichte: Die Brüder übernehmen den Laden und machen das harte Geschäft, die kleine Schwester darf sich mit dem Firlefanz begnügen, der Kunst. Mädchenkram eben. Da kann sie ja nicht viel falsch machen. Ich wette, die junge Frau Kopp freut sich, wenn wir ihr ein bisschen Aufmerksamkeit schenken. Und wenn wir Glück haben, ist sie naiv genug, uns ein paar mehr Fragen zu beantworten, als sie sollte«, sagte Marietta.

Die Kunstsammlung der Firma *Süßwaren Kopp* ging zurück auf Firmengründer Theodor Kopp, der in der Weimarer Republik nicht nur ein erfolgreicher Schokoladen- und Keksfabrikant war, sondern auch NSDAP-Mitglied mit zweistelliger Mitgliedsnummer, ein enger Duzfreund von Joseph Goebbels und Liebhaber und Sammler skandinavischer und niederländischer Malerei. Im Zweiten Weltkrieg hatte Kopp seine Produktion mithilfe zahlreicher Zwangsarbeiter aufrechterhalten und Keks- und Schokoladenrationen für Wehrmachtssoldaten hergestellt, nach dem Krieg ging es weiter steil bergauf. »Kopp – das süße Leben!« war der ideale Begleitslogan für das deutsche Wirtschaftswunder gewesen, und weil bei Pralinenschachteln, Schoko-Osterhasen und Weihnachtsgebäck niemand an irgendetwas Böses denkt, blieb die unappetitliche Firmenvergangenheit bislang unbeachtet.

Aber die Kunst. Die Kunst blieb die Achillesferse der Firma Kopp. Denn um die Kunstsammlung wurde erstaunlich wenig Aufhebens gemacht – und das kam Marietta Lankvitz höchst verdächtig vor. Wer eine schöne Kunstsammlung hat, der gibt doch an damit, der will die doch herzeigen und schicke Ausstellungen machen, vielleicht sogar einen eigenen Museumsbau irgendwo errichten und den Kram nicht einfach nur in irgendwelchen Depots herumstehen haben. Aber bis auf gelegentliche Leihgaben an Museen und eine kleine Ausstellung anlässlich eines Firmenjubiläums vor Jahren, bekam die Öffentlichkeit kaum Einblick in den exquisiten Kunstgeschmack des Firmengründers.

»Also, wir marschieren da rein, tun erst mal harmlos, plaudern die junge Dame ein bisschen warm, fragen sie nach ihrer neuen Rolle, ihrer Vision für die Firma, Pipapo, und dann versuchen wir mal nachzubohren. Wenn Itzig Goldmann skandinavische und niederländische Kunst verkauft und Theodor Kopp genau diese Kunst gesammelt hat, dann ist es doch nicht ganz unwahrscheinlich, dass sich Kopp bei seinem Freund Goebbels, dem ja auch die Reichskulturkammer unterstand, mal ein paar schöne Stücke aus eingezogenen jüdischen Vermögen herausgepickt hat.«

Marietta Lankvitz griff nach ihrer gigantischen Tasche und sprang von ihrem Sesselthron. Hannah hatte ihren Kaffee noch gar nicht ausgetrunken, aber klar, da gab es jetzt kein Zögern und Zaudern, sie würde Marietta Lankvitz in diese Schlacht folgen müssen, auch wenn sie nichts mehr hasste, als sich zu verkleiden und sich für jemanden auszugeben, der sie gar nicht war. Es war ja schon anstrengend genug, sie selbst zu sein.

Die Firmenzentrale der Firma *Süßwaren Kopp* lag wenige Gehminuten vom Potsdamer Platz entfernt ganz in der Nähe des alten Lehrter Bahnhofs. Ein repräsentativer Altbau, im Eingangsbereich alte Fotos des Kolonialwarenladens, mit dem der Aufstieg der Kopps begonnen hatte, am Empfangstresen eine Schüssel mit einzeln abgepackten Kopp-Schokokeksen und dahinter eine freundliche Dame, die Marietta und Hannah anlächelte und sagte: »Ah, die Journalistinnen. Frau Kopp erwartet Sie schon. Folgen Sie mir, bitte.«

Paula Josephine Kopp empfing sie sehr aufrecht hinter einem schweren alten Holzschreibtisch sitzend. Schwarzes Kostüm, teure Uhr, schmale Goldkette, lange dunkle Locken, die ein sommersprossiges Mädchengesicht umkränzten.

»Niedlich«, dachte Hannah und schämte sich sofort für den Gedanken, aber es stimmte: Paula Josephine Kopp sah schrecklich niedlich aus, wie eine Kinderpuppe in einem Business-Outfit. Und sie kam Hannah seltsam bekannt vor.

Marietta Lankvitz holte ihr Aufnahmegerät aus der viel zu großen Tasche und begann sofort mit dem vermeintlichen Interview. Sie fragte freundlich und harmlos, nach Werdegang (»Jurastudium in Passau«), Plänen für die Rolle im Familienunternehmen (»der Tradition verpflichtet, das Wichtigste sind die Mitarbeiterinnen und Mitarbeiter«), persönlichem Kunstgeschmack (»Videoinstallationen, wahnsinnig spannendes Feld!«), Vorbildern (»mein

Urgroßvater, ein genialer Geschäftsmann und ein großer Philanthrop«). Frau Kopp antwortete freundlich distanziert und knapp. Nur als Marietta nach den älteren Brüdern fragte, meinte Hannah, ein abschätziges Lächeln wahrgenommen zu haben, offenbar hielt Paula Kopp ihre Brüder nicht für die allerhellsten Kerzen am Baum.

Für die Zukunft plane sie, den Fokus mehr auf junge aktuelle Kunst zu legen, aber auch auf eine stärkere Verknüpfung von Kunst und Firmenprodukt. Sie kenne da eine junge nigerianische Künstlerin, die fotorealistisch male, und zwar mit Schokolade, sehr spannend, und überhaupt gebe es in der Familie enge Verbindungen nach Afrika, da wolle man auch was zurückgeben, fördern, hilfreich sein, vielleicht auch mal ein Kunstprojekt mit Waisenkindern. Mal sehen.

»Und die Sammlung?«, fragte Marietta Lankvitz freundlich interessiert. »Wird man die denn auch einmal öffentlich zu sehen bekommen?«

»Ach, wissen Sie: Viel Landschaft, viel Stillleben, wer will das heute noch sehen? Wir schauen lieber nach vorn«, sagte Paula Kopp und verzog den Mund zu einem Lächeln, dem ihre Augen nicht folgten.

Hannah hatte bislang noch gar nichts gesagt und Marietta das Reden überlassen. Sie hatte einfach zugehört und ab und zu genickt und versucht, sich zu erinnern, warum ihr die Firmenerbin so bekannt vorkam. Auch Marietta schwieg ein paar Sekunden und schaute Paula Kopp prüfend an. Dann nahm sie ihre große Tasche vom Boden und stellte sie neben sich auf den Schreibtisch. »Alles klar«, dachte Hannah. »Kuschelphase vorbei, jetzt geht es los.«

»Sagen Sie, Ihr Urgroßvater, Theodor Kopp. Wie ist der eigentlich zum Kunstsammler geworden?«

Paula Kopp räusperte sich und legte die Hände übereinander auf den Schreibtisch, schloss kurz die Augen, so als würde sie versuchen, sich an einen einstudierten Text zu erinnern.

»Mein Urgroßvater war ein feinsinniger Mensch, der sich damals nicht viel aus Luxus gemacht hat. Aus Autos oder Uhren oder Häusern. Er hat seinen Wohlstand in etwas investiert, was zeitlos ist.«

»Ja, aber wie wird denn einer im Nationalsozialismus ausgerechnet zum Kunstsammler? Haben Sie sich das mal gefragt?«

»Sicher.« Paula Kopps Augen wurden schmal. »Es waren turbulente Zeiten, da ist es doch naheliegend, sich mit etwas so Schönem wie Kunst befassen zu wollen.«

»Und dass die Sammlung Ihres Herrn Urgroßvater ausgerechnet in einer Zeit entstanden ist, in der viele Jüdinnen und Juden gezwungen waren, ihre Kunstsammlungen aufzulösen oder einfach enteignet wurden – das gibt Ihnen nicht zu denken?«

Paula Kopp lächelte wieder ein niedliches, breites Mädchenlächeln. »Mein Urgroßvater hat mit seinen Investitionen damals vielen Juden geholfen, Deutschland verlassen zu können. Er hat ihnen ihre Kunst abgekauft und damit viele Überfahrten ins sichere Amerika finanziert. Wir haben heute noch Dankesbriefe aus dieser Zeit, von ganzen jüdischen Großfamilien, die sich auch dank seiner Großzügigkeit retten konnten.«

»Tatsächlich, ist das so«, sagte Marietta mit gespieltem Erstaunen. »Gut, dass Sie das erwähnen, weil sonst könnte man natürlich auch auf die Idee kommen, er habe da allein zu seinem persönlichen Vorteil eine Notlage ausgenutzt.«

»Nun«, sagte Paula Kopp, »damals hieß es ja: Deutsche, kauft nicht beim Juden! Und mein Urgroßvater hat sich diesem Diktum mutig widersetzt, das sollte man doch anerkennen. Er war der großzügigste, warmherzigste Mensch, den man sich vorstellen kann. Für seine Mitarbeiter war er wie eine Vaterfigur, er hat sich immer gekümmert. Ich habe ihn noch kennengelernt und als kleines Mädchen auf seinen Knien gesessen.«

Hannah hielt den Atem an. So wie sie die Sache sah, hatten sich nun beide Frauen gegenseitig ihre Instrumente gezeigt. Paula Kopp war keineswegs naiv, auch wenn sie auf den ersten Blick so wirken mochte. Die wusste genau, was sie da sagte und warum. Und hatte vermutlich längst durchschaut, worauf das hier alles hinauslief.

Marietta Lankvitz lächelte nun nicht mehr.

»Und Sie sind tatsächlich sicher, dass Ihr Urgroßvater, ein frühes NSDAP-Mitglied, seine Kunstsammlung seiner Menschenfreundlichkeit zu verdanken hat? Sie gehen also davon aus, dass die Herkunft aller Werke in Ihrer Sammlung tadellos ist?«

Paula Kopp schaute Marietta Lankvitz treuherzig an.

»Ich werde ganz sicher nicht daran mitwirken, das Ansehen meiner Familie zu beschmutzen. Wir sind ehrliche Kaufleute, seit sechs Generationen. Ich bin vertraglich verpflichtet, der Stiftung zu dienen und Schaden von ihr abzuwenden, da werde ich mich ganz sicher nicht mit diesem ganzen Schnee von gestern befassen und bösen und unhaltbaren Gerüchten irgendeinen Raum geben. Alle Kunstwerke wurden nach geltender Rechtslage erworben. Und Sie kennen sich ja offensichtlich aus, dann wissen Sie ja sicher auch, wie die Verjährungsfristen sind.«

»Und dass das Image Ihrer Firma Schaden nehmen

könnte, wenn ich dieses Interview verbreite – das macht Ihnen gar keine Sorgen?«

»Ach, eigentlich nicht. Dafür hätten Sie neue Batterien in Ihr Aufnahmegerät stecken müssen, das läuft nämlich schon seit zwanzig Minuten gar nicht mehr. Sie sind noch nicht lang im Journalismus, wie?«

Paula Kopp klimperte mit den Augen. »Und das Schöne, wenn man für ein Süßwarenunternehmen arbeitet, ist doch, dass man sich eigentlich nie Sorgen ums Image machen muss. Wir machen Kinder glücklich. Wir versüßen den Menschen den Alltag. Und solange wir niemanden vergiften, wird sich kein Mensch für das interessieren, was Sie hier andeuten. Ganz einfach.«

Marietta Lankvitz war blass geworden und strich sich angestrengt die Haare hinters abstehende Ohr. Hannah schielte auf das Aufnahmegerät, das tatsächlich nicht mehr lief, das rote Batterielämpchen war aus. Sie schämte sich, weil das möglicherweise ihre Aufgabe gewesen wäre, wenn sie schon einfach nur stumm dabeisaß: wenigstens die Technik im Blick zu behalten. Oder jetzt, da Marietta ihr Pulver verschossen hatte, sich zu erkennen zu geben, ihre Trümpfe zu ziehen, Paula Kopp zu sagen, dass sie hier waren, um ein mögliches Unrecht zu begleichen, weil Hannah die kostbaren Bilder nämlich zustünden, die ihrer Urgroßmutter etwas bedeutet hatten und die vielleicht hier in irgendeinem Depot versteckt wurden, als Wertanlage, so lange, bis niemand mehr danach fragen würde. Sie hätte ein offenes Gespräch beginnen können, so von Erbin zu Erbin, und Hannah hätte fragen können, wie das eigentlich so ist, Paula Kopp zu sein. Da wächst man auf als Schokoladenprinzessin, da erbt man ein Süßwarenimperium, alles ist wie im Märchen, und dann stellt man fest, dass das gar kein süßes Erbe ist, sondern ein riesiger Haufen Schuld und Schmutz und Opportunismus, dem Marketingstrategen seit Jahrzehnten eine freundliche Wohlfühlfassade aus Werbezucker verpassen. Ob Paula Kopp wohl eine Wahl gehabt hatte? Und warum sie sich wohl entschieden hatte, dieses Erbe nicht nur anzutreten, sondern auch die Lüge weiterzuleben?

Aber nichts von alldem fragte Hannah tatsächlich, es waren einfach nur Fetzen in ihrem Kopf, die wie Zuckerwattefäden aneinanderklebten, und stattdessen entfuhr ihr ein lautes »Süßkopp!«.

Marietta Lankvitz und Paula Kopp sahen Hannah gleichermaßen irritiert an, sie hatte ja die ganze Zeit keinen Mucks von sich gegeben.

»Entschuldigung«, stammelte Hannah, erschrocken über sich selbst, »aber ich habe die ganze Zeit überlegt, woher ich Sie kenne, und jetzt weiß ich es: Sie sind Süßkopp, das Werbemädchen auf den Schokoladentafeln und aus den Fernseh-Spots. Egal. Tut ja hier nichts zur Sache.«

Paula Kopps feine Gesichtszüge wurden hart, sie fischte ein Haargummi aus einer Schreibtischschublade und band sich die braunen Locken zu einem dicken Haarknoten.

Ja, sie war jahrelang das Werbegesicht des Familienunternehmens gewesen, ein besonders niedliches kleines Mädchen mit schokobraunen Löckchen und Pausbacken, dessen Gesicht die Milchschokoladentafeln der Firma Kopp zierten. In den Werbespots, die Hannah als Kind so gern gesehen hatte, hatte Paula Kopp Süßigkeiten stibitzt und war dann von einer adretten Werbemutter mit einem nachgiebigen »Du bist ja wirklich ein richtiger Süßkopp!« bedacht worden. Hannah erinnerte sich an die Wärme, die von diesen Werbespots ausgegangen war, und wie sehr sie dieses Mädchen beneidet hatte, das da in einem lichtdurch-fluteten Einfamilienhaus mit einer liebevoll spießigen Hausfrauenmutter lebte und Süßigkeiten stibitzen durfte, denn bei allen Freiheiten, die Silvia Hannah ließ, war sie bei Zucker immer sehr streng gewesen und hatte – wenn überhaupt – nur die staubige Fairtrade-Schokolade aus dem Bioladen erlaubt.

»Richtig«, sagte Paula Kopp und wandte sich zum ersten Mal Hannah zu. »Ich war Süßkopp, aber das bin ich jetzt schon sehr lange nicht mehr. Vielen Dank für Ihr Interesse, das Interview ist dann jetzt beendet.«

Auf der Straße, vor dem koppschen Firmensitz liefen Hannah und Marietta eine Weile schweigend nebeneinander her. Das war nichts. Das hatten sie vergeigt. Sie waren keinen Schritt weiter. Ja, es war durchaus möglich, dass in der Kunstsammlung der Firma Kopp Bilder aus dem Besitz von Itzig Goldmann schlummerten. Aber wenn Hannahs Ansprüche rein moralischer Natur waren und auf der anderen Seite niemand saß, der sich um Moral scherte, dann würden sie hier erstmal nicht vorankommen.

»So«, sagte Marietta Lankvitz, kurz bevor sie wieder am Potsdamer Platz angekommen waren, wo sie in unterschiedliche Bahnen steigen würden. »Jetzt sind Sie dran, Hannah.«

Es gäbe noch eine Möglichkeit, über die sie noch gar nicht gesprochen hätten. Nämlich, dass Itzig Goldmann ein paar von seinen Kunstwerken versteckt hatte. Vielleicht hatte er etwas bei Freunden untergestellt oder anderweitig dem Zugriff der Nazis entzogen.

»Die Einzige, die darüber irgendetwas wissen könnte, ist Ihre Großmutter, Hannah. Die Chance ist nicht groß, sie war ja noch fast ein Kind. Aber vielleicht erinnert sie sich ja doch an irgendetwas. Eine Bemerkung ihrer Mutter. Oder an Freunde der Goldmanns, die etwas hätten verschwinden lassen können. Sie müssen sie zum Reden zwingen, Hannah. Das können nur Sie.«

Es zog an dem seelenlosen Vorplatz zum S-Bahnhof, in dem Marietta Lankvitz nun verschwand. »Und kaufen Sie sich ruhig eine richtig große Handtasche, vertrauen Sie mir«, rief sie Hannah noch zu, während sie in ihrem rosafarbenen Kostüm die Treppe hinunterstöckelte.

26.

Bad Doberan 1941

Dieser Krieg war eine Enttäuschung, so viel konnte Trude
schon einmal sagen. Nun, gesagt hätte sie das natürlich auf
keinen Fall, das grenzte an Hochverrat, sie hatte es nur
heimlich für sich gedacht. Und die Enttäuschung galt auch
gar nicht dem Krieg an sich, an dessen Gründen und Zielen
Trude in keiner Sekunde zweifelte. Es war eher ein Gefühl,
nicht ganz das zu bekommen, was sie sich davon versprochen hatte.

Als sie zwei Jahre zuvor ins Lazarett nach Bad Doberan
beordert worden war, hatte sie das Gefühl, vom Schicksal
geküsst worden zu sein. Nun würde sich ein Kreis schließen, und nach all ihren Entbehrungen würde sie endlich
wieder da ankommen, wo sie hingehörte. An ein Krankenbett, in einer Schwesterntracht, Mittlerin zwischen Arzt
und Patienten, Engel, der die Schmerzen nimmt, letzter
Trost sterbender Soldaten.

Doktor Scharnow hatte sie als Oberschwester nach Bad
Doberan empfohlen und zunächst hatte Trude gehofft, sie
würden gemeinsam gehen. Sie hatte sein Engagement in
dieser Sache als Zeichen gedeutet, dass nun der Moment
gekommen sei, an dem sie ihrer Bestimmung folgen würden und sich ihr leises Sehnen endlich erfüllen könnte. Aber

Doktor Scharnow blieb in Güstrow, und als Trude hörte, dass sein Ältester kurz nach Kriegsbeginn gefallen war, schickte sie ihm einen längeren Kondolenzbrief, auf den sie nie eine Antwort bekam.

Auch ihre zweite Hoffnung hatte sich nicht erfüllt: ein Wiedersehen mit ihrer großen Liebe. Es wäre durchaus möglich gewesen, hier in Bad Doberan, ganz in der Nähe von Rostock, auf Doktor Klausen zu treffen. Und ja, es hatte Nächte gegeben in ihrem kleinen Schwesternzimmer, in denen sich Trude ausgemalt hatte, wie er vor ihr auf die Knie sinken, den Kopf in ihren Schoß pressen und sie weinend um Verzeihung bitten würde. Aber er war nicht dort und kein anderer Arzt bot sich an für eine große Romanze, alle Leidenschaft musste jetzt der großen Sache gelten, dem Endsieg.

Die Engländer bombardierten Rostock. Zunächst hatten sie nur Bahngleise und die Werften ins Ziel genommen, aber kurz zuvor auch bewohnte Gebiete getroffen. Seitdem war das Bad Doberaner Lazarett voll mit verwundeten Zivilisten. Auch das war nicht gerade das, was Trude erwartet hatte. Es war etwas anderes, Werftarbeiter mit schweren Brandwunden oder abgetrennten Gliedmaßen zu versorgen, als sich um verwundete Soldaten zu kümmern. Ein sterbender Soldat war ja immer noch für Volk und Vaterland gefallen, selbst, wenn er am Ende auch nur elendig und unter Schmerzen verreckte. Es lag eine gewisse Sinnhaftigkeit darin. Doch vor einigen Tagen hatte sie ein sterbendes, nach seiner Mutter rufendes Kind versorgen müssen. Das war einfach nur fürchterlich, da umwehte nichts Heroisches das Krankenbett, und Trude hatte Mühe gehabt, nach diesem Erlebnis ihren Dienst zu beenden. Sie hatte gemerkt, wie ihr Zweifel gekommen waren, und um sich vor gefährlichen Gefühlsduseleien zu bewahren, hatte sie sich selbst in den Soldatenflügel beordert, sie war schließlich Oberschwester. Hier lagen die Frontrückkehrer, was für Trude deutlich besser auszuhalten war. Da gab es noch echte Dankbarkeit, wenn man sich mal einen Moment Zeit nahm, um zu reden. Die Männer vermissten schließlich alle ihre Mütter, auch wenn sie es nicht zugeben mochten, und Trude genoss diese sehnsuchtsvollen Kinderblicke aus den Augen erwachsener Männer. Einmal hatte sie sogar einen Piloten bei sich, der seinen Abschuss knapp überlebt hatte, Doppel-Amputation, vielleicht wäre er besser gestorben. Aber ihm konnte sie von Ulrich erzählen, auch wenn sie nicht sicher war, was er in seinem Zustand davon mitbekam. Ulrich, ihr toter Bruder, den sie jeden Tag vermisste.

Sie war so allein.

Inmitten des ganzen Trubels und der Arbeit, dem Fiebermessen, Verbände wechseln, der Assistenz im Operationssaal, fühlte Trude eine Leere und eine Verlassenheit in sich wie noch nie zuvor. Sie wusste ganz genau, wo das Heilmittel dagegen stand, eingeschlossen im Medizinschrank, zu dem sie einen Schlüssel hatte. Es kostete Trude eine solche Kraft, diesen Gedanken immer wieder beiseitezuschieben. Wie gern sie noch einmal der erlösende Engel mit der Spritze gewesen wäre, für die Kranken und auch für sich selbst. Nur ein einziges Mal. Aber sie wusste ganz sicher, dass es kein »einziges Mal« geben konnte, und wenn einer der Patienten Morphium benötigte, weil die Schmerzen unerträglich wurden, dann ließ sie das eine der anderen Schwestern erledigen.

Es gab nur ein wirkliches Gegenmittel, und das war Evelyn. Trude vermisste ihre Ziehtochter, dieser Schmerz war geradezu körperlich. Sie in Güstrow zurückzulassen, damit sie dort die Schule beenden konnte, schien ihr zunächst keine große Sache zu sein, sie würden einander besuchen, und Evelyn war selbstständig und kam gut ohne sie zurecht.

Aber Trude kam ohne Evelyn nicht gut zurecht. Sie schlief nachts schlecht, obwohl sie sich vor Erschöpfung manchmal kaum auf den Beinen halten konnte. Ihr fehlte Evelyns Atmen aus dem Nachbarbett. Ihre stille Komplizenschaft beim gemeinsamen Unkrautjäten und Hühnerrupfen. Wie sie sich noch als Backfisch von Trude die Haare hatte machen lassen und sich ihr in die Arme geworfen hatte, immer wenn sie mit dem Zug aus Berlin wieder nach Hause gekommen war.

Trude hatte zunächst nicht viel darauf gegeben, aber nun schob er sich ihr ab und zu ins Bewusstsein, dieser Blick, mit dem Evelyn sie angeschaut hatte, als sie ihr gesagt hatte, dass sie nach Bad Doberan beordert worden war. Da war plötzlich eine Härte in ihrem Ausdruck, den sie vorher nie an ihr beobachtet hatte, und in den Tagen danach war Evelyn besonders schweigsam und kühl zu ihr gewesen.

Vielleicht hatte Evelyn sich von ihr verlassen gefühlt. So wie sie sich zuvor erneut von Senta verlassen gefühlt hatte. Als Evelyn kurz nach ihrem letzten Besuch in Berlin einen Brief von Senta bekommen hatte, diesmal aus Dänemark, in dem sie ihr schrieb, dass sie und ihr Judengatte sich dort nun gemeinsam herumtrieben und sie und Evelyn sich wohl eine Weile nicht sehen könnten, da hatte das Mädchen bitterlich geweint. Heimlich, hinterm Hühnerstall, wo sie glaubte, dass Trude sie nicht sehen konnte. Das hatte Trude geschmerzt, andererseits war sie froh, weil Senta ihrer Tochter offenbar nichts von dem Bild geschrieben hatte, das sie ihr in ihrer grenzenlosen Verantwortungslosigkeit heimlich mitgegeben hatte. Und sie war erleichtert, dass Senta nun endgültig aus Evelyns Leben verschwunden war und ihre jüdische Sippe gleich mit. Sie hatte gespürt, wie wenig fest Evelyn in ihrer Überzeugung war, wie sich falsches Mitleid in ihr breitmachte oder zumindest eine Zuneigung, der Trudes Vorträge über die jüdische Verdorbenheit nichts Endgültiges entgegensetzen konnten. Jahrelang war sie Evelyn doch genug gewesen und Senta war nur wie eine entfernte Verwandte, der man ab und zu einen Pflichtbesuch abstattete. Aber kaum hatte sie Berlin endgültig verlassen, sehnte sich Evelyn plötzlich nach ihrer leiblichen Mutter.

Trude hatte Evelyns Schmerz einfach ausgesessen. Sie hatte ihr gegenüber das Telefonat nie erwähnt, in dem ihre Schwägerin sich von ihr verabschiedet hatte, mit der Bitte, die Nähte des Innenfutters von Evelyns Koffer aufzutrennen, die darin versteckte Leinwand herauszunehmen und das Bild für Evelyn zu verstecken und zu bewahren, weil dies möglicherweise das Letzte sein würde, was sie als Mutter für ihr Kind tun konnte. Trude hatte die Leinwand in Zeitung eingeschlagen und unter den losen Einlegeboden ihrer Kommode gelegt, und nach einer Weile hatte sie die Sache vergessen. Sie und Evelyn sprachen nie wieder über Senta oder die Goldmanns und nach einigen Wochen, in denen Evelyn ihr ab und an traurig erschienen war, war alles so wie immer zwischen ihnen.

In den letzten beiden Jahren hatte Evelyn Trude öfter in Bad Doberan besucht und auch ein bisschen ausgeholfen im Lazarett. Sie hatte ein gutes Auge für die Bedürfnisse der Kranken und war ohne jede Berührungsangst oder Scheu. Sie würde eine wunderbare Krankenschwester werden, da war Trude sich sicher. Und jetzt, da sie in Güstrow ihr Abitur gemacht und ihren Reichsarbeitsdienst abgeleistet hatte, konnte sie endlich zu ihr kommen. Hier würde sie ihre Ausbildung machen, unter Trudes Anleitung, und danach würden sie beide einfach für immer beieinanderbleiben. Sie, Trude, würde Evelyn alles beibringen, was sie wusste und konnte. Vielleicht würden sie gemeinsam eine Weile umherziehen, immer dahin, wo sie gebraucht würden, wer wusste schon, wie lange dieser Krieg noch gehen würde und welche Möglichkeiten er noch eröffnete. Hauptsache, sie waren zusammen und keine von ihnen wäre je wieder allein.

Die letzten Monate hatten Trude gezeigt, wie trostlos ihr ein Leben ohne Evelyn vorkam und irgendeine Form von Trost brauchte doch jeder. Besonders brauchte sie die Vorstellung, später, wenn sie einmal alt wäre, nicht allein zu sein. Da würde immer Evelyn sein, die sich um sie kümmern würde, so wie sie sich um sie gekümmert hatte.

Nicht, dass Evelyn nicht zurechtgekommen wäre, allein in Güstrow. Sie ging zur Schule, lebte weiter im Forsthaus, arrangierte sich mit Onkel Arthur und verbrachte ihre freie Zeit beim BDM. Da hätte sie es mit ein bisschen mehr Engagement durchaus zur Scharführerin bringen können, dachte Trude, aber vielleicht war sie einfach auch keine Führungspersönlichkeit. Trude freute sich, Evelyn wieder richtig unter ihre Fittiche nehmen zu können.

Am Tag von Evelyns Ankunft in Bad Doberan war dann alles etwas hektisch zugegangen. Trude hatte durchgesetzt, dass Evelyn in ihrem Zimmer mitwohnen konnte, eigentlich wurde das nicht gern gesehen, aber ihr Einfluss und ihre Position hatten die Sache erleichtert. Eigentlich hatte sie Evelyn richtig in Empfang nehmen wollen, doch dann war ein neuer Zug mit Verletzten aus dem Osten gekommen und Trude hatte alle Hände voll zu tun gehabt, musste Betten vorbereiten, die anderen Schwestern anweisen und bei einer Notoperation assistieren. In der Nacht zuvor hatte sie wenig Schlaf bekommen, weil einige der Soldaten nachts Albträume hatten oder delirierten und kaum zu beruhigen waren. Einer der Oberärzte hatte ihr vor ein paar Tagen Tabletten zugesteckt, die sie wach halten sollten, aber sie hatte sie nicht angerührt und schließlich einer anderen Schwester geschenkt. Sie brauchte keine Zuckerchen, um ihre Arbeit zu machen, lieber wollte sie vor Erschöpfung einfach umfallen.

Und deshalb war sie nicht mehr ganz bei sich, als sie nach Dienstende endlich in ihr Zimmer getaumelt kam, müde und abgekämpft. Evelyn saß auf ihrem Bett und wartete auf sie, immer noch im Mantel, ihren Koffer neben sich auf dem Boden. Sie trug die Haare jetzt kinnlang, mit einer Haarspange, die ihr die Strähnen aus dem Gesicht hielt, und Trude fiel auf, dass sie ihre ungelenke Schlaksigkeit abgelegt hatte, so als wäre sie endlich in ihren Frauenkörper hineingewachsen. Sie sah hübsch und ernst aus, und es gab Trude einen leichten Stich, wie sehr Evelyn Senta ähnlich sah.

Sie umarmten sich, und Trude wollte einfach auf ihr Bett sinken, neben sich Evelyns flaches Atmen hören und endlich tief und traumlos schlafen, aber Evelyn wollte reden. Ob sie nicht vielleicht noch draußen spazieren gehen könnten?

»Tuda, ich muss dir etwas wirklich Wichtiges sagen.«

Draußen spazieren gehen kam gar nicht infrage, wegen der Verdunkelungsvorschriften konnte man die Hand vor Augen nicht sehen, es war viel zu gefährlich. Und da war so eine Dringlichkeit in Evelyns Stimme, die Trude alarmierte. Was musste denn jetzt sofort besprochen werden, wo sie doch gerade erst angekommen war? Und warum saß Evelyn da auf ihrem Bett, mit dem unausgepackten Koffer neben sich, so als würde sie gleich wieder fahren?

»Evchen, ich bin müde, kann das bis morgen warten?«

Daraufhin hatte Evelyn genickt, ein Nachthemd aus ihrem Koffer gezogen und Gute Nacht gesagt, und Trude war sofort eingeschlafen, zum ersten Mal seit langer Zeit mit einem Gefühl von Frieden.

Der nächste Arbeitstag begann noch vor Sonnenaufgang. Trude hatte für Evelyn eine Schwesternuniform besorgt, die sie zögerlich angezogen hatte, und dann war sie Trude einfach gefolgt. Hatte Verbandsmaterialien zugeschnitten und beim Umlagern geholfen, einem jungen Mann die Hand gehalten, während seine Wunde gesäubert wurde, hatte Blut- und Urinlachen vom Boden gewischt und jede von Trudes Anweisungen sofort und widerspruchslos befolgt. Aber sie war still und in sich gekehrt, und auch wenn Trude kaum Zeit hatte, sich darüber Gedanken zu machen, merkte sie doch, dass da etwas fehlte zwischen ihnen. Da waren plötzlich Distanz und Fremdheit und nicht mehr die gleiche Verschworenheit, die sich immer angefühlt hatte, als wären sie miteinander verwachsen. Evelyn war ihren Blicken ausgewichen, und als sie am Abend wieder gemeinsam auf ihren Betten saßen, brach es schließlich aus ihr heraus.

»Tuda, ich werde hier nicht bleiben.«

Evelyn sah Trude nun zum ersten Mal an diesem Tag gerade in die Augen, und unter diesem Blick öffnete sich in Trude ein großes schwarzes Loch.

»Ich habe mich in Rostock eingeschrieben, an der

Universität. Für Medizin. Ich kann bei einer Freundin wohnen, die ich vom Arbeitsdienst kenne, ihre Familie nimmt mich auf. Nächste Woche geht das Semester los.«

Trude sagte nichts, unsicher, welcher ihrer Gefühlsregungen sie nachgeben sollte: der Traurigkeit, der Enttäuschung oder dem Stolz.

»Ich komme dich so oft besuchen wie möglich, und dann kann ich hier auch viel nützlicher sein. Bitte schau mich nicht so an, Tuda.«

Trude löste die Haarnadeln aus ihrem festen Dutt und ließ sich die graubraunen Strähnen über die Schulter fallen.

»Es war alles vorbereitet für dich, Evchen. Ich habe mich für dich eingesetzt. Ich brauche dich hier.«

»Ich weiß. Und es tut mir leid. Aber bitte, lass mich gehen.«

Natürlich ließ sie sie gehen. Was wäre ihr anderes übrig geblieben. Trude verabschiedete Evelyn drei Tage später und küsste sie auf die Stirn und drückte ihr ein Kuvert mit ihrem Notgroschen für schlechte Zeiten in die Hand. Sie ermahnte Evelyn, fleißig zu lernen und auf sich aufzupassen, wischte ihr eine Träne von der Wange und sagte, nun sei es aber gut, wie sehe das aus, ein deutsches Mädel weine nicht beim Abschiednehmen, und außerdem würden sie sich ja schon bald wiedersehen, sie sei ja ganz in der Nähe.

Aber kaum war Evelyn mit ihrem Koffer in der Hand verschwunden, fühlte Trude ihre Müdigkeit wie eine Bettdecke aus Blei, die sie kaum noch abstreifen konnte. Und weil er gerade Dienst hatte und immer nett zu ihr gewesen war und ein bisschen so aussah wie Ulrich, fragte sie den jungen blonden Oberarzt mit dem kantigen Kinn, ob er nicht doch etwas für sie hätte, gegen die Erschöpfung. Ein

Zuckerchen, eine Pille, damit sie wach bliebe. Vielleicht auch eine gegen die Traurigkeit.

»Aber sicher, Schwester«, sagte er und holte aus seiner Arztkitteltasche die guten Pervitin-Tabletten, das Mittel gegen alle lästigen Gefühle und Bedürfnisse, für die es in Trudes Kopf nun keinen Platz mehr geben durfte, weil ohnehin niemand da war, um sich um sie zu kümmern.

27.

Ein wenig Nebel, Temperaturen knapp über dem Gefrierpunkt, perfektes Krähenwetter. Jörg Sudmann kannte niemanden, der dem Februar so viel abgewinnen konnte wie er selbst. Die Düsternis, die feuchte Kälte. In diesen Wochen hatte Berlin noch ein wenig von der Atmosphäre, die ihn damals in die Stadt gezogen hatte. Unfertig und kaputt, dieses herrliche Berliner Nachkriegsfassadengrau.

An solchen Tagen drehte er gern eine Friedhofsrunde, um den Kopf freizubekommen. Früher, in seinen ersten beiden Semestern, war er oft auf dem Friedhof an der Prenzlauer Allee herumgestromert, der auf genau die richtige Weise verwildert war. Dieser leichte Grusel beim Blick auf die kleinen bemoosten Kindergrabsteine, all die Bilder in Jörgs Kopf, wenn auf einem alten Grab aus den 60er-Jahren plötzlich frische Blumen lagen oder eine eingefallene Grabstelle zwischen dem Efeu zu sehen war, bei der man nicht sicher sein konnte, ob das, was man dort in der feuchten Erde zu erspähen glaubte, Wurzeln oder Knochen waren. Danach war es nur ein kurzer Fußmarsch zum Jüdischen Friedhof am Senefelderplatz, auch so ein Ort, der Jörg auf diese angenehme Art anfasste. Farne, Efeu, dazwischen die schmalen, verwitterten Grabstelen, auf denen

Jörg kleine Kieselsteine ablegte – wahllos und zufällig, einfach nur, um sich zu fühlen, als gehörte er hierher.

War lange her, dass er das das letzte Mal gemacht hatte, aber dieser trübe Februardienstag war wie geschaffen dafür, deshalb nahm er die S-Bahn zum Alexanderplatz und lief von dort in Richtung Norden.

Er hatte ihn nicht gleich erkannt und eine Weile überlegt, ob das wirklich Professor Sonthausen war, der da etwa zwanzig Meter vor ihm in die gleiche Richtung marschierte. Aber doch, er war es, unverkennbar. Der elegante, lange schwarze Mantel, der Kaschmirschal, der entschlossene, federnde Gang. Jörg beschleunigte seinen Schritt, um zu ihm aufzuschließen. Sie hatten sich in den letzten Wochen nur immer mal flüchtig auf den Fluren der Universität gesehen und gegrüßt, aber Jörg dürstete geradezu nach einer Gelegenheit, um Professor Sonthausen zu erzählen, wie gut er seine Sache mit Hannah machte. Welche Mühen er auf sich nahm, um sein Versprechen einzulösen, das er ihm gegeben hatte. Er konnte sich ja nicht darauf verlassen, dass Hannah ihrem Doktorvater gegenüber gebührend hervorhob, wie ungemein hilfreich er, Jörg, bei der Erforschung ihrer Familiengeschichte schon gewesen war.

Gern hätte er mit Andreas Sonthausen mal einen Spaziergang gemacht. Einfach nur zwei Männer im Nebel, die über die großen Dinge des Lebens sprachen. Über ihre Forschungen, die Bücher, die sie gerade lasen. Wie gern hätte Jörg jemanden gehabt, mit dem er solche Gespräche auf Augenhöhe hätte führen können. Einen väterlichen Freund und Förderer, der ihm ab und zu auf die Schulter klopfte oder ihm hier und da eine Tür öffnete. Sein eigener Doktorvater, den er eigentlich für diese Rolle auserkoren hatte, ließ ihn leider am langen Arm verhungern und keinerlei private Nähe zu. Professor Sonthausen dagegen schien deutlich nahbarer. Aber während Jörg versuchte, zu Andreas Sonthausen aufzuschließen, kamen ihm Zweifel, ob dies die richtige Gelegenheit war. Wo er wohl hinging? Was ihn wohl an diese zugige Kreuzung zog?

Jörg lief am Friedhofstor vorbei und folgte Andreas Sonthausen in einigem Abstand weiter die Straße hinauf. Als er schließlich rechts durch eine Schiebetür ging und die Lobby eines Hotels betrat, lief Jörg einfach weiter und spähte nur kurz durch die Glasfront. Nur ein kurzer, beiläufiger Blick zur Seite, denn es war ja schon merkwürdig, wenn ein Mann mitten am Tag und in seiner eigenen Stadt ein billiges Kettenhotel betrat.

Als Jörg sah, was er sah, setzte sein Herz für einen Schlag aus, dann schoss ihm das Blut in den Kopf. War das Hannah, die er da mit Professor Sonthausen gesehen hatte? Er ging an der gläsernen Hotelfassade vorbei, dann drehte er sich um und spähte noch einmal in die Lobby. Kein Zweifel. Das war Hannah. Sie stand mit Sonthausen am Empfangstresen und ließ sich gerade einen Zimmerschlüssel aushändigen. Als er noch einmal umdrehte, um die Lage ein drittes Mal zu checken, waren die beiden verschwunden.

Jetzt war ihm alles klar.

Andreas Sonthausen schlief mit seiner Doktorandin. Hannah schlief mit ihrem Doktorvater.

Meine Güte, was für eine abgeschmackte Scheiße, dachte Jörg, während er weiter stur die Straße entlangging und sich von seinem eigentlichen Ziel, dem Friedhof, entfernte.

Er fühlte sich verraten. Er hatte gedacht, es ginge hier tatsächlich um etwas Größeres. Aber am Ende war es doch wie immer: Er, ein Mann mit Idealen und Prinzipien, hatte sich naiv von Leuten vor den Karren spannen lassen, die eine ganz andere Agenda hatten. Sonthausen hatte ihn einfach nur benutzt, um seiner kleinen Freundin zu imponieren. Und Hannah wollte sich offensichtlich den Weg zum Doktortitel erleichtern, während Menschen wie er ehrliche Wissenschaft betrieben.

Auf die Friedhofsrunde verzichtete Jörg Sudmann an diesem Tag. Er fühlte sich elend und ausgeschlossen, und weil diese Gefühle einen passenden Rahmen brauchten, machte er sich auf die Suche nach einer Eckkneipe, in der er zusammen mit anderen gebrochenen Männern am Tresen sitzen und einen Schnaps bestellen konnte. Es war noch zu früh am Tag, alle Bars hatten zu, aber nach einer Weile fand er doch einen Laden mit nikotingelben Vorhängen, ein paar Grünpflanzen und einem Schultheiß-Schild im Fenster.

Jörg trat mit gesenktem Kopf ein, nahm die Schiebermütze ab und setzte sich an den Tresen. Es stank nach kaltem Rauch und verschüttetem Bier und der Mann direkt neben ihm roch nach ungewaschenem Haar. Jörg bestellte ein Bier und einen Korn, weil er davon ausging, dass man das so machte in einem Laden wie diesem. Herrengedeck.

Dann schaute er düster in sein Getränk und versuchte, gegen das Gepiepe eines Spielautomaten anzudenken, der in der Ecke hing und von einem älteren Mann routiniert mit Münzen gefüttert wurde.

Der Mann neben ihm schaute auch düster in sein Getränk, und Jörg spürte eine Verbundenheit mit dieser verlorenen Gestalt, die ihn anrührte. Hier saßen sie nun, an dieser tristen Theke, und leisteten einander stumm Gesellschaft. Zwei Männer, die nicht viele Worte machen mussten, gefangen in ihrem Schmerz. Was ihn wohl an diesen Ort gebracht hatte? Welche Enttäuschungen, welchen Verrat hatte dieser Mann mit dem erloschenen Gesicht ertragen müssen? Welche Träume hatte er einmal gehabt? Jörg hatte seinen Korn ausgetrunken, suchte Blickkontakt mit dem Wirt und hob zwei Finger. Noch zwei, bitte. Den zweiten Schnaps schob Jörg seinem Nebenmann rüber. Der brummte etwas, was so ähnlich wie ein Danke klang, und kippte sich den Korn in den Hals.

»Na, hast Stress mit deiner Ollen, wa?«

»So ähnlich«, sagte Jörg und bereute schon, diese Zutraulichkeit mit seiner Einladung forciert zu haben.

»Sind doch eh alles Fotzen«, brummte sein Nachbar.

Und da trank Jörg lieber sein Bier aus und legte Geld auf den Tresen, um zu verschwinden, weil das dann vielleicht doch nicht der richtige Ort für ihn war und hier niemand eine Geschichte über eine scheiternde Akademikerkarriere würde hören wollen. Er musste endlich aufhören damit, andere Menschen für etwas zu halten, was sie gar nicht waren.

Also fuhr Jörg in die Bibliothek. Das war auch kein schlechter Ort, um unklare Gefühlslagen zu sortieren. Und außerdem hatte ihn dieser eine Gedanke auf eine Idee gebracht: Er hatte Andreas Sonthausen offenbar für jemand gehalten, der er gar nicht war. Er hatte sich blenden lassen. Aber er wusste ja nun etwas über Andreas Sonthausen, was der aus gutem Grund geheim hielt. Und vielleicht würde er nun nicht mehr sein Mentor werden, doch ihn bei Gelegenheit daran zu erinnern, dass er ihm einen Gefallen schuldete, würde nun bedeutend einfacher sein. Jörg hatte »Kompromat«. Ein Gefühl sagte ihm, dass ein Mann, der das Risiko einging, mit einer seiner Studentinnen zu schlafen, sich sicher auch an anderer Stelle für unverwundbar hielt. Und das würde er jetzt herausfinden.

Jörg bestellte sich alle Veröffentlichungen, die von Andreas Sonthausen zu finden waren. Seine Doktorarbeit, seine Habilitationsschrift, wissenschaftliche Artikel, Vorträge. Das wollte Jörg dann doch mal sehen, ob der feine Herr Professor mit wissenschaftlichen Standards genauso verantwortungslos umging wie mit zwischenmenschlichen. Jörg hatte sich schon vor einer Weile eine kostspielige Plagiatssoftware gekauft, weil er als Tutor immer einen großen Spaß daran hatte, die besonders besserwisserischen Erstsemestler zu blamieren, indem er ihre Hausarbeiten als zusammenkopierte Wikipedia-Plagiate entlarvte. Und eine Zeit lang hatte er sich auch in einem Onlineforum engagiert, in dem Freiwillige die Doktorarbeiten prominenter Politikerinnen und Politiker auf Plagiate untersuchten – da gab es viel zu holen und die ein oder andere politische Karriere zu zerstören. Nur bei den großen Tieren der Wissenschaft, bei den Gralshütern, den mit den lebenslangen Professuren, denen keiner ans Bein pinkeln mochte, weil alle Angst hatten, ihre befristeten Mittelbau-Stellen zu verlieren oder ihre Projektförderung oder ihr Stipendium nicht zu bekommen – bei denen schaute niemand so genau nach.

Den ganzen Tag und die halbe Nacht saß Jörg Sudmann vor seinem Computerbildschirm, erst in der Bibliothek und dann an seinem Küchentisch. Er wühlte sich durch Andreas Sonthausens akademisches Werk und tippte oder kopierte Textpassagen in das Suchfenster seiner Plagiatssoftware. Und je länger er suchte, desto mehr wurde das Gefühl von Wut und Verrat überlagert von dieser sehr speziellen Entdeckerfreude, die ihn überkam, wenn er im Archiv etwas Besonderes gefunden hatte.

Professor Andreas Sonthausen war ein Betrüger. Er war nicht die charismatische, genialische Lichtgestalt, für die ihn alle hielten. Er war ein akademischer Hochstapler, dessen Ruhm auf zusammengeklauten Ideen, Gedanken und Texten anderer basierte. In den neueren Veröffentlichungen fand Jörg Sudmann keine eindeutigen Plagiate mehr, Sonthausen war offensichtlich vorsichtiger geworden, schließlich waren Plagiate inzwischen deutlich leichter aufzuspüren. Aber die älteren Arbeiten, alle entstanden noch vor dem Internet, waren eine wahre Fundgrube. Allein in seiner Doktorarbeit hatte Sonthausen seitenweise wortwörtlich Aufsätze amerikanischer Kolleginnen kopiert und ins Deutsche übersetzt, ohne seine Quellen zu nennen. Er hatte auch aus deutschen Arbeiten abgeschrieben und dabei sogar die Rechtschreibfehler übernommen. Kein Student, keine Studentin würde mit so etwas heute noch durchkommen – es sei denn natürlich, man machte es wie Hannah und schlief mit seinem Professor, dachte Jörg düster. Unfassbar, wie verkommen und verlogen diese ganze Welt war und wie wenig ehrliche Arbeit zählte.

Es war inzwischen drei Uhr in der Nacht, als Jörg Sudmann seinen Rechner zuklappte, sich auf sein Sofa setzte und sich ein Glas Whiskey einschenkte. Vielleicht hatte er sich noch nie so sehr wie ein Mann gefühlt wie in diesem Moment. Er hatte nun das Zeug, um einen echten Silberrücken vom Affenfelsen zu vertreiben. Er, der ewig Verkannte, würde endlich triumphieren. Dieser Tag hatte ihm in so vieler Hinsicht die Augen geöffnet. Wie falsch seine hündische Ehrerbietung Andreas Sonthausen gegenüber gewesen war, wie kindisch sein Wunsch, ihm imponieren zu können. Wie dumm von ihm, auf die Unterstützung eines Mannes zu hoffen, der vor allem sein eigenes Fortkommen im Blick hatte und sich die Karrieren seiner Untergebenen teuer bezahlen ließ, siehe Hannah. Wie sehr ihn plötzlich dieser Starkult anwiderte, der Gestalten wie Professor Sonthausen schützte wie ein Zaubermantel. Sein Charisma und die Ergebenheit seiner Anhängerschaft hatten ihn bislang offenbar vor jedem Verdacht bewahrt. Aber damit würde jetzt Schluss sein.

Die Sache hatte nur einen Haken.

Er konnte sein Wissen nun für eine kleine Erpressung nutzen, sich sein Stillschweigen von Andreas Sonthausen also zum Beispiel mit einer Postdoc-Stelle oder einer enthusiastischen Empfehlung für ein Fellowship bezahlen lassen. Vielleicht war sogar eine Juniorprofessur denkbar.

Dann allerdings würde er Teil des Betruges werden. Er würde sich beschmutzen. Sich und alles, was ihm heilig war. Er konnte dann nicht mehr behaupten, er habe von nichts gewusst.

Jörg goss sich noch einen Schluck Whiskey nach und bedauerte, dass er kein Raucher war. Jetzt wäre der ideale Zeitpunkt für eine Zigarette, um diese einsame Entscheidung zu begleiten. Wie gerne hätte er sich in eine Rauchwolke gehüllt und das Kratzen in den Lungen gespürt, wie eine Erinnerung an die eigene Sterblichkeit und eine Mahnung, sein Leben nicht mit Zauderei zu verplempern. Das hier war ein Wendepunkt, das fühlte er ganz genau. Es war nur noch nicht ganz klar, wie die Sache für ihn ausgehen würde. Und was sollte er eigentlich mit Hannah anstellen? Sie konfrontieren mit dem, was er wusste? Ein bisschen schade war es schon, denn sie waren doch gerade dabei, sich wirklich anzufreunden. Und eigentlich sagte ihm sein Gefühl, dass Hannah nicht der Typ dafür war, aus reiner Berechnung mit irgendwem ins Bett zu steigen. Möglicherweise war die Sache komplizierter, und er war sich nicht sicher, ob er das alles so genau wissen wollte.

Vielleicht würde er sie einfach raushalten aus der ganzen Angelegenheit. Die Sache unter Männern klären.

Jörg Sudmann brannten die Augen, er musste dringend ins Bett und noch ein paar Stunden schlafen. Aber vorher klappte er ein letztes Mal seinen Rechner auf, öffnete sein E-Mail-Programm und tippte Sonthausens Adresse ein.

In die Betreffzeile schrieb er:

Wir müssen uns unterhalten.

28.

Berlin 1942

Ein warmer Sommertag im Juli, und in der Kastanie piepten die Spatzen. Itzig Goldmann schloss das Fenster, damit der Sommerwind ihm nicht den Stapel Papier vom Tisch wehte, den er vor sich hatte. Obenauf der Deportationsbescheid für Helene und ihn, in wenigen Tagen hatten sie sich in der Synagoge in der Levetzowstraße einzufinden. Sie würden beide je einen kleinen Koffer mitnehmen können, der genau zu beschriften war, unbedingt auch einen Essnapf und Essbesteck, eine Wolldecke sowie je 50 Reichsmark, um die Transportkosten zu bezahlen. Dazu kam ein dreißigseitiges Formular, das auszufüllen und zusammen mit dem Wohnungsschlüssel einzureichen war. Eine Vermögenserklärung. Für beide Ehepartner vom Ehemann auszufüllen und zu unterschreiben.

Helene hatte ihm die Brille geflickt, sie war verbogen und rutschte ihm ständig von der Nase. Dann hatte sie sich hingelegt, um sich auszuruhen, und Itzig hatte seiner schlafenden Frau trotz der Wärme eine dünne Decke übergelegt und gebetet, dass er würde bei ihr bleiben können bis zum Schluss.

Jetzt saß er am Küchentisch, den Füller in der Hand.

Name, Geburtsdatum, Rassezugehörigkeit, Anschrift.
Größe, Lage und Ausstattung der Wohnung: 4 ½ Zimmer, 2. OG, Badezimmer mit WC.
Miete (Mietvertrag beifügen): monatlich 125 RM. Keine Untermieter. Keine im Haushalt lebenden Kinder.
Flüssiges Vermögen: Sparkassenguthaben 487,55 RM.
Keine Aktien, keine Anleihen, kein Schließfach.
Keine Liegenschaften im In- oder Ausland. Keine Unternehmensbeteiligungen.
Eine Sterbeversicherung über 500 RM, Police anbei.

Itzig fühlte die Gicht in seinen Fingern. Sogar seine Versicherungen wollten sie haben. Sich seinen Tod bezahlen lassen, den sie kaum erwarten konnten. Er hatte sein Leben lang gearbeitet, hatte es zu Wohlstand gebracht und nun war nichts mehr da. Nichts, was er seinem Sohn hätte vermachen können. Nichts, was er noch hätte verkaufen können, um die Miete zu bezahlen oder die Kohlen für den Winter oder ein paar zusätzliche Kartoffeln vom Schwarzmarkt, wenn die Lebensmittelmarken nicht reichten, was sie nie taten. Nichts, was er Lotte als Dank hätte anbieten können, dafür, dass sie gelegentlich vorbeikam und heimlich ein paar Konserven mitbrachte oder Schmerztabletten, die er nirgends mehr bekam. Gestern war sie das letzte Mal bei ihnen gewesen, und sie hatte Fritz mitgebracht, ihren Sohn. Ein so lieber, schüchterner elfjähriger Junge, der Itzig an Julius erinnerte, als der ein Kind gewesen war. Lotte hatte ein wenig Muckefuck dagelassen und sich zu ihm und Helene gesetzt und sie hatten geplaudert, so als wäre nichts. So als säßen sie nicht in einer beinahe leer geräumten Wohnung, die nur noch wenige Sitzgelegenheiten bot. Die Bilder hatte Itzig verkauft, die Erstausgaben, den Brockhaus und schließlich das alte Bücherregal, dann die Perserteppiche und die antike Standuhr. Die letzten Bücher, die noch da waren, waren kaum etwas wert, und er hätte sie in diesem Winter vermutlich verfeuert. Umso absurder, was in diesem Formular alles einzutragen war: Atlanten, Teewagen, Hausbar, Vorräte (eingeweckt). Das alles gab es im Hause Goldmann schon seit einer ganzen Weile nicht mehr, wie bei den meisten. Die Not war überall zu groß, die meisten Ersparnisse aufgebraucht, Arbeit gab es nur für wenige und was hätte Itzig mit seinen einundachtzig Jahren auch noch arbeiten sollen?

Die Seite zum Wohnungsinventar war schnell ausgefüllt:

Kleiderschrank: 1
Bettstellen: 1
Nachttische: 1
Esstisch: 1
Schreibtisch: 1
Stühle: 6
Anrichte: 1
Sessel: 1
Stehlampe: 2
Deckenleuchte: 4
Bettvorleger: 2
Kühlschrank: 1
Spiegel: 2
Bücherschrank: 1
Waschtisch: 1

Die Zeilen, in denen er die genaue Anzahl seiner Löffel, Gabeln, Messer, Tassen und Teller eintragen sollte, ließ Itzig frei. Sollten sie doch selber zählen, was noch da war. Es war ohnehin nichts mehr wert, das Meißner Porzellan und das Silberbesteck, das Helene von ihrer Mutter geerbt hatte, hatte er längst versetzt, und gestern, als Lotte da war, hatten sie ihren wässrigen Kaffee-Ersatz aus alten, gesprungenen Tassen getrunken.

Lotte hatte Nachrichten von Senta und Julius mitgebracht. Itzig und Helene hatten schon lange keine Post mehr bekommen, die nicht von offiziellen Stellen kam, Itzig hatte den Postboten im Verdacht, ihm keine privaten Briefe mehr zuzustellen. Damit war Lotte die letzte Verbindung zu seinem Sohn und seiner Schwiegertochter: Es ging ihnen gut in Dänemark, aber es war unsicher, wie lange sie noch würden bleiben können. Die Lage der Juden war nicht ganz so verzweifelt wie in Deutschland, doch das konnte sich jederzeit ändern.

»Senta hat noch eine Nachricht an dich, die ich dir überbringen soll«, sagte Lotte. »Sie schreibt, sie möchte dich um Verzeihung bitten, weil du ihr ein Geschenk gemacht hättest, das sie nicht habe behalten können. Ich soll dir sagen, sie habe es Evelyn mitgegeben, und sie hofft, du verstehst ihre Gründe.«

Itzig dachte einen Augenblick nach, was diese Nachricht bedeutete. »Das Bild! Der Vermeer. Sie hat es Evelyn mitgegeben?«, sagte er schließlich erstaunt. Er nahm die Brille ab und dachte einen Augenblick nach.

Natürlich verstand er ihre Gründe. Senta hatte ihrer Tochter etwas vermachen wollen, für den Fall, dass sie sich nicht wiedersehen würden. Das war klug, aber sicher auch nicht ohne Risiko gewesen. Für Evelyn. Das arme, liebe Kind.

»Hoffentlich hat sie es gut versteckt«, sagte Itzig. »Und hoffentlich weiß Evelyn etwas damit anzufangen.«

»Senta schreibt, sie habe es ihr heimlich im Koffer eingenäht. Und ihre Schwägerin wisse Bescheid.«

Die Schwägerin, ausgerechnet. Itzig hatte sie nie getroffen, aber doch sehr deutlich wahrgenommen, was sie von seinesgleichen hielt. Und wie schüchtern und befangen Evelyn ihm und Helene gegenüber gewesen war, die letzten Male, die sie sich getroffen hatten. Inzwischen musste sie eine junge Frau sein, etwa so alt, wie die junge Frau auf dem Bild, das ihr nun gehörte. Itzig schickte ein Stoßgebet für seine Stief-Enkeltochter zum Himmel. Möge sie behütet durch diese schreckliche Zeit kommen und ihr reines Herz behalten und etwas Gutes aus ihrem Leben machen.

Radioapparat: -
Plattenspieler: -
Schallplatten: -
Fotoapparat: -
Höhensonne: -
Föhn: -
Staubsauger: -
Nähmaschine: -
Werkzeug: -
Klavier: -
Blasinstrumente: -
Geige: 1

Sie hätten damals doch ein Klavier anschaffen sollen. Helene hätte so gern eines gehabt, und Itzig wusste, dass sie in ihrer Jugend Unterricht bekommen hatte. Aber dann hatten sie doch nie den perfekten Platz dafür gefunden, oder sie hätten eines der Bücherregale umräumen müssen, es war ihnen als zu großer Aufwand erschienen und Helene hatte außerdem Sorge, ihr Spiel könnte die Nachbarn stören. Also hatten sie sich damals gegen ein Klavier entschieden.

Schade, dachte Itzig. Wie viel Freude ihnen damit entgangen war.

Nur Julius' alte Kindergeige hatten sie tatsächlich all die Jahre aufbewahrt. Sie lag in einem staubigen kleinen Geigenkoffer in der leeren Vorratskammer, die G- und die A-Saite fehlten, Julius hatte nur etwa zwei Jahre darauf gespielt, dann hatten sie es aufgegeben. Itzig musste lächeln bei der Erinnerung an den Geigenlehrer, der mit angestrengter Höflichkeit vermeldet hatte, der junge Herr Goldmann sei sicherlich ein talentierter Knabe, dem eine rosige Zukunft bevorstehe, nur möglicherweise nicht als Violinist.

Rosige Zukunft.

Er hätte ihn so gern noch einmal gesehen, seinen einzigen Sohn. Er hätte ihm sagen wollen, dass er all die Jahre recht gehabt hatte, mit seinem Drängen, ins Ausland zu gehen. Wie froh er war, dass Julius und Senta nicht mehr in Berlin und in unmittelbarer Gefahr waren und die Demütigungen und die Not nicht im selben Ausmaß zu spüren bekamen. Er wollte ihm sagen, dass er sich nicht schuldig fühlen musste, weil er Vater und Mutter zurückgelassen hatte, denn er, Itzig, habe sich schließlich mit Händen und Füßen dagegen gewehrt. Er hatte nicht sehen und nicht wahrhaben wollen, was hier geschah, und nun war es zu spät. Und was hätte er auch woanders tun sollen, in einem fremden Land? Er und Helene waren zu alt, sie waren Ballast. Zu nichts mehr zu gebrauchen, außer, um diese Liste hier auszufüllen, eine Bestandsaufnahme ihrer wenigen verbliebenen Habseligkeiten, damit sie beschlagnahmt und verramscht werden konnten.

Von keinem seiner Freunde, die in den letzten Monaten abgeholt und weggebracht worden waren, war je wieder eine Nachricht gekommen. Er kannte die Gerüchte. Man würde sie aus der Stadt schaffen und dann konnte er nur hoffen, dass es schnell gehen würde und man ihn bei Helene bleiben ließ.

Tischdecken: 2
Servietten: 4
Bettwäsche-Garnituren: 3
Kissen: 2
Bettdecken: 2
Gardinen: 6
Handtücher: 6
Küchentücher: 16

Nein, natürlich hatten sie keine sechzehn Küchentücher, aber Itzig hatte schon bei den Handtüchern keine Kraft, um genau nachzuzählen, und hatte einfach irgendeine Zahl auf die Linie geschrieben. Er stellte sich vor, wie nach ihrer Abreise eine Abordnung der Finanzbehörden mit dieser Vermögensaufstellung in der Hand seine Wohnung durchkämmen, und dann nur zwei oder drei Küchentücher finden und sich fragen würde, wo der Jude Goldmann, dieser verschlagene Hund, wohl die restlichen versteckt hatte, die auf der Liste standen.

Herrenbekleidung:
Frack: -
Smoking: -
Gehrock: 1
Straßenanzüge: 1
Wintermäntel: -
Sommermäntel: 1
Pelzmäntel: -

Herrenhüte: 1
Sportbekleidung: -
Skistiefel: -
Uniform-Mantel: -
Pullover: -
Oberhemden: 3
Schlafanzüge: 2
Paar Schuhe: 1
Paar Strümpfe: 4
Paar Handschuhe: -

Itzig hatte das tiefe Verlangen, sich eine Pfeife anzustecken oder besser noch eine Zigarre, aber daran war natürlich nicht zu denken, es gab keinen Krümel Tabak im Haus. Nun zur Damenbekleidung.

Gesellschaftskleider:
Kostüme:
Seidenkleider:
Wollkleider:
Röcke:
Blusen:
Pelze:
Damenhüte:
Sommermäntel:
Wintermäntel
Sportbekleidung:
Morgenröcke:
Paar Strümpfe:
Paar Handschuhe:
Paar Schuhe:
Damenwäsche:

Itzig sah Helene vor sich, in ihren geblümten Sommerkleidern, in ihren eleganten Kostümen, in ihrem Pelzmantel, in dem sie fast verschwunden war wie in einer Wolke. Er dachte an Helene in ihrem Hochzeitskleid und in ihrem Morgenmantel. In ihrem Nachthemd. Wie sie mit den Jahren immer fragiler geworden war, aber immer noch diese würdevolle Eleganz an sich hatte, die er liebte und die ihn stolz machte. Energisch strich er den Abschnitt »Damenbekleidung« durch. Gar nichts würde er ausfüllen, sie würden Helenes Koffer packen und alles darüber hinaus im Ofen verbrennen. Unter keinen Umständen würde er den Gedanken ertragen, dass sich Nazihände durch die Wäsche seiner Frau wühlten, dass die Ehefrauen oder Freundinnen von SA-Männern Helenes seidenen Morgenmantel auftrügen oder dass sich irgendeine Nachbarin ihre gefütterten Lederhandschuhe unter den Nagel risse.

Dann strich er auch den Rest noch durch, den Abschnitt über Antiquitäten, Kunstwerke, Schmuck. Nichts war mehr da, alles war weg, da konnten sie sich gern von überzeugen. Am Schluss die eidesstattliche Versicherung, dass er alles wahrheitsgemäß ausgefüllt und nichts unterschlagen habe.

Datum, Unterschrift.

»Kann ich dir helfen, Lieber?«

Helene stand in der Küchentür, das Haar offen und zerzaust vom Schlaf, dünn und alt, das Gesicht voller Sorgenfalten und mit tiefdunklen Schatten unter den Augen.

Wunderschön.

»Nein, ich bin fertig. Setz dich einfach zu mir«, sagte Itzig und legte den Stift zur Seite. »Aber mach doch das Fenster wieder auf, es ist so schlechte Luft hier drinnen. Und draußen ist so ein schöner Tag.«

29.

Das würde ein anstrengender Besuch werden, Evelyn sah es schon an der Art, wie Hannah ihr Zimmer im Senioren-palais betrat. Nicht gehetzt und verhuscht und irgendwie innerlich verregnet wie sonst. Sondern so aufrecht und ent-schlossen. Das stand ihr gut, keine Frage. Ein bisschen mehr Haltung. Aber als Evelyn dann zusehen musste, wie Hannah sich die Fernbedienung ihres Fernsehers vom Glas-tisch schnappte und sie in der kleinen Küchenecke in den Kühlschrank legte, wurde ihr die Sache unheimlich.

»Warst du noch in der Apotheke für mich?«

»Nein«, sagte Hannah, ohne weitere Entschuldigungen oder Begründungen. Sie setzte sich Evelyn gegenüber und zog einen Stapel Papiere und ein Notizbuch aus einer sehr großen Handtasche, die Evelyn bislang noch nicht kannte. Hannah war sonst gar nicht so der Typ für Handtaschen, gut, dass sie langsam damit begann, sich wie eine erwach-sene Frau zu kleiden. Aber was wurde das hier? Ein Ver-hör?

»Ich werde heute hier nicht weggehen, bevor wir nicht richtig miteinander geredet haben, Omi. Ich will, dass du mir endlich ein paar Fragen beantwortest. Und wenn du es nicht machst, wenn du mich wieder vertröstest oder stur bleibst, komme ich nicht mehr. Dann ist das hier mein letzter Besuch. Das ist mein voller Ernst.«

Hannah sah ihr gerade in die Augen und verzog keine Miene. Evelyn schnaufte und fischte sich ein Pfefferminzbonbon aus dem Schüsselchen neben ihrem Sessel. Es sah nicht so aus, als bräuchte sie Hannah eins anzubieten und außerdem hatte diese ja im Gegenzug auch nicht wie sonst etwas mitgebracht. Sie friemelte das Bonbon aus seinem Papierchen und steckte es sich in den Mund. Zeit gewinnen. Hannah saß einfach nur da und schaute sie an, so als warte sie, dass Evelyn irgendeine Art von Vorbereitung abschloss, für das, was jetzt kam. Dann holte sie tief Luft und sagte:

»Warst du ein Nazi, Omi?«

Evelyn verschluckte sich fast an dem Bonbon und griff unwillkürlich neben sich, dahin, wo sonst die Fernbedienung lag. So als könnte sie Hannah und diese Frage einfach wegzappen, so wie sie es sonst mit heranrollenden Gefühlen tat.

»Sag es mir, ich will es jetzt wissen. Warst du ein Nazi? Hast du Juden gehasst?«

Evelyn sank noch ein Stückchen tiefer in ihren schweren Ledersessel.

»Das ist nicht so leicht zu beantworten, Hannah.«

»Also warst du einer. Du warst ein Nazi, richtig? Du willst jetzt nichts über die Goldmanns hören, weil du dich schuldig fühlst.«

Die alte Wanduhr schlug drei Uhr und der Gong füllte den Raum. Evelyn seufzte. Das hätte sie kommen sehen können, dass Hannah irgendwann solche Schlüsse ziehen würde, und trotzdem traf es sie mit einer Wucht, mit der sie nicht gerechnet hatte. Dass Hannah so von ihr dachte.

Und jetzt einfach dasaß und sie ansah, die Stille bedrohlich anwachsen ließ.

»Ich will da nicht drüber reden.«

Hannah atmete laut aus und griff nach ihrem Mantel, begann damit, die Unterlagen in ihre Tasche zu räumen, und Evelyn sah, wie ihr die Wuttränen in die Augen schossen. Sie meinte es ernst, sie würde gehen. Und vielleicht wirklich nicht wiederkommen. Das war unvorstellbar. Damit hatte Evelyn nicht gerechnet.

»Warte, Hannah.«

Hannah hielt inne, behielt aber den Mantel an.

»Du denkst, das ist alles so einfach mit Ja und Nein zu beantworten. Aber so ist es nun mal nicht. Ja, ich war im BDM. Und ich mochte das sehr. Das war alles wie ein schönes Abenteuer, verstehst du?«

»Nein. Und das ist keine Antwort auf meine Frage.«

Evelyn schloss kurz die Augen und zog sich kühle Pfefferminzluft in die Lungen.

»Ich habe Juden nicht gehasst. Und ich hatte die Goldmanns sehr gern. Das waren feine Menschen, die immer gut zu mir gewesen sind. Aber noch mehr mochte ich meine Tante. Die war meine eigentliche Mutter. Sie hat mich nie im Stich gelassen, sie war der wichtigste Mensch in meinem Leben. Und sie war eine überzeugte Nationalsozialistin.«

Hannah schwieg und sah Evelyn weiter erwartungsvoll und ernst an, sie war noch nicht zufrieden.

»Ich kann dir nicht sagen, dass ich ausschließlich das eine oder das andere war. Ich war jung und dumm und auch feige. Ich habe mich nicht vor meine jüdischen Mitschülerinnen gestellt, wenn die schikaniert wurden. Ich fand es nicht gut, ich habe nicht mitgemacht, aber ich habe ihnen auch nicht geholfen. Ich habe meiner Tante auch nicht widersprochen, wenn die die Juden als Plage bezeichnet hat. Wusste ich, dass sie die Juden in den KZs vergasen? Nein, aber ich habe natürlich mitbekommen, wie in Güstrow die Synagoge gebrannt hat und wie plötzlich alle Juden abgeholt wurden, und nie wieder hörte man irgendwas von ihnen. Ich hätte wissen können, dass man sie umbringt. Und vielleicht habe ich es tief drinnen auch gewusst und mir eingeredet, dass ich es nicht weiß. Das ist wie mit dir und deiner Mutter.«

Jetzt hatte sie Hannah aus der Fassung gebracht.

»Ich weiß nicht, was das mit Mama zu tun haben soll«, sagte sie kühl.

»Nun, du wusstest doch, dass sie krank ist, oder nicht?«

»Sie hat es mir ganz lange nicht gesagt, wie du weißt.«

»Ja, aber du wusstest es trotzdem, Hannah, nicht wahr? Du wusstest, dass sie krank ist und dass sie zu irgendwelchen Quacksalbern rennt, die ihr nicht helfen können, mit ihren Pendeln und ihren Zuckerkügelchen und was weiß ich. Du hast tief in dir drin gespürt, dass etwas nicht in Ordnung ist und es hat dir solche Angst gemacht, dass du dir eingeredet hast, du wüsstest von nichts.«

»Das ist nicht das Gleiche. Du lenkst ab.«

Ja, das war tatsächlich nicht das Gleiche. Es war nur so unendlich schwer zu erklären. Evelyn vermisste Trude noch immer, jeden Tag. Wenn sie in den letzten Jahren an den Tod gedacht hatte, dann immer mit einer kleinen, kindlichen Sehnsucht, ihre Tante wiederzusehen, auch wenn sie das niemals laut gesagt hätte, als Medizinerin. Vielleicht war es gar nicht so sehr Trude, nach der sie sich sehnte, sondern das Gefühl von Sicherheit, das sie in ihrer Nähe und nur in ihrer Nähe gespürt hatte. Wie sollte sie

Hannah begreiflich machen, dass der Mensch, den sie am meisten geliebt hatte in ihrem Leben, mit Tränen der Ergriffenheit vorm Volksempfänger gesessen hatte, wenn der Führer sprach? Dass Trude eine aufopferungsvolle Krankenschwester und gleichzeitig der Ansicht gewesen war, dass man sie besser totschlagen solle, die Juden. Die zufrieden an den eingeschlagenen Fensterscheiben der Liebermanns vorbeigelaufen war, bei denen sie früher gerne eingekauft hatte, weil man sie dort hatte anschreiben lassen. Wie hatte Evelyn so jemanden lieben können?

Hannahs harter Blick hatte sich ein bisschen aufgeweicht, sie schaute nicht mehr ganz so entschlossen und nestelte in ihrem Stapel Papiere herum.

»Bitte sag mir einfach, warum du nicht über deine Mutter redest. Ich verstehe es einfach nicht.«

Evelyn schnaufte. »Weil sie in meinem Leben keine Rolle spielt. Damals nicht und heute auch nicht. Sie wollte nichts von mir wissen, und ich will jetzt nichts von ihr wissen. Deshalb.«

»Warum hast du mir diesen Brief dann überhaupt gegeben?«, fragte Hannah.

Ja, warum hatte sie? Evelyn versuchte sich zu erinnern, was sie davon abgehalten hatte, den Brief der israelischen Anwaltskanzlei einfach im Altpapier zu entsorgen. Es hatte sie aufgewühlt, diesen Brief zu lesen. Wie ein Gruß ihrer Mutter aus dem Jenseits. So als hätte Senta ihr doch noch einmal ein Seil zugeworfen, um sie auf ihre Seite zu ziehen. Und sie hatte das Seil nicht ergreifen wollen. Das waren schließlich ihre Angelegenheiten gewesen, alles Resultate ihrer Entscheidung, Evelyn keine Mutter sein zu wollen. Aber es hatte sich auch falsch angefühlt, Hannah die Möglichkeit zu verwehren, etwas darüber zu erfahren. Und vielleicht einen finanziellen Nutzen davon zu haben, wenigstens das.

»Gut, Hannah«, sagte sie. Vielleicht war es doch besser, es einmal hinter sich zu bringen. »Frag mich zu meiner Mutter oder zu den Goldmanns, was du wissen willst. Ich versuche mich zu erinnern.«

Hannah schien erleichtert. Sie lächelte zum ersten Mal. Und dann legte sie Evelyn einen dicken Stapel Papiere in den Schoß, alles kopierte Zeitungsartikel von Senta. Hannah erzählte ihr alles, was sie über Senta herausgefunden hatte. Dass sie eine humorvolle und pointierte Schreiberin gewesen war. Dass sie ihrem Schwiegervater bei der Anfertigung einer Inventurliste hatte helfen müssen, als die Nazis ihm verboten hatten, weiter Kunst zu verkaufen. Dass die Goldmanns deportiert und ermordet worden waren und Senta und ihr Mann Julius nach dem Krieg versucht hatten, die gestohlene Kunst wiederzufinden. Und dass Senta sich an einige der Kunstwerke habe erinnern können.

»Hattet ihr denn gar keinen Kontakt in dieser Zeit?«

»Doch, wir haben uns geschrieben, ab und zu. Und sie hat mich einmal besucht, zu meiner Hochzeit mit deinem Opa. Aber wir hatten uns nicht viel zu sagen, und dann ist sie ausgewandert, nach Brasilien«, sagte Evelyn.

Wie ein Fremdkörper hatte Senta damals bei ihrer Hochzeit gesessen, in einem viel zu mondänen Kleid.

»Die Frau, die für uns nach den Bildern sucht, vermutet, dass Itzig Goldmann vielleicht einige der Kunstwerke hat verschwinden lassen, bevor die Nazis sie beschlagnahmen konnten. Dass er vielleicht Freunde hatte, bei denen er etwas hätte verstecken können. Kannst du dich an irgendwen erinnern?«

»Nein, Kind.«

Hannah zog eine der Kopien aus dem Stapel und hielt sie Evelyn vor die Nase. Es war ein Bericht über den Kunstsalon Goldmann, darunter ein Foto. »*Kunsthändler Itzig Goldmann im Kreise seiner Gäste*«.

»Erkennst du hier irgendwen, Omi? Schau genau hin, bitte.«

Evelyn nahm das Blatt und kniff die Augen zusammen. Ihre Erinnerung an Itzig Goldmann war vage, aber sie erkannte ihn: das sorgfältig gescheitelte Haar, der amüsierte Blick, die Uhrenkette, die sie als Kind so elegant gefunden hatte. Links neben ihm zwei Männer, die Evelyn nicht erkannte, rechts Senta und Julius. Es war das erste Mal seit vielen Jahren, dass sie ein Bild ihrer Mutter sah.

»Das ist Senta. Die mit den schwarzen Haaren. Das daneben ist Julius Goldmann. Und sie hier kenne ich auch. Das war die beste Freundin meiner Mutter. Wir haben sie manchmal besucht, wenn ich in Berlin war. Sie hieß Lotte, meine ich.«

Hannah schnappte sich das Blatt. Es war das erste Mal, dass sie ein Foto ihrer Urgroßmutter sah, und fast bereute Evelyn, die wenigen Fotos, die sie von ihrer Mutter einmal besessen hatte, bei ihrem Umzug ins Seniorenpalais weggeworfen zu haben, zusammen mit beinahe allen persönlichen Erinnerungsstücken.

»Das hätte mir auch gleich auffallen können, dass das Senta sein muss«, sagte Hannah. »Sie sieht dir total ähnlich, Omi.«

Dir auch, dachte Evelyn, aber sie sagte es nicht laut. In Hannahs Gesichtszüge hatte sich auch viel von Silvia hineingemendelt, der geschwungene Mund etwa, den Karl mit in die Familie gebracht hatte. Aber die Wangenknochen, der

Blick, die Ernsthaftigkeit in Hannahs Mimik – das war Senta.

»Kannst du dich daran erinnern, wie Lotte mit Nachnamen hieß?«, fragte Hannah. »Vielleicht gibt es ja noch lebende Verwandte von ihr.«

Evelyn überlegte. Sie erinnerte sich gut an Lotte, die ihr immer so viel herzlicher und nahbarer vorgekommen war als ihre eigene Mutter. Lotte war fröhlich gewesen, sie hatte Sommersprossen und eine Lücke zwischen den Schneidezähnen, durch die sie pfeifen konnte wie ein Zeitungsjunge. Evelyn erinnerte sich an ihren kleinen Sohn, mit dem sie manchmal spielen musste, wenn Senta und Lotte etwas zu besprechen hatten. Franz hieß er, nein, Fritz. Fritz hatte sie als kleiner Junge immer gekniffen, und Evelyn hatte ihm irgendwann mal eine gescheuert, danach hatten sie beide ihr Verhältnis für geklärt empfunden. Fritz könnte natürlich noch leben. Unwahrscheinlich, aber nicht unmöglich.

Doch wie war sein Nachname? Er war ungewöhnlich und auch ein bisschen komisch gewesen, aber sie kam einfach nicht darauf.

»Ich weiß nicht mehr, Hannah. Ich kann mich nicht erinnern. Ich war noch fast ein Kind. Ich kann mich an Itzig Goldmann erinnern, der hat mir beigebracht, wie man Tiere aus Papier faltet. Seine Frau war häufig krank, aber sie war sehr elegant und hatte immer einen Pelzmantel an, auch wenn es eigentlich schon zu warm dafür war. Und Julius Goldmann, den mochte ich auch. Er war sehr belesen und geduldig mit mir. Viel geduldiger als meine Mutter. Die wusste nicht so recht was mit mir anzufangen.«

Hannah betrachtete die Fotografie mit zusammengekniffenen Augen, so als könne sie dem grieseligen Schwarz-Weiß-Bild und damit ihren Gedanken mehr Klarheit und Schärfe verleihen.

»Das hat Mama auch immer über dich gesagt. Dass du nichts mit ihr anzufangen wusstest und Opa immer viel geduldiger mit ihr war«, sagte Hannah.

Ja nun, dachte Evelyn bitter. Es war ja auch leicht gewesen für Karl, Geduld mit seiner Tochter zu haben, schließlich hatte er sie nicht den ganzen Tag um sich gehabt. Er kam abends spät vom Dienst und fand ein gebadetes Mädchen im Bett liegend vor, das sich begeistert in seine Arme stürzte. Seine Tochter, der er nie die störrischen Haare kämmen oder die einfachsten Mathematikaufgaben wieder und wieder erklären musste. Für die er nie in der Küche gestanden und etwas gekocht hatte, um dann zu beobachten, wie sie lustlos mit der Gabel darin herumstocherte und höchstens eine Spatzenportion aß. Niemals hatte Karl sich von der Nachbarin anhören müssen, das Kind habe ja nichts auf den Rippen, ob wohl im Hause Borowski an der guten Butter gespart werde?

Karl hatte für Silvia nichts aufgegeben, sie hatte sich einfach so in sein Leben gefügt, wie ein Bonus. Evelyn dagegen hatte alles aufgegeben, weil sie angenommen hatte, es würde sich lohnen. Dass das Muttersein sie aufladen würde mit Liebe und Sinnhaftigkeit.

Hatte es dann nicht. Und wie ungerecht er war, dieser Vorwurf der Ungeduld. Silvia hatte die Indifferenz ihres Vaters mit Geduld verwechselt und für ein Zeichen seiner Zuneigung gehalten, dabei war es Evelyns fürsorgliche Strenge gewesen, ihre Unnachgiebigkeit, die aus Silvia doch noch eine einigermaßen lebenstüchtige Person gemacht hatte. Das war ihre Art von Liebe gewesen. Es tat weh, zu hören, von ihrer Tochter so verkannt worden zu sein. Und dass Hannah offenbar genauso von ihr dachte.

Evelyn war müde. Sie überlegte, ob sie Hannah nun wohl bitten könnte, ihr die Fernbedienung wieder zu geben und einfach zu gehen. Sie hatte doch nun geredet, was wollte sie denn noch. Ihr tat der Kopf weh, der Wetterwechsel machte ihr zu schaffen und dieser ganze Erinnerungsschutt, durch den sie sich zu wühlen hatte, und da war er plötzlich, der Name.

Schuddekopf.

Lotte Schuddekopf. Und ihr Sohn, Fritz Schuddekopf.

Hannah lächelte und gab ihr einen Kuss, notierte sich den Namen in ihrem Notizbuch, zog sich schnell den Mantel an, packte ihre Unterlagen wieder zusammen und stürzte aus der Tür. Die Fernbedienung lag noch im Kühlschrank, die Uhren waren unaufgezogen, die Orchideen ungegossen und die Jalousie, ach, die Jalousie, mit der war Hannah ja ohnehin nie zurechtgekommen.

Evelyn ächzte, als sie sich auf ihren Stock stützte und sich von ihrem Sessel erhob. Sie ging zum Kühlschrank, in dem nichts drin war außer einem abgelaufenen Becher Buttermilch, und nahm die Fernbedienung aus dem Gemüsefach. Ungewohnt kalt lag sie in ihrer Hand, und Evelyn stellte sich vor, es wäre eine Waffe und sie könnte damit nicht etwa den Fernseher an-, sondern sich selbst ausknipsen.

Es war doch gut jetzt. Es reichte. Es war nun wirklich genug.

30.

Bad Doberan 1945

Der Russe kam, wie man so sagte. Er kam von allen Seiten, aber er kam ihnen nicht zu nahe. Der Russe, so flüsterten sich die Schwestern und Ärzte beschwichtigend zu, fürchtet sich vor Krankheiten. Im Lazarett waren sie einigermaßen sicher. Hier würde er sie in Ruhe lassen. Und falls nicht, konnte man sich vom Apotheker unter der Hand eine Zyankali-Ampulle geben lassen, dann ging es schnell und angeblich ohne Schmerzen.

Evelyn trug ihre Ampulle in einem kleinen Säckchen um den Hals, unter ihrer Schwesternuniform. Kaliumcyanid, das Kaliumsalz der Blausäure, wasserlöslich, letale Dosis etwa 230 Milligramm. Evelyn hatte erst vor wenigen Monaten ihr Physikum bestanden, und die Formeln und medizinischen Fachbegriffe waren für sie ein tröstendes Mantra. Im Keller während der Angriffe, hinterher beim Schuttwegräumen, und jetzt, da der Universitätsbetrieb unterbrochen und sie ganz offiziell als Helferin nach Bad Doberan beordert worden war, drängte es andere Gedanken beiseite. Zum Beispiel, wie es sich wohl wirklich anfühlen würde, diese Zyankali-Ampulle zu zerbeißen. Oder was genau »der Russe« denn mit ihr machen würde, sollte sie sich gegen das Sterben entscheiden oder die Backsteinbaracke verlassen, in der ohnehin nur noch der Tod verwaltet wurde.

Trude hatte nur verächtlich geschnaubt, als sie gefragt worden war, ob sie Zyankali brauchte. Evelyn ahnte, was in ihr vorging: Sie würde untergehen mit diesem Schiff, und da solle er ruhig kommen, der Russe, und mit ihr machen, was er wollte. Der Führer war tot und mit ihm Trudes Hoffnungen und Sehnsüchte, und nicht einmal die Tatsache, dass Evelyn bei ihr war, dass sie sich nicht verloren hatten in den letzten Kriegswochen, weckte in ihr irgendeinen Lebensmut.

Die Lazarettleitung hatte damit begonnen, die Evakuierung der Verletzten zu planen, sie sollten mit dem Schiff von Warnemünde nach Dänemark gebracht werden. Doch dann machte die heranrückende Front die Evakuierung unmöglich, es folgte die Kapitulation und sie saßen fest.

Das Reservelazarett wurde ein Behelfskrankenhaus und das Behelfskrankenhaus sehr bald eine Art Seuchenstation. Der Typhus ging um, und sie wurden seiner nicht Herr. Sie hatten nichts da, um das Fieber zu senken, nur kalte Wickel. Die Kranken lagen in ihren Durchfällen, es gab zu wenig Bettzeug, und sie kamen mit dem Waschen und Auskochen gar nicht hinterher. Das ganze Gebäude stank nach Kot und Verwesung, nur gelegentlich überdeckt vom scharfen Geruch der Desinfektionsmittel, und Evelyn bekam es mit der Angst, immer wenn sie sah, mit welcher Verbissenheit Trude arbeitete und wie wenig vorsichtig sie war, sich nicht anzustecken.

Eine Selbstmordmission war das, so als legte sie es darauf an. Mit dem Ende des Krieges war sie kaum noch erreichbar, so als wäre sie in eine dichte schwarze Wolke eingehüllt. Trude redete nur noch das Nötigste und jedes Mal, wenn eine der Schwestern aussprach, was alle dachten, nämlich wie froh sie war, dass nicht mehr geschossen wurde und niemand mehr nachts im Keller sitzen musste, quittierte Trude das mit einem Blick, der so finster und verächtlich war, dass alle sofort wieder schwiegen. Die Nachricht aus Güstrow, Onkel Arthur sei als Teil des letzten Aufgebots erschossen worden, nicht etwa bei Kampfhandlungen, sondern als Deserteur, war eine zusätzliche Schmach.

Evelyn hoffte, dass wenigstens Trudes Pervitin-Vorrat bald zur Neige gehen würde, sodass ihr nichts anderes übrig bliebe, als endlich zu schlafen. Mal eine Schicht auszusetzen und nicht immer die Erste zu sein, die die Kranken wusch und ihnen die Wäsche vom Leib pellte. Die Kranken waren die Einzigen, mit denen Trude überhaupt noch sprach oder denen sie ab und an ein Lächeln schenkte, offenbar fühlte sie sich den Todgeweihten näher als ihren Kolleginnen und sogar näher als Evelyn.

»Ich mach mir Sorgen um dich, Tuda«, hatte sie ihr einmal gesagt, aber Trude hatte sie nur mit leeren Augen angesehen und gesagt, sie käme schon zurecht. Evelyn solle sich lieber um sich sorgen und um ihr Vaterland, das nun in Feindeshand sei. Sie sehe keine Zukunft, die es wert wäre, vorsichtig im Umgang mit Krankheiten zu sein.

Die ersten Fieberschübe waren noch so mild, dass Evelyn kaum etwas davon mitbekam, sie hatte Trudes Abgeschlagenheit auf das Arbeitspensum und den Hunger geschoben. Aber als Trude nachts anfing zu halluzinieren, als sie ihre Durchfälle nicht mehr kontrollieren konnte, war die Sache klar. Evelyn machte ihr kalte Wadenwickel, die Trude wieder abstreifte. Sie ließ sich auch kein Wasser einflößen und drehte sich weg, wenn Evelyn sich an ihr Bett setzen wollte. Manchmal lag sie mit glasigen Augen da und murmelte unverständliche Dinge, und wenn sie doch verständlich waren, musste Evelyn das Zimmer verlassen, weil sie nicht hören wollte, wen Tuda alles totschlagen oder aufknüpfen wollte. Das Fieber kochte in Trude alles auf, es stieg blasig schäumend nach oben, ohne jeden Filter, ein Delirium aus Hass, Angst, Enttäuschung und Wut. Nur einmal noch hatte sie Evelyn direkt angesehen und ihre Hand gegriffen und versucht etwas zu sagen. Aber es war nur wirres Zeug über eine Kommode, die Evelyn unbedingt holen und zerlegen sollte. Trude mühte sich, mehr zu sagen, etwas zu erklären, aber es kam nicht viel dabei heraus, außer immer wieder »Hol die Kommode! Die Kommode, Evchen. Für dich.«

Ein Fiebertraum.

Am nächsten Morgen war Evelyn aufgewacht, nach einer Nacht, in der die Erschöpfung ihr einen tiefen und traumlosen Schlaf geschenkt hatte. Im Bett neben ihr war Stille. Eine laute Stille. Sie musste gar nicht nachsehen, sie wusste es auch so.

Sie blieb einfach liegen und sah an die Decke, zu einer Stelle, an der der Putz sich löste, und während Evelyn mit den Augen das Muster aus Rissen abfuhr und dem Gedanken nachhing, dass sich das Wort Typhus vom altgriechischen Wort für »Nebel« ableitete, kamen ihr endlich Tränen. Merkwürdig fühlte sich das an, sie hatte schon vermutet, irgendein mysteriöser Prozess in ihrem Körper habe ihr die Möglichkeit genommen, Tränen zu produzieren. Aber vielleicht war schlicht zu viel zu tun gewesen, um zu weinen.

Jetzt blieb sie einfach liegen und ließ alles laufen, ein traurig schöner Moment der Ruhe, den sie auskosten musste. Denn als Nächstes würde sie aufstehen und Trude zudecken müssen. Ihr die kratzige Decke bis über das Gesicht ziehen. Sie musste den Arzt informieren, dass die Oberschwester gestorben war. Der würde es der russischen Kommandantur melden. Und dann würden sie Trude abtransportieren, zusammen mit den anderen, die die Nacht nicht überlebt hatten, und sie schnell und ohne Zeremonie begraben.

Ich bin allein, dachte Evelyn. Jetzt bin ich ganz allein.

Die nächsten Wochen vergingen, und Evelyn stellte fest, dass das Alleinsein auch eine gute Seite hatte. Es befreite sie von Sorge. Es machte sie leicht. Niemand rechnete mit ihr, niemand zählte auf sie, niemand wartete, und sie musste es umgekehrt auch nicht tun. Sie arbeitete einfach stumpf vor sich hin und wie durch ein Wunder wurde sie nicht krank. Die meisten Typhus-Patienten starben, und sie konnte es ihnen leichter machen, zu gehen. Wenige wurden einigermaßen gesund und verließen die Klinkerbaracken mit leeren Gesichtern. Aber das berührte sie alles nicht sonderlich. Es war, als hätte Trudes Tod in ihr eine Leitung gekappt, als würden bestimmte Dinge ihr Nervensystem einfach nicht mehr erreichen, und das war kein schlechter Zustand.

Evelyn meldete sich nun immer freiwillig für Botengänge. Lebensmittel, Medikamente, Verbandsmaterialien, für alles musste sie als Abgesandte des Roten Kreuzes Anträge bei der russischen Kommandantur stellen. Es war eigentümlich, wie sehr sich alle daran gewöhnt hatten, wochenlang das Krankenhaus nicht zu verlassen und nur schnell zwischen ihrer Schlafbaracke und den Krankensälen hin und her zu huschen. »Schau immer nach unten, beeil dich, lass dich nicht ansprechen, kratz dich am Kopf, dann denken sie, du hast Läuse, und lassen dich in Ruhe« – Evelyn hatte jedes Mal eine ganze Palette an Vorsichtsmaßnahmen mit auf den Weg zur Kommandantur bekommen und eigentlich erwartet, dass sich sofort eine Horde sowjetischer Soldaten auf sie stürzen würde, sobald sie das Krankenhausgelände verließ.

Sie kannte die Geschichten. Sie hatte Frauen mit inneren Blutungen und erloschenen Augen versorgt, die halb tot von Lastwagenladeflächen vor ihre Krankenhaustür gekippt worden waren, wie Abfall. Aber Evelyn geschah nichts dergleichen. Sie konnte unbehelligt durch den Ort laufen oder das, was von ihm übrig war. Ihre Schwesterntracht war wie ein Schutzanzug, die Zyankali-Ampulle unter ihrem Hemd wie ein Talisman. Die Männer machten einen Bogen um sie und auch in der Kommandantur wurde sie schnell und distanziert abgefertigt, so als trage sie den Tod mit sich herum.

Es war auf einem dieser Botengänge, dass sich ihr neues Leben ankündigte, und wie so oft kam es im Gewand eines Abschieds. Evelyn hatte von der neuen Oberschwester den Auftrag bekommen, in der Kommandantur nach Matratzen oder wenigstens Strohsäcken zu fragen, sie hatten einige wegen der Bettwanzen verbrennen müssen. Als Antwort bekam sie nur ein knappes *njet*, das Behelfskrankenhaus werde aufgelöst. Noch zwei Wochen, um alles abzuwickeln, dann solle sie nach Hause gehen.

Nach Hause.

Genau diesen Gedanken hatte Evelyn lange vermieden, anders als die anderen Krankenschwestern, die von nichts anderem sprachen. Wann sie wohl endlich nach Hause könnten? Ob da wohl noch irgendjemand war, ob das Elternhaus noch stand, die Eltern noch lebten, der Bruder hoffentlich irgendwann heimkam?

Das Wort Zuhause verknüpfte sich für Evelyn mit keinem

Ort mehr, in Güstrow wartete nichts auf sie, die Familie, bei der sie in Rostock gewohnt hatte, war ausgebombt und zu Verwandten aufs Land gezogen. Von Senta und Julius hatte sie seit zwei Jahren kein Lebenszeichen. Wohin also sollte sie gehen? Die Heimweh-Gespräche der anderen über Lieblingsessen und Weihnachtsrituale ließ sie schweigend über sich ergehen, das Einzige, was sie in irgendeiner Form an eine Zukunft denken ließ, war die Vorstellung, weiter zu studieren.

Und die Einzige, die sich dafür zu interessieren schien, war Elsbeth. Eine Schwäbin, der sich Evelyn verbunden fühlte, weil sie hart arbeitete und nicht so viel quatschte. Nach Trudes Tod hatte sie ihr keine großen Trauerreden gehalten, sondern ihr einfach ein paar besonders lästige Arbeiten abgenommen.

»Nimm Ritas Papiere und komm mit mir«, hatte ihr Elsbeth eines Morgens angeboten, als sie zusammen in der Waschküche Bettzeug auskochten. »Du kannst bei uns wohnen, und du siehst Rita ähnlich, die merken das nicht. In Ildingen sind die Amerikaner, es ist viel einfacher dort.«

Elsbeths Schwester Rita war kurz vor Kriegsende eines Nachts verschwunden und nicht wieder aufgetaucht. Alle hatten gewusst, dass es zwecklos war, nach ihr zu suchen. Sie war schon wochenlang nur noch ein Schatten gewesen, und dann hatte sie eines Nachts einen Abschiedsbrief an ihre Schwester hinterlassen und war im Nachthemd losmarschiert, vermutlich in Richtung Meer.

Sie hatten es nicht gemeldet, zunächst in der Hoffnung, Rita tauche vielleicht doch wieder auf, dann in der Absicht, eine zusätzliche Lebensmittelration einzustreichen. Elsbeth hatte Ritas Rotkreuz-Ausweis aufgehoben, der noch in Ildingen ausgestellt worden war, bevor man sie erst an die

Ostfront und dann nach Bad Doberan versetzt hatte. Mit etwas Glück könnte Evelyn mit diesem Ausweis einen Heimkehrer-Passierschein für die amerikanische Zone bekommen. Oder sie könnte Pech haben und wegen Urkundenfälschung verhaftet werden, und dann Gute Nacht!

Die letzten Kranken wurden in Rostocker Krankenhäuser gebracht, viele waren es nicht. Die Baracken wurden nach und nach geräumt, und Evelyn nähte ihre wenigen wichtigen Dokumente in ihre Kleider ein. Den Bescheid über ihr bestandenes Physikum und den DRK-Ausweis, der ihr in Rostock ausgestellt worden war.

An dem Tag, an dem sie die Passierscheine abholen mussten, kämmte Elsbeth Evelyn die Haare auf die andere Seite, zog den Scheitel so, wie Rita ihn getragen hatte. Elsbeth war aufgekratzt und sprach viel mehr als sonst. Von ihrem Vater, einem Wirtschaftsprofessor an der Universität in Stuttgart, ihrer Großmutter, die mit im Haus lebte und zwei Kanarienvögel hatte. Karl, der kleine Bruder, hoffentlich am Leben und irgendwo in Kriegsgefangenschaft. Das alte Haus unterhalb der Burg, wie durch ein Wunder verschont von den Luftangriffen, mit Platz auch für Evelyn. Vielleicht würde Evelyns Anwesenheit ein Trost für die Mutter sein, die Ritas Tod verkraften musste. Rita sei schon immer ihr Sorgenkind gewesen, viel zu sanft und empfindsam für diese schreckliche Zeit. Aber eine verblüffende Ähnlichkeit mit Evelyn hatte sie, die feinen, dunklen Haare, die blaugrauen Augen, die hohen Wangenknochen. Elsbeth sah prüfend auf das Foto ihrer toten Schwester und dann zu Evelyn. »Ihre Augen sind enger zusammen, aber es wird schon gehen. Hast du alles?«

Am darauffolgenden Tag saß Evelyn als Rita Borowski mit ihrer Schwester Elsbeth auf der Ladefläche eines Pferdewagens, der über rumpelige Wege in Richtung Süden fuhr. Im Bauch ein immer größer werdendes Hungerloch und im Herzen ein kleiner Funken Hoffnung, der sich aus dem Erstaunen speiste, dass es tatsächlich funktioniert hatte. Dass der junge Mann in sowjetischer Uniform, ungefähr in ihrem Alter, erst sie und dann Ritas DRK-Ausweis und dann wieder sie angeschaut und genau gesehen hatte, dass sie nicht die Person auf dem Foto war. Sie konnte es an seinem Blick erkennen, und ihr Herz klopfte so heftig, als wollte es ihren Brustkorb durchschlagen. Aber dann nahm er den Passierschein, drückte einen Stempel darauf, reichte ihn Evelyn und machte eine Handbewegung, die sich nur mit »verschwinde!« übersetzen ließ.

Der Pferdewagen fuhr an dem umgegrabenen Acker neben der Friedhofsmauer vorbei, wo die Toten der letzten Monate begraben worden waren. Ein matschiges Feld voller Erdhügel, an denen vereinzelt ein paar schnell zusammengezimmerte Kreuze standen. Evelyn dachte an Trude, die unter einem dieser Erdhaufen lag, begraben in ihrer Schwesternkluft, inzwischen vermutlich nicht mehr zu erkennen.

Zersetzungsprozesse hatten Evelyn in ihrem Studium besonders fasziniert. Wie Zellen sich verwandelten und auflösten. Und immer, wenn sie an ihre tote Tante dachte, dann tröstete sie dieser Gedanke. Dass Trude nun zerfiel und dabei Nahrung war für Käfer, Würmer und Mikroben aller Art. Dass sie nun erlöst war und dass auch Evelyn erlöst war, von dem Gefühl der Entfremdung und der Trauer um ihre alte Verbundenheit, um diese Zeit, als Trude alles für sie gewesen war, und noch nicht ein Mensch voller Wut und Hass.

Einem Bauern, der sie in seiner Scheune hatte schlafen lassen, hatten sie ein Messer geklaut, und Elsbeth hatte es sich unter die Wollsocken in die durchgelaufenen Stiefel gesteckt. Bislang hatten sie das Messer nicht gebraucht, aber es war gut zu wissen, dass es da war. Manchmal schlossen sie sich anderen an, die ebenfalls in Richtung Süden unterwegs waren, meistens gingen sie allein. Südlich von Anklam gab es einen Güterbahnhof, von dort sollten Züge in Richtung Erfurt fahren, und von Erfurt aus war es nicht mehr weit bis zur Amerikanischen Zone. Evelyn und Elsbeth schlichen eine Weile in der Nähe der Bahngleise herum, die Zehen steifgefroren, in der Hoffnung, irgendwo unbemerkt einsteigen zu können. Und tatsächlich schien in einen der abgestellten Züge Bewegung zu kommen, die Lokomotive wurde angefeuert, es ruckte und zischte, Elsbeth schob eine der Waggontüren auf und sie kletterten hinein.

Evelyn hatte gehofft, im Waggon wäre es etwas wärmer als draußen, aber der Novemberwind zog durch alle Ritzen. Sie lehnten sich gegen ein paar Säcke und erzählten sich Geschichten, um nicht einzuschlafen. Es war schrecklich kalt, und was für ein Blödsinn wäre es, jetzt noch zu erfrieren.

Der Zug fuhr in die Mecklenburger Nacht hinein, durch eine weite leere Landschaft. Das Wimmern schob sich erst ganz langsam in ihr Bewusstsein, es musste schon eine ganze Weile da gewesen sein, aber sie hatten es für das Pfeifen des Windes gehalten oder das Quietschen der Räder. Doch irgendwann war es nicht mehr zu überhören, etwas wimmerte in ihrem Waggon.

Sie waren nicht allein.

Im Mondlicht, das durch eine kleine Luke fiel, konnten

Evelyn und Elsbeth ihren Atem sehen. Sehr viel mehr sahen sie nicht. Aber es war da, das Wimmern, und sie packten einander am Arm und lauschten ins Dunkel.

Schließlich war es Evelyn, die sich einen Ruck gab und auf allen vieren in die Richtung kroch, aus der das Wimmern zu kommen schien. Ihre Hände tasteten ein Bündel aus Stoff, in dem sich etwas bewegte, dann spürte sie Haut und ein schnelles Atmen. Es war ein Kind. In ihrem Waggon lag ein Säugling, eingewickelt in einen Lappen oder ein Tuch. Sie nahm das Bündel und kroch zurück zu Elsbeth, bedeckte das Kind so gut es ging mit ihrem Mantel, und als sie vorsichtig seinen Bauch betastete, fand sie ein klebriges Stück Nabelschnur.

»Was machen wir jetzt?«, fragte Elsbeth panisch. »Wir können es doch nicht mitnehmen, was machen wir denn jetzt nur?«

Evelyn sah dem Kind ins verzerrte Gesicht und ließ ihren Finger von seiner kleinen kalten Hand umschließen. Armes kleines Ding, dachte sie, geboren in die dunkelste aller Zeiten. Sie räusperte sich. »Es stirbt ohnehin, wir nehmen es auf keinen Fall mit. Wir haben keine Milch. Ein Wunder, dass es noch nicht längst erfroren ist.«

»Vielleicht können wir es irgendwem geben, wenn wir aussteigen. Irgendjemand, der sich kümmert«, sagte Elsbeth, vage hoffnungsvoll.

Aber wer sollte sich schon um ein sterbendes Kind kümmern wollen, das nicht das eigene war? Evelyn hielt das Bündel auf ihrem Schoß und tastete nach der Kette mit dem kleinen Stoffsäckchen, das sie immer noch um den Hals trug. Sie zog den Stoff auseinander und wickelte die kleine Zyankali-Ampulle aus der Mullbinde. Ihr Talisman, der ihr Glück gebracht hatte in den letzten Monaten. Oder eine

Art von Glück. Nun würde er diesem kleinen, ungewollten Menschenkind den Weg nach Drüben erleichtern.

Sie brach die gläserne Spitze der Ampulle ab und träufelte die Flüssigkeit in den zahnlosen Säuglingsmund. Das Wimmern hörte schlagartig auf, alle Spannung wich aus dem kleinen Körper, und Evelyn saß noch eine Weile stumm da und wiegte das Bündel auf ihrem Schoß, neben sich Elsbeth, der Tränen über die Wange liefen. Nach einer Weile stand Evelyn auf und öffnete die Waggontür einen Spaltbreit. Der Fahrtwind war eisig, der Mond stand verwaschen am Himmel, und dann flog der kleine Engel über die Böschung, und Evelyn war froh, dass der Zug schnell genug fuhr und sie nicht hatte sehen müssen, wie das Bündel auf dem Rübenacker aufgeschlagen war.

31.

Es war erstaunlich leicht gewesen, Fritz Schuddekopf zu finden. Hannah hatte mit mehr Rechercheaufwand gerechnet, aber ein kurzer Blick ins Internet hatte genügt. Es gab in ganz Deutschland genau 24 Telefonbuch-Einträge unter dem Namen Schuddekopf. Das musste natürlich nicht heißen, dass es nicht noch mehr Schuddekopfs gab, doch niemand, der jünger war als sechzig, ließ seinen Namen noch in ein öffentliches Telefonbuch eintragen. Und Fritz Schuddekopf musste, sofern er noch lebte, weit über achtzig sein. Es gab einige Schuddekopfs in Leipzig und einige in Bremen, aber keiner von ihnen hieß Fritz mit Vornamen, in Berlin gab es vier Schuddekopfs im Telefonbuch und einer davon hieß *F. Schuddekopf* und wohnte in der Leipziger Straße.

Hannah saß auf ihrem weißen Sofa, das Telefon in der Hand und versuchte sich zu sammeln. Konnte ja nicht so schwer sein, einen älteren Herrn anzurufen, der vermutlich erfreut sein würde, dass sich überhaupt mal jemand bei ihm meldete. Doch es ging noch nicht.

Sie wählte die Nummer von Marietta Lankvitz und ließ es lange klingeln, aber niemand ging ran. Dann rief sie Jörg Sudmann an. Wenn sich jemand für die neuesten Entwicklungen interessieren würde, dann ja wohl er. Und genau das brauchte sie jetzt, eine kleine Anfeuerung für den nächsten Schritt. Aber Jörg war kühl und kurz angebunden und würgte sie einfach ab.

Hannah starrte das Telefon in ihrer Hand an und überlegte, ob sie sich verhört hatte. Was war denn mit dem los? Sonst war er doch immer so beflissen?

Jetzt könnte sie noch Andreas anrufen, aber sie ließ es bleiben. Hannah hatte sich so gut im Griff gehabt die letzten Wochen, und es zahlte sich aus, das wollte sie sich nicht verderben. Nach dem einen vergurkten Dienstag im Hotel, nachdem sie sich so schäbig und benutzt gefühlt hatte, hatte sie sich selbst eine Aufgabe gestellt: keine Anrufe oder SMS, keine künstlich herbeigeführten Begegnungen im Uni-Flur, kein längeres Ausharren in ihrem Büro in der Hoffnung, er würde noch mal nach ihr schauen. Das Colloquium würde sie schwänzen und den Hoteltermin am kommenden Dienstag kurzfristig absagen. Falls sie ihm doch begegnete, würde sie seinen Blick nicht suchen und ihn komplett ignorieren. Und falls es sich gar nicht vermeiden ließ, würde sie knapp und beiläufig grüßen. Sie würde seinen Namen nicht googeln, sich keine YouTube-Videos mit alten Interviews mit ihm anschauen, sie würde sich verdammt noch mal zusammenreißen und endlich das Kissen waschen, auf das sie eine Probe seines Aftershaves geträufelt hatte. Es war an der Zeit, ihre verdammte Bedürftigkeit zu besiegen, von der sie annahm, dass sie ihr aus jeder Pore quoll. Und da half nur kalter Entzug. Manchmal wurden aus Taten ja auch tatsächlich Gefühle, sprich: Wenn sie einfach eine Weile so tun würde, als ginge ihr Andreas Sonthausen komplett am Arsch vorbei, dann würde es sich vielleicht auch irgendwann so anfühlen. Vielleicht war das der Trick.

Und dann, nach knapp zehn Tagen, als es gerade anfing, leichter zu werden, hatte Andreas sie angerufen. Zum allerersten Mal. Einfach nur so, weil er mal hören wollte, wie es ihr so ginge. Ob alles in Ordnung sei. Wann sie sich sehen könnten.

Na, schau einer an, hatte Hannah gedacht. So lief das also. Das war also das Spielchen, das sie spielen musste. Sie hätte Nein sagen sollen, aber sie brachte es nicht fertig, weil ihr Andreas' Stimme am Telefon wie flüssiges Karamell ins Ohr und von da abwärts übers Herz in Richtung Körpermitte lief, und das Äußerste, wozu sie in der Lage war, war sich ein bisschen zu zieren. Sie hatte also Ja gesagt, doch wieder Dienstag, doch wieder Hotel. Sie hatte versucht, sich nicht so schrecklich darauf zu freuen, um hinterher nicht enttäuscht zu sein. Und dann hatte Andreas sie schon im Aufzug geküsst und ihr in die Haare gefasst und ihr gesagt, er habe sie vermisst. Er war schon lange nicht mehr so engagiert bei der Sache gewesen und nach dem Sex fragte er Hannah, wie diese Sache mit den verschollenen Bildern vorankomme, wie die Diss so laufe und dass er schon ziemlich gespannt sei und wirklich jederzeit schon mal etwas lesen würde. Sie hatte ein bisschen erzählt und zum allerersten Mal hatte er so richtig zugehört.

»Sag mal, blöde Frage, aber: Wohnst du eigentlich allein?«, hatte er sie gefragt, als sie in der Lobby ihre Zimmerkarte abgaben. »Ich hasse den Laden hier. Wäre doch schöner, wenn wir uns auch so mal in Ruhe sehen könnten. Also, bei dir. Wenn das für dich in Ordnung ginge.«

Hannah hatte sich nach diesem Treffen gefühlt, als hätte sie nach langem Grübeln ein kompliziertes Rätsel gelöst. Sie hatte den Weg unter Andreas Sonthausens Haut gefunden, und es war der banalste und simpelste Weg aller Zeiten. Kaum hatte sie sich rar gemacht, bemühte er sich um sie. Bäm, so einfach war das.

Und diese Welle würde sie jetzt eine Weile reiten. Den Impuls, Andreas anzurufen, unterdrücken, auch wenn sie seine Stimme gern hören würde. Sich ganz und gar auf den einen Mann konzentrieren, der sie im Moment tatsächlich weiterbringen könnte – und das war Fritz Schuddekopf.

Hannah atmete noch einmal tief durch und wählte dann die Berliner Nummer. Legte wieder auf. Wählte noch mal.

»Hallo?«

»Ja, hallo, mein Name ist Hannah Borowski. Spreche ich mit Herrn Fritz Schuddekopf?«

»Na, aber sicher. Wer ist da? Ich mach nie mit bei Umfragen. Tut mir leid.«

»Nein, keine Umfrage. Ich bin … also, ich glaube, Sie kannten meine Urgroßmutter. Senta Goldmann. Und meine Großmutter Evelyn. Sie sind sich als Kinder begegnet. Also, falls Sie wirklich der richtige Fritz Schuddekopf sind. Und Ihre Mutter Lotte hieß.«

Stille am anderen Ende der Leitung. Hannah hörte, wie Fritz Schuddekopf sich räusperte.

»Momentchen, noch mal bitte. Wer sind Sie? Und woher kennen Sie meine Mutter?«

Hannah erklärte es noch einmal, etwas langsamer und schon weniger aufgeregt. Fritz Schuddekopf musste ein wenig nachdenken, aber ja, natürlich, er erinnerte sich. Und als Hannah fragte, ob sie ihn vielleicht besuchen könne, gleich morgen, um ihn ein paar Dinge zu fragen, sagte er Ja. Aber nur, wenn sie Kuchen mitbrächte. Besser Torte. Gerne Buttercreme.

Am nächsten Tag saß Hannah mit einem Karton auf

dem Schoß in der U-Bahn in Richtung Hausvogteiplatz. Im Karton war eine ganze Schwarzwälderkirschtorte vom Kuchenkaiser, und Hannah war sich nicht sicher, ob sie die wirklich heil bis zu Fritz Schuddekopf in die Leipziger Straße bekommen würde. Erstens, weil es voll war in der U-Bahn. Und zweitens, weil der aufgepumpte Typ neben Hannah die ganze Zeit glotzte und dabei die Nase hochzog, und Hannah sich ausmalte, wie sie die Schachtel öffnen und dem Typen die Schwarzwälderkirschtorte ins Gesicht drücken würde. Schön wäre das, ein schönes Gefühl, und wer weiß, vielleicht wäre es für diesen Idioten auch gar nicht das Schlimmste, mal die Schnauze mit Zucker, Fett, Schokolade und Kirschgeist gestopft zu bekommen.

Fritz Schuddekopf lebte im neunzehnten Stock eines der Hochhäuser, die wie große Dominosteine entlang der Leipziger Straße standen. Hannah war stolz, dass sie die Torte unfallfrei bis vor die Tür geschafft, auf dem riesigen Klingelschild die richtige Klingel gefunden und dann mit Torte in der Hand geklingelt, die Tür aufgedrückt und dann den Fahrstuhlknopf betätigt hatte.

Fritz Schuddekopf erwartete sie an seiner Wohnungstür, ein kleiner, rundlicher Mann mit Glatze, in alterstypische Brauntöne gekleidet, aber mit auffallend bunten, sehr stylischen Turnschuhen an den Füßen.

»Tachchen. Schuddekopf. Is dit Torte?«

Hannah nickte. »Schwarzwälder Kirsch.«

Fritz Schuddekopf rieb sich begeistert die Hände und bat Hannah herein.

Ein Wohnzimmer mit Sofa, Couchtisch, einem Sessel und einer Schrankwand aus dunklem Holz, eine kleine offene Küchenzeile mit einem Tresen, auf dem Hannah endlich den Karton mit der Torte abstellen konnte. Sie trat ans

Fenster, der Blick war unglaublich: direkt vor ihnen der Potsdamer Platz mit dem Sony-Center-Dach, dahinter die golden schimmernde Philharmonie, der Tiergarten, die Siegessäule. Und der Himmel. Verschliert und graublau, hier und da ein schwarzer Krähenpunkt.

»Dreißig Jahre Erdgeschoss in Schöneberg waren genug«, sagte Fritz Schuddekopf, der in der Küchenzeile mit Tellern und Kuchengabeln hantierte. »Jetzt seh ich den Himmel, da ist meine Frau, besser kann man's ja nicht haben in meinem Alter. Kaffee? Oder lieber Likörchen?«

»Kaffee, danke«, sagte Hannah.

Sie setzte sich aufs Sofa und schaute Fritz Schuddekopf dabei zu, wie er die Filterkaffeemaschine befüllte und dann die Schwarzwälderkirschtorte in sehr große Stücke schnitt.

»Schicke Schuhe haben Sie.«

»Sind von meiner Enkeltochter, wir haben die gleiche Größe. Die kommt später, vielleicht sehen Sie sie ja noch. Sie nehmen auch Torte, wa?«

Ja, Hannah nahm Torte. Und dann, als sie beide auf dem Sofa saßen, Tortenteller auf den Knien, erzählte sie Fritz Schuddekopf ausführlich, warum sie da war. Dass seine Mutter Lotte eine Freundin von Senta Goldmann gewesen sein musste und dass ihre Großmutter Evelyn sich daran erinnern konnte, mit Fritz als Kind gespielt zu haben. Dass sie auf der Suche war nach einem Hinweis oder irgendeiner Spur, wo Itzig Goldmann möglicherweise Kunstwerke habe verstecken oder unterstellen können. Und von ihrer vagen Hoffnung, dass sich Fritz Schuddekopf vielleicht an irgendetwas oder irgendwen erinnern konnte.

Sie hatte den Zeitungsausschnitt mit dem Foto von Itzig Goldmanns zehnjährigem Salon-Jubiläum herausgeholt, auf dem auch Lotte zu sehen war, und es Fritz gereicht. Der hatte sich erst die Tortensahne von den Fingern geleckt und dann lange auf das Foto geschaut und den Kopf gewiegt.

»Dolles Ding. Ganz schön lange her«, sagte er schließlich und seufzte tief. »Ich denk nicht so gern an diese Zeit, wenn ich das mal so sagen darf.«

»Na ja, Sie waren ja noch ein Kind. Aber Sie würden mir total helfen, wenn Ihnen vielleicht doch etwas einfallen würde. Irgendwas.«

»Also, ich erinnere mich nicht wirklich an Evelyn und auch nicht an Senta. Aber ich weiß, dass meine Mutter viel über die beiden gesprochen hat. Ihre Namen sind mir ein Begriff. Evelyn lebt also noch?«

»Ja, allerdings. Sie wird bald 95 Jahre alt, und sie wohnt im Westend, in einem Seniorenheim, wo sie alle verachtet. Ich besuche sie einmal in der Woche.«

»Gutes Kind.«

Allerdings! Gut, dass das mal jemandem auffiel, dachte Hannah.

Fritz Schuddekopf nahm noch einmal den kopierten Zeitungsartikel mit dem Foto in die Hand und schaute lange darauf. »Itzig Goldmann … an den kann ich mich erinnern. Den habe ich oft besucht mit meiner Mutter. Das war immer unheimlich, weil ich es niemandem erzählen durfte, nicht mal meinem Vater, und ich war so ein kleener Schisser damals, ich wollte immer nichts Verbotenes machen. Aber meine Mutter schon, die war mutig. Die hat mir die Jackentaschen voll gemacht mit Brotstücken und Zucker und Konserven und dann haben wir die Goldmanns besucht, in Moabit war das, glaub ich. Und ich kann mich noch erinnern, als wir das allerletzte Mal da waren, das muss so ’42 gewesen sein. Da war die Wohnung schon fast leer. Und hinterher hat meine Mutter schrecklich geweint, das weiß ich noch. Ich nehm mir noch so ein Stück Torte. Sie auch?«

Nein, Hannah wollte keine Torte mehr. Sie war aufgeregt, und es kam ihr vor, als würde Fritz Schuddekopf den Goldmanns und auch ihrer Urgroßmutter, dieser ganzen vergangenen Zeit, eine neue und vielleicht die bislang fehlende Dimension verleihen. So als könnte sie erst jetzt glauben, dass sie wirklich gelebt hatten und nicht nur als Archivmaterial existierten. Fritz Schuddekopf war wie ein Zeuge in einem Kriminalfall, der plötzlich die Fäden zusammenführte. Irgendwo in den verschlungenen Windungen seines Gehirns könnte die entscheidende Erinnerung stecken, die Lösung zum großen Rätsel um das verschwundene Kunstvermögen der Goldmanns. Hannah sah dem alten Mann beim Tortekauen und Nachdenken zu.

»Sagen Sie, der alte Goldmann und seine Frau, sind die ... also haben die ...?«

»Deportiert und ermordet, '42 in Treblinka«, sagte Hannah. »Ihr Sohn und meine Urgroßmutter haben den Krieg überlebt und sind dann nach Brasilien ausgewandert.«

»Brasilien«, sagte Fritz Schuddekopf und nickte anerkennend. »Das hätte meiner Mutter gefallen, glaub ich. Das hätte sie gefreut, das zu erfahren.«

Lotte hatte den Krieg nicht überlebt. Das heißt, doch, den Krieg hatte sie überlebt, zusammen mit Fritz und dem Vater, der als Fuhrunternehmer mit dem Abtransport von Schutt und Trümmern gut beschäftigt, erst vom Kriegsdienst befreit und dann nur kurz eingezogen und schnell in amerikanische Gefangenschaft geraten war. Sie hatten alle Glück gehabt und den Krieg überlebt im zerbombten Berlin, ohne größere Schäden an ihrem Häuschen in Friedenau.

Und dann war Lotte erschlagen worden, von einer einstürzenden Hauswand, begraben unter dem Schutt, der der Familie bislang das Überleben gesichert hatte.

»Hat mein Alter nie verkraftet. Der war nicht mehr derselbe danach. Und ich auch nicht«, sagte Fritz.

»Das tut mir leid«, sagte Hannah. »Ich weiß, es ist schwer, aber könnten Sie versuchen, sich noch etwas genauer an die Goldmanns zu erinnern? Und ob die bei ihren Besuchen Ihrer Mutter gegenüber jemals irgendwelche Bilder erwähnt haben? Könnte es vielleicht sein, dass Ihre Eltern etwas verwahrt haben für die Goldmanns?«

Fritz Schuddekopf kratzte sich am Kopf und dachte nach. Plötzlich hörte Hannah, wie jemand einen Schlüssel im Schloss drehte und die Tür öffnete.

»Hi, Opa. Sorry, bin spät dran. Oh, du hast Besuch?«

Hannah hatte sie gleich erkannt, an ihren bunten langen Haaren. Blau, türkis, grün und rosa, eine Haarmähne wie bunte Zuckerwatte oder wie ein Einhorn-Schweif. Sie kannten sich aus der Schraube, sie hatten sich ein paar Mal auf der Tanzfläche angelächelt, nachdem Hannah ihr einmal dabei geholfen hatte, einen anstrengenden Typen abzuschütteln. Im Club hatte sie immer besonders paillettenreiche Glitzeroutfits an, heute einfach einen schwarzen Kapuzenpulli, Jeans und grobe Stiefel. Aber sie war es, eindeutig.

»Hi, ich bin Rubi. Wir kennen uns, oder? Kommst mir so bekannt vor.«

»Schraube.«

»Richtig! Aus der Schraube. Du bist die, die da samstags immer alleine durchmacht.«

»Kann sein. Ich bin Hannah.«

Rubi holte sich ein Stück Torte und eine Tasse Filterkaffee und ließ sich erklären, warum Hannah bei ihrem Großvater auf dem Sofa saß.

»Is ja krass, die Geschichte«, sagte Rubi kauend. »Und Opa, ist dir was eingefallen? Kannst du dich erinnern?«

Fritz Schuddekopf legte die Stirn in Falten. »Also, bei uns zu Hause gab es kaum Kunst, ich glaube nicht, dass Goldmann da was untergestellt oder versteckt hat. Wir hatten eine Gartenlaube, da flog immer alles Möglich rum, aber die ist irgendwann abgebrannt, ziemlich bald nach dem Krieg.«

Fritz Schuddekopf stippte mit dem Zeigefinger die Tortenkrümel von seinem Teller und schielte in Richtung des Küchentresens, wo die angeschnittene Torte stand. Wahrscheinlich überlegte er, ob er noch ein Stück würde essen können, aber dafür würde er einen sehr robusten Magen und äußerst stabile Cholesterin-Werte haben müssen, dachte Hannah. Und ohrfeigte sich gleich innerlich, weil das genau das war, was sie an ihrer Großmutter so wahnsinnig machte, diese ständige Strenge gegen sich selbst und andere. Sollte der Mann doch so viel Torte essen, wie es ihm passte, dafür hatte sie sie ja mitgebracht.

»Noch ein Stück Torte, Opa? Biste sicher? Willste nicht erst mal einen Verdauungsschnaps?«, fragte Rubi und öffnete eine der Schrankwandtüren, hinter der sich eine Sammlung von Flaschen verbarg.

»Hast recht, hast recht. Hol doch drei Gläser und die Flasche Haselnuss, ja?«

Hannah wollte protestieren, aber da hatte sie schon ein kleines Glas in der Hand, und sie prosteten sich zu, und dann schmeckte der Haselnussschnaps wie flüssiges Nutella, verdammt gut, warum also nicht noch einen.

»Mensch, ick hab so selten Besuch«, sagte der alte Fritz

lächelnd und bekam rosige Wangen. Hannah hatte etwas Sorge, dass das Ganze jetzt in Rührseligkeit abdriften und sie keine Antwort mehr auf ihre Fragen bekommen würde. Aber dann nahm er sich noch einmal den Zettel mit dem Zeitungsartikel und betrachtete das Foto.

»Eine Sache fällt mir noch ein, aber ich weiß nicht, ob das wichtig ist. Als wir das letzte Mal bei den Goldmanns waren, da hat meine Mutter zu dem alten Goldmann was gesagt. Sie hat gesagt, Senta habe Evelyn ein Geschenk mitgegeben. Heimlich, in einen Koffer eingenäht. Das hat Goldmann aufgewühlt, das weiß ich noch. Er war ein bisschen aufgeregt deswegen. Und ich erinnere mich, dass ich meine Mutter auf dem Rückweg gefragt habe, was das für ein Geschenk war. Und wieso man etwas in einen Koffer einnäht. Das kam mir alles aufregend vor. Ich wollte auch Geschenke, es war kurz vor meinem Geburtstag und es war ja klar, dass es da nicht viel geben würde, mitten im Krieg. Und sie hat mich ziemlich rundgemacht und gesagt, ich dürfe da nicht drüber reden und nie mehr danach fragen und überhaupt sei das alles nichts für Kinder. Sie hat selten mit mir geschimpft. Und dann hat sie geweint, das hat sie auch nicht so oft.«

Einen Schnaps später verließ Hannah die Wohnung, sie hatte leicht einen sitzen, einen gut gefüllten Tortenmagen und in ihrem Handy Rubis Telefonnummer. Ob sie nicht mal was trinken gehen wollten, hatte sie gefragt. Noch mehr Haselnussschnaps oder einfach ein Bier. Und Hannah hatte Ja gesagt. Ja, total gern. Das war ihr schon lange nicht mehr so ehrlich über die Lippen gekommen.

Außerdem hatte sie eine Idee: Was, wenn wenigstens eines der verschollenen Bilder gar nicht verschollen war, sondern längst in Evelyns Besitz? Was, wenn das Geschenk, von dem Lotte Itzig Goldmann erzählt hatte, ein Bild gewesen war. Ein Bild, das Senta Evelyn heimlich mitgegeben hatte, um es zu retten? Könnte doch sein. Und dann müsste ihre Großmutter doch ein kleines bisschen mehr darüber wissen, als sie bislang zugegeben hatte.

Evelyn. Wie Hannah sich doch immer und immer wieder von ihr einwickeln ließ und schon wieder nicht klar und hart genug nachgefragt hatte. Wie diese alte sture Frau die Fäden in der Hand behielt und nichts offenbarte, wenn man sie nicht gezielt danach fragte und ihr die Pistole auf die Brust setzte. Unglaublich war das. Gleich morgen würde Hannah zu ihr fahren. Gleich morgen. Und dann würden sie über diesen Koffer reden, über das Geschenk. Eine grimmige Vorfreude erfasste Hannah. Sie hatte endlich etwas herausgefunden, womit sie ihre Großmutter vielleicht überrumpeln konnte. Endlich hatte sie mal einen klaren Trumpf in der Hand.

Und dann war sie es selbst, die überrumpelt wurde. Hannahs Handy surrte in ihrer Manteltasche, als sie gerade die Stufen zum U-Bahnhof hinunterlief. Sie blieb auf der halben Treppe stehen und wäre fast von einer Touristengruppe umgelaufen worden, der sie so plötzlich im Weg war. Aber sie bemerkte es kaum, weil sie auf ihr Display starrte, auf eine SMS von Andreas, die nur eine Verwechslung oder ein schlechter Scherz sein konnte.

Kann ich ein paar Tage bei dir wohnen?

Na, so was, dachte Hannah. Und fast hätte sie das als Antwort in ihr Handy getippt. Aber sie ließ es bleiben und schrieb stattdessen:

OK

Nicht »na klar«, nicht »sehr gern«, nicht »selbstverständlich«. Sondern »OK«. Und sie war sich plötzlich nicht sicher, ob es das wirklich war.

32.

Ildingen 1950

Ein wunderschöner Tag zum Heiraten, warm und sonnig, am Hang hinter der Burg blühten ein paar Kirschbäume, die Ziegeldächer des Städtchens leuchteten golden im Morgenlicht. Einen schöneren Blick als den aus ihrem Pensionsfenster hätte sich Senta nicht wünschen können. Liebliches, warmes Frühlings-Deutschland, dachte sie, hör auf, dir solche Mühe zu geben. Mich täuschst du nicht.

Neben Senta im Bett lag Julius und fror. Knochenkälte. Ihm wurde seit Wochen nicht warm, trotz des milden Wetters und des warmen Mantels und der Wollsocken, die sie ihm gestrickt hatte, obwohl sie Handarbeit hasste. Die Kälte war Julius in die Glieder gekrochen, just in dem Moment, in dem sich diese Reise angekündigt hatte. Die erste Rückkehr nach Deutschland, zu Evelyns Hochzeit. Danach wollten sie noch einige Tage nach Berlin, Formalitäten erledigen. Den Anwalt treffen, der versprochen hatte, ihnen bei ihrem Wiedergutmachungsverfahren zu helfen. »Wiedergutmachung. Schon das Wort!«, hatte Julius gesagt. Was für eine Anmaßung.

Als mit Kriegsende die ersten Bilder aus den Lagern veröffentlicht worden waren, war Julius für Wochen verstummt. Er hatte sich Schreckliches ausgemalt, aber die

Realität war noch grauenhafter als seine schlimmsten Fantasien. Hoffentlich waren sie schnell gestorben, hoffentlich noch während des Transports, hoffentlich waren sie gar nicht erst in einem der Lager angekommen.

Es half nicht, dass Senta ihm immer und immer wieder erzählte, wie froh sein Vater gewesen war, ihn in Sicherheit zu wissen. Wie sehr er insistiert hatte, in Berlin zu bleiben. Dass, was auch immer seinen Eltern widerfahren sein mochte, in den letzten Momenten ihr Trost gewesen sein musste, dass Julius weit weg von alldem war.

Dabei war er ja noch nicht einmal weit weg, jedenfalls nicht weit genug, als dass die Nazis ihnen nichts hätten anhaben können. Das Schicksal von Itzig und Helene Goldmann hätte auch ihres sein können, hätten sie nicht im Sommer '43 einen Fischer bestochen, damit der sie – verborgen unter den Netzen – über den Öresund nach Schweden brachte, raus aus dem besetzten Dänemark.

Sie hatten so unendlich viel Glück gehabt. Sie hatten wunderbare Freunde, die ihnen geholfen hatten, die letzten Jahre zu überstehen. Die ihnen Arbeit und zeitweise auch Obdach gegeben hatten, sodass sie einigermaßen über die Runden gekommen waren. Aber nichts Gutes konnte Julius je vergessen lassen, was seine ehemaligen Nachbarn, Kollegen, Landsleute ihm, seiner Familie, seinen Freundinnen und Freunden, seinen Leuten angetan hatten. Wie so etwas jemals verzeihen? Es war ja schon schwer genug, sich selbst zu verzeihen, noch am Leben zu sein.

Und dann kam die Einladung zu Evelyns Hochzeit. Das hatte sie beide überrascht, denn auch wenn sie in den Jahren seit dem Krieg ab und an geschrieben hatten, sprach aus Evelyns Briefen kein Bedürfnis nach einem Wiedersehen. Erleichterung vielleicht, dass Senta und Julius noch lebten. Dass Evelyns erster Brief nach Kriegsende an die einzige dänische Adresse, die sie von ihrer Mutter hatte, über Umwege tatsächlich bei ihr gelandet war. Aber gleichzeitig auch eine merkwürdige Bitterkeit. Sie waren weit weg gewesen und Evelyn mittendrin. Und es war dieser unausgesprochene Vorwurf, die schriftlichen Schilderungen von Elend, Angst und Verlust, »die ihr euch ja gar nicht vorstellen könnt«, die Senta gegen ihre Tochter aufbrachten und ihr eigenes Bedürfnis nach einem Wiedersehen schmälerten. Es stimmte, sie hatten das Sterben im Krieg nicht hautnah miterlebt, so wie Evelyn. Sie hatten sich nicht in Kellern vor Fliegerbomben verstecken müssen. Aber das Grauen, all das Unaussprechliche, Unfassbare, das seinen Widerschein in Julius' nächtlichen Albträumen fand – das wiederum hatte eine Dimension, die Evelyn völlig unbegreiflich zu sein schien.

Am Ende war es Julius gewesen, der gesagt hatte, sie würden fahren. »Es ist eine Hochzeit. Und sie ist dein Kind, Senta.« Und jetzt waren sie also hier. In Ildingen, Evelyns neuer Heimat. Kaum Kriegsschäden, alles sehr sauber und ordentlich. So sauber und ordentlich, dass es Senta schlechte Laune machte. Das Zucken der Wirtin, als sie am Empfang ihren Namen gesagt hatten. Und dann die aufgesetzte Freundlichkeit, mit der die Wirtin das Zimmer vorgeführt hatte. Jetzt würde sie, ein Mitglied der Herrenrasse, ihnen wohl ein Frühstück servieren müssen. Hoffentlich würde Julius überhaupt etwas runterbekommen.

Die Trauung war um 11 Uhr in der Stadtkirche St. Dionys, direkt am Marktplatz, und Senta wollte unter keinen Umständen zu früh da sein. Sie war nervös und wusste nicht so recht, was sie anziehen sollte. Sie war ja einerseits die Mutter der Braut, andererseits eher ein aus Pflichtbewusstsein eingeladener Gast. Sie entschied sich für das längere der beiden Cocktailkleider, die sie mitgebracht hatte, sowie für eine Stola und einen Hut. Doch als sie gemeinsam mit Julius die Kirche betrat, war klar, dass alles falsch war. Sie war falsch. Sie fiel auf, sie hatte sich viel zu elegant angezogen, viel zu viele Blicke ruhten auf ihr, sie sah das Getuschel der anderen Frauen und die Blicke der wenigen Männer, irgendwo zwischen missbilligend und fasziniert, und zog Julius in eine der hinteren Bänke.

Als die Orgel einsetzte und Evelyn mit ihrem Bräutigam über den Mittelgang in Richtung Altar schritt, hatte sie Senta einen kurzen Blick zugeworfen. Es war ein Blick voll freudiger Überraschung und dann voller Vorsicht, so als hätte sie sich ganz kurz nicht unter Kontrolle gehabt. Merkwürdig, dachte Senta, während sie ihrer Tochter nachsah. Wie man sich gleichzeitig so vertraut und so fremd sein kann nach dreizehn Jahren.

Wie erwachsen sie war.

Und wie gerade sie sich hielt.

Nach der Trauung standen Senta und Julius etwas verlegen auf dem Kirchvorplatz, in Erwartung einer Gelegenheit, dem Brautpaar zu gratulieren. Senta überhörte, wie sich einige der Gäste leise über sie unterhielten.

»Ist das die Mutter?«

»Das muss die Mutter sein.«

»Ja, man sieht die Ähnlichkeit.«

»Dass die sich hertraut.«

Senta bereute, sich so wenig auf diesen Augenblick vorbereitet zu haben. Sie hätte sich etwas zurechtlegen sollen, etwas von Bedeutung, dem Anlass angemessen. Julius hatte für Evelyn ein besonders edles Briefpapier als Hochzeitsgeschenk besorgt, und Senta hatte Tage gebraucht, um die richtigen Worte für eine Karte zu finden. Am Ende war es ein schlichter Glückwunsch geworden, vielleicht zu schlicht. Als sie endlich an der Reihe waren, dem Brautpaar zu gratulieren, umarmte Evelyn Julius und Senta steif, hielt angestrengt ihre Tränen zurück und presste etwas atemlos »Schön, dass ihr wirklich gekommen seid« hervor. Jetzt musste Senta eigentlich etwas sagen, einen Satz, wie Mütter ihn ihren Töchtern sagen am Tag ihrer Hochzeit. Den Satz, den sie nicht in die Karte hatte schreiben können. Wie stolz und erleichtert sie trotz allem war, sie so zu sehen – glücklich, auf dem Weg in ein neues Leben. Einen Satz mit Liebe. Aber sie brachte es nicht heraus, und dann war der Moment vorbei, Evelyn hatte sich längst anderen Gästen zugewandt.

Später, beim Empfang in einem Gasthaus ganz in der Nähe, standen Julius und Senta wieder etwas verloren herum, Evelyn war umringt von Gästen und machte keine Anstalten, mit ihnen zu reden. Schließlich war es Evelyns Schwiegervater, Professor Borowski, der zu den beiden herüberkam und sich förmlich vorstellte.

»War ja kaum zu vermeiden, dass die beiden sich verlieben«, sagte Professor Borowski. Und dann sprach er noch eine Weile so voller Zuneigung und Wärme von Evelyn, dass es Senta verlegen machte. Wie sie den kranken und abgemagerten Sohn des Hauses gesund gepflegt habe nach dessen Rückkehr aus der Gefangenschaft. Wie ihre Anwesenheit ihnen allen über den Tod der Tochter und der Schwester hinweggeholfen habe. Dass er, selbst gebürtiger Stralsunder im schwäbischen Exil, gleich diese Verbundenheit gespürt habe, wie nur Küstenmenschen sie zueinander empfinden. Wie fleißig und zielstrebig Evelyn ihr Medizinstudium fortgeführt habe, wie zuvorkommend, klug und bescheiden sie sei. Eine reine Freude sei es, sie nun auch ganz offiziell als Teil der Familie vorstellen zu können. Senta müsse doch auch sehr glücklich sein. Nach all den schrecklichen Jahren, endlich wieder vereint mit dem einzigen Kind. Nach so langer Zeit und zu so einem schönen Anlass.

Senta war erleichtert, als der Vater des Bräutigams endlich von ihr abließ, um andere Gäste zu begrüßen. Julius drückte ihre Hand und lächelte, gleich würde es Essen geben und dann sicherlich einige Reden, und Senta hoffte, dass dies nicht zum Anlass genommen werden würde, die »unverhoffte Anwesenheit der Brautmutter« gesondert hervorzuheben.

Schließlich kam Evelyn doch noch zu ihnen. Sie standen etwas unsicher beieinander, und Senta erinnerte sich wieder, wie wenig geübt sie schon immer gewesen waren, miteinander zu sprechen. Da war diese unausgesprochene Frage, der Vorwurf, um den sie beide herumschlichen, und früher war Julius es gewesen, der die Stimmung aufgelockert hatte. Aber jetzt schaffte Evelyn es kaum, ihm in die Augen zu sehen, und Julius hatte schon lange nicht mehr die Leichtigkeit in sich, um Spannungen wegzuplaudern.

Vielleicht war es doch ein Fehler gewesen, herzukommen, dachte Senta. Aber nun waren sie da und es würde schwer werden, an diesem Tag so etwas wie Nähe zwischen sich aufkommen zu lassen, da konnte sie auch gleich zur Sache kommen. Der einen Sache, die sie ihre Tochter unbedingt fragen musste.

»Was hast du mit dem Bild gemacht?«

»Welches Bild?«

Senta bereute sofort, die Frage tatsächlich gestellt zu haben. Sie hatte sich in den letzten Jahren so oft gefragt, ob Evelyn das Bild aufbewahrt oder verscherbelt hatte. Ob sie sich des möglichen Wertes bewusst gewesen war und ob Trude ihre Anweisungen befolgt hatte. Aber sie hatte sich in den seltenen Briefen, die sie sich geschickt hatten, nicht dazu durchringen können zu fragen, und Evelyn hatte es nie erwähnt.

»Das Bild. Ich habe dir bei deinem letzten Besuch in Berlin ein sehr wertvolles Bild mitgegeben. Heimlich, du wusstest nichts davon. Es war in deinem Koffer. Ich habe Trude gebeten, es für dich aufzubewahren.«

Evelyn sah sie immer noch voller Unverständnis an, sie hatte wirklich keine Ahnung, wovon Senta sprach.

»Hat Trude dir das Bild nicht gegeben? Hat sie dir nichts davon erzählt?«

»Ich weiß nicht, was du meinst. Welches Bild? Was hatte Trude damit zu tun? Ich verstehe nicht …«

Senta spürte, wie in ihrem Inneren eine Wut aufquoll, sich vergrößerte, Raum einnahm und all ihre Beherrschung verdrängte.

»Sie hat dir nichts gesagt? Trude hat dir nichts gesagt? Mein Gott, das sieht ihr ähnlich. Ich hätte es mir denken können. Diese falsche, verlogene, egoistische Kuh.«

Julius nestelte in seiner Manteltasche nach dem zweiten, sauberen Taschentuch, das er dort immer für eine Dame in Not aufbewahrte. Er hielt es Evelyn hin, der die Tränen übers Gesicht liefen. Aber sie nahm es nicht.

»Du kommst hierher, nach all den Jahren, zu meiner Hochzeit, und alles, was dich interessiert, ist irgendein Bild? Du wagst es, schlecht über die Frau zu reden, die mich großgezogen hat, weil du es nicht wolltest?«

Die anderen Gäste schauten zu ihnen herüber, eine merkwürdige Stille entstand in dem Raum, der gerade eben noch mit Gläserklirren und heiterem schwäbischen Singsang gefüllt war, der Bräutigam sah erschrocken auf und erhob sich, um seiner Braut zu Hilfe zu eilen, und Senta wusste, dass es vorbei war. Da war nichts mehr zu retten oder zu erklären. Evelyn wusste nichts von dem Vermeer. Trude hatte ihr Wort nicht gehalten. Wahrscheinlich hatte sie das Bild für sich behalten oder bei irgendeinem Trödler verschleudert oder es einfach versteckt und dann vergessen. In jedem Fall hatte sie es versäumt, Evelyn irgendwas davon zu erzählen. Trude hatte sie in dem Glauben gelassen, ihre Mutter hätte sie einmal mehr im Stich gelassen, wäre einfach so verschwunden, ohne sich um sie zu sorgen. Und nichts, was sie jetzt sagte oder erklärte, würde Evelyn von ihrer Meinung abrücken lassen, dass ihre Tante eine Heilige und sie eine schlechte Mutter wäre.

Evelyn fasste sich, als Karl ihre Hand genommen und sich mit fragender Miene neben sie gestellt hatte. Ihr Blick war hart und ihre Stimme leise und fest, als sie sagte: »Ich wünschte, du wärst tot und Trude wäre heute hier an deiner Stelle. Ich will, dass du gehst.«

Das Wiedersehen mit Evelyn war verheerend gewesen, das Wiedersehen mit Berlin kaum besser. Sie hatten sich ein Zimmer in einem Hotel am Bahnhof Zoo genommen, und Julius lag im Bett, unter einer Decke, unfähig, sich zu rühren. Ihr Anwaltstermin war erst am Nachmittag, und Senta nutzte die Zeit für einen Spaziergang. Es war auf einmal so viel Platz in Berlin, so viel leere, wüste Fläche, kein Vergleich zu der wimmeligen Stadt in ihrer Erinnerung. Dieser Ort hier war ihr fremd. Und ohne Lotte würde er für immer fremd bleiben.

Der Tiergarten war so gut wie abgeholzt, der gesprengte

Hochbunker am Zoo lag da, als habe ihm ein Riese einen Handkantenschlag verpasst, die Kaiser-Wilhelm-Gedächtniskirche stand zerstört zwischen graubraunen, mit Einschusslöchern übersäten Häuserfassaden. Und trotzdem wirkte die Stadt aufgeräumt, dachte Senta. Wie ordentlich sie den Schutt aufgehäuft hatten an den Straßenrändern, wie akkurat hier und da Ziegelsteine aus den Trümmern geholt und aufgestapelt worden waren. Typisch war das. Immer bemüht um Struktur und Ordnung, ob im Verbrechen oder in der Katastrophe.

Senta fiel die Kladde wieder ein, die sie in ihrem Koffer mit sich herumtrugen auf dieser Reise. Die Kladde mit allen Dokumenten, allen Beweisen, die sie anbringen konnten für ihr früheres Leben. Für ihre berufliche Stellung und ihr Vermögen, für alles, was sie zurücklassen mussten, um ihr Leben zu retten. Und auch für alles, was man Itzig und Helene Goldmann genommen hatte. Und dann würde man sehen, hatte der Anwalt ihnen gesagt, was sich da machen lasse. Wie viel Geld man würde beantragen können, ob es Besitz gab, der noch auffindbar war und zurückgegeben werden konnte.

»Keinen Pfennig nehme ich von diesen Tieren. Nicht einen«, hatte Julius geschworen. Den Teufel würde er tun und zum Bittsteller werden bei den gleichen Leuten, die seine Eltern umgebracht hatten. Unvorstellbar, denselben kalten Bürokraten, die seine Eltern in einem Viehwaggon in den Tod geschickt hatten, beweisen zu müssen, dass sie überhaupt existiert hatten.

Aber die Kunst. Die Bilder, die seinem Vater alles bedeutet hatten, die wollte er zurück. Für die wollte er noch einmal nach Berlin fahren und diesem Anwalt alles geben, was er an Nachweisen hatte. Senta und Julius würden eidesstattliche Versicherungen abgeben über alles, woran sie sich erinnern konnten.

Senta war im Kopf jenen einen Tag tausendmal durchgegangen, den Tag, als Itzig Goldmann sie angerufen und sie seine letzte Inventur getippt hatte. Warum hatte sie keinen Durchschlag gemacht von dieser Liste? Wie wahrscheinlich war es, dass die Nazis diese Inventur aufbewahrt hatten? Dass man irgendetwas tatsächlich zurückbekam?

Irgendwo in ihrer Erinnerung war das ganze Kunstvermögen ihres Schwiegervaters versteckt, gespeichert von ihren tippenden Schreibmaschinenfingern. Aber sie kam nicht dran. Die Erinnerung blieb vage, außer für einige wenige Bilder, die ihr selbst so gut gefallen hatten. Ein Liebermann, ein Kokoschka. Und dann war da noch der Vermeer. Was auch immer Trude damit gemacht hatte, vielleicht existierte das Bild noch irgendwo. Senta würde es bei ihrem Anwaltstermin mit angeben als eines der Bilder aus dem Kunstvermögen Itzig Goldmanns. Und dann würden sie abwarten müssen.

Sie lief zurück zum Hotel, wo Julius noch immer im Bett lag. Es war an der Zeit, dass sie hier verschwanden. Weg aus Berlin, weg aus Deutschland, und vielleicht hatte Julius recht, vielleicht würden sie wirklich einen Ozean zwischen sich und diesen Ort bringen müssen, damit es leichter wurde. In Brasilien war es warm. Ein alter Kollege vom *Tageblatt* hatte Julius geschrieben und ihm Mut gemacht. Eine Stelle für ihn und auch eine für Senta würden sich finden, es gebe deutschsprachige Exilzeitungen, und falls er noch ein wenig Französisch könne, würde ihm das Portugiesisch leichtfallen.

Senta war diejenige gewesen, die sich in den letzten Jahren gesträubt hatte, Europa zu verlassen. Aber diese Reise war auf so erschütternde Weise sinnlos gewesen, dass sie nicht mehr wusste, warum eigentlich.

Als sie zurück ins Zimmer kam, schlug Julius die Decke zurück, setzte sich im Schlafanzug auf die Bettkante und atmete einmal tief ein und aus.

Dann stand er auf, rasierte sich, zog den Anzug an, steckte zwei frische Taschentücher ein und polierte seine Schuhe. Sie würden Zeugnis ablegen, und er wollte angemessen gekleidet sein.

Es waren nur ein paar Meter vom Hotel zur Kanzlei des Anwalts, und Senta hakte sich bei Julius unter. Nur noch eine Nacht in dieser kalten Stadt. Gleich morgen würden sie den ersten Zug in Richtung Dänemark nehmen. Und als Senta ihm sagte, sie sollten vielleicht doch über Brasilien nachdenken, vielleicht noch in diesem Jahr, da lächelte Julius zum ersten Mal seit Tagen. Eine Konservendose lag vor ihm auf dem Gehweg und Julius beschleunigte plötzlich seinen Schritt und trat mit Schwung gegen die Büchse, sodass sie in hohem Bogen in Richtung eines Schutthaufens am Straßenrand flog.

33.

»Okay, Moment, noch mal von vorn. Ihr hattet eine lockere Affäre und dann ist der Typ einfach so bei dir eingezogen?«

»Ja. Nein. Es ist kompliziert. Ich weiß, es klingt total bescheuert.« Hannah seufzte und trank einen Schluck aus der Coladose, die Rubi ihr zusammen mit einem Haufen Schokoriegel in den Schoß gelegt hatte, bevor sie losgefahren waren. Vielleicht war es ein Fehler gewesen, Rubi von der Sache mit Andreas zu erzählen. Andererseits trug sie das alles schon so lange mit sich herum, und es tat gut, es endlich mit jemandem zu teilen. Der alte lilafarbene Twingo mühte sich mit 100 Sachen auf der rechten Spur der Autobahn in Richtung Norden. Sie hatten ausreichend Benzin und Proviant und einen komplett abwegigen Plan. Natürlich war es ein bisschen irre, nach Güstrow zu fahren und ein altes Forsthaus zu suchen in der Hoffnung, dort ein verschollenes Gemälde zu finden. Aber Rubi hatte es vorgeschlagen und Hannah überredet, und eigentlich hatten sie nichts zu verlieren. Schließlich war schon die ganze Woche eine Aneinanderreihung von unwahrscheinlichen Ereignissen gewesen.

Vor ein paar Tagen hatte tatsächlich Andreas vor ihrer

Wohnungstür gestanden, unrasiert, mit verschatteten Augen und einem Koffer in der Hand.

Nur für ein paar Nächte, hatte er gesagt. Es sei kompliziert zu Hause. Alles zu viel gerade. Und dass er ein wenig Gesellschaft brauche, aber auf keinen Fall reden wolle. Dann hatte er irritiert Hannahs weiße Wohnung inspiziert, seinen Koffer neben ihr Bett gestellt, den Kühlschrank aufgemacht und gefragt, ob sie denn keinen Wein dahabe. Oder einen Whisky vielleicht. Oder wenigstens Bier. Also war Hannah zum Späti gelaufen und hatte ein Sixpack Bier gekauft, mit einem Gefühl im Bauch, von dem sie nicht so recht wusste, ob es Aufregung, Freude oder Panik war.

Und dann war da noch Evelyn. Am nächsten Morgen hatte Hannah Andreas im Bett zurückgelassen und war zu ihrer Großmutter gefahren, um ihr von ihrem Treffen mit Fritz Schuddekopf zu erzählen. Von dieser einen, möglicherweise entscheidenden Erinnerung, an ein in einen Koffer eingenähtes Geschenk, das Senta Evelyn einmal mitgegeben haben musste. Ob sie irgendwas davon wusste?

Hannah hatte im Grunde nicht damit gerechnet, wirklich eine Antwort zu bekommen, sie hatte sich innerlich vorbereitet auf Evelyns übliche Abwehrstrategien, wie Schweigen oder den Fernseher anschalten, und war deshalb umso überraschter, wie bewegt sie schien.

»Das hat er gesagt? In einen Koffer eingenäht?«, fragte sie gleich zweimal hintereinander und nestelte nervös nach einem Pfefferminzbonbon. »Du meine Güte.«

»Ja, und da war mir der Gedanke gekommen, dass das ja ein Bild gewesen sein könnte. Eines von den Bildern von Itzig Goldmann. Dass du das aus der Stadt geschmuggelt hast.«

Evelyn dachte eine Weile nach. Müde sah sie aus, und

zum ersten Mal fast ein bisschen zerbrechlich. Hannah konnte förmlich beobachten, wie in Evelyns Kopf ein wildes Knäuel aus Gedanken und Empfindungen entstand und sich immer mehr verknotete. Sie seufzte schwer und hob mehrfach an, etwas zu sagen, offensichtlich suchte sie nach den richtigen Worten. Auch das war ungewöhnlich.

»Das kann sein, dass es ein Bild war. Ich wusste das aber damals nicht. Ich war noch fast ein Kind.«

»Deine Mutter hat dir nie etwas darüber gesagt?«

»Wir haben uns nach dem Krieg nur noch ein Mal gesehen, zu meiner Hochzeit. Das war kein schönes Wiedersehen, wir haben uns gestritten. Aber sie hat da etwas gesagt, über ein Bild. Ich habe es nicht wirklich verstanden damals.«

»Und wo ist das Bild jetzt?«

»Ich weiß es nicht, Hannah. Meine Tante sollte es wohl für mich aufbewahren. Sie hat es vielleicht irgendwo versteckt, in unserem Haus in Güstrow, im Schrank, in einer Kommode, auf dem Dachboden, wo auch immer. Aber sie hat mir nie etwas davon erzählt.«

»Also, noch mal von vorn: Deine Mutter hat dir ein wertvolles Bild aus dem Besitz ihres Schwiegervaters mitgegeben, versteckt in einem Koffer. Ein Geschenk für dich. Du wusstest nichts davon, du warst noch zu jung und vielleicht wollte deine Mutter dich nicht gefährden. Aber deine Tante wusste es. Die sollte es für dich aufbewahren, bis du alt genug sein würdest, hat dir aber nie etwas davon gesagt und ist dann einfach gestorben. Und du hast keine Ahnung, wo das Bild jetzt sein könnte.«

Evelyn nickte nachdenklich.

»Ganz schön miese Nummer von deiner Tante.«

»Ja«, sagte Evelyn leise.

»Und irgendwie ziemlich mutig von deiner Mutter.«

»Mag sein.«

Sie schwiegen eine Weile zusammen, dann stand Hannah auf und begann damit, die Wanduhren aufzuziehen und die kleinen Orchideentöpfe auf der Fensterbank zu gießen, immer nur ein kleines bisschen, so wie ihre Großmutter es ihr beigebracht hatte. Diesmal wollte sie ausnahmsweise keinen Fehler machen. Evelyn hatte genug zu verdauen.

»Willst du die Jalousie anders haben, Omi?«

Evelyn schüttelte den Kopf und lächelte Hannah an. Das hatte sie schon lang nicht mehr getan, und sie war verblüfft, als Evelyn ihr bei ihrer Abschiedsumarmung mit zittriger Hand übers Haar strich und »Danke, Liebes« in ihr Ohr flüsterte.

Das dritte ungewöhnliche Ereignis war, dass sie tatsächlich Rubi angerufen hatte. Noch am selben Abend. Ob sie vielleicht, eventuell, möglicherweise was trinken gehen wolle. Sie wollte für ein paar Stunden raus aus ihrer Wohnung, denn dort saß Andreas auf ihrem Sofa, schweigsam und düster. Es war anders als das kitschige Happy End, das sie sich manchmal ausgemalt hatte, wenn sie nicht einschlafen konnte und ihre Gedanken ein gutes Drehbuch brauchten. Er hatte zwar vor ihrer Tür gestanden und sich in ihr Bett gelegt, aber wirklich bei ihr war er nicht. Es kam Hannah vor wie eine Übernahme und es ärgerte sie, mit welcher Selbstverständlichkeit er sich bei ihr eingenistet hatte, ohne jede Erklärung. Nein, er könne nicht so recht drüber reden, es sei alles kompliziert, du würdest es nicht verstehen, bitte Hannah, frag nicht, ich will einfach nur ein paar Tage hier zur Ruhe kommen und mich verkriechen, okay?

Ja, okay, hatte Hannah gedacht, unfähig, ihm etwas zu

entgegnen. Das hatte sie ja schließlich immer irgendwie gewollt – ihn um sich haben, so ausgiebig und intensiv wie möglich. Aber jetzt hatte sie überraschend wenig Lust, Andreas in seiner Krise Gesellschaft zu leisten. Viel lieber wollte sie mit Rubi in irgendeiner Kneipe sitzen.

Es war aufregend, Hannah hatte schon so lange niemanden mehr getroffen, mit dem sie wirklich befreundet sein wollte. Und als Rubi Ja gesagt hatte, sehr gern, warum nicht gleich heute, halb neun, im Florian am Heinrichplatz, fühlte sich das fast an wie ein Date.

Es war dann auch Rubis Idee gewesen, einfach mal nach Güstrow zu fahren und zu schauen, ob das alte Forsthaus, in dem Evelyn aufgewachsen war, noch stand. »Ich meine, stell dir mal vor, wir kommen da hin und klingeln, und dann öffnet uns irgendeine nette alte Tante die Tür und lädt uns zum Tee ein und dann hängt da dein Picasso oder Vermeer oder was weiß ich überm Sofa, den sie in irgendeiner Ecke auf dem Speicher gefunden hat, ohne zu wissen, wie wertvoll der ist.«

»Ja, klar«, hatte Hannah gesagt. »Träum weiter.«

Aber Rubi war Feuer und Flamme, wenigstens mal gucken, wenigstens mal hinfahren. »Komm, Hannah, was soll's? Ich hab ein Auto und übermorgen frei. Wir fahren da zusammen hin. Ist doch lustig. Roadtrip!«

Und nach drei weiteren Bier hatte Hannah schließlich Ja gesagt zu diesem Ausflug, und jetzt, zwei Tage später, saßen sie tatsächlich in Rubis alter Schüssel und fuhren über die Autobahn.

»Liebst du den denn richtig? Also, willst du mit dem zusammen sein? Oder ist das nur so eine Bettsache«, fragte Rubi, die diese Andreas-Geschichte verdammt amüsant fand. »Und du kennst den von der Uni, ja?«

»Ist mein Doktorvater.«

Rubi fing so heftig an zu lachen, dass sie mit dem Twingo kurz auf die Standspur zog. »Ach du Scheiße! Na, du hast dir ja richtig was eingebrockt.«

»Ja«, sagte Hannah. »Sieht ganz danach aus. Kannst du bitte die Hände ans Steuer tun?«

Und dann fragte Rubi sie noch ein bisschen weiter aus. Warum sie eigentlich promoviere. Ob ihr das Spaß mache. Ob sie schon wisse, was sie dann danach machen wolle. Wie das so sei, an der Uni zu arbeiten. »Und wenn wir jetzt mit 'nem fetten, superwertvollen Ölschinken auf der Rückbank nach Berlin zurückfahren und du unermesslich reich bist, was machst du dann? Also, wenn du dir komplett aussuchen könntest, womit du deinen Tag füllst. Was würdest du dann machen?«

»Passiert eh nicht«, sagte Hannah, um die Frage nicht beantworten zu müssen, weil sie nicht wusste, wie. Sie schwiegen eine Weile und teilten sich ein Twix, und schließlich sagte Rubi:

»Ich hab mein Studium geschmissen vor drei Jahren, kurz vorm Abschluss. Dann wollte ich von einem Parkhaus springen und war danach ein halbes Jahr in der Klappse.«

»Oh …«

Hannah fiel auf, dass sie Rubi bislang so gut wie nichts gefragt hatte, sie hatten die ganze Zeit nur über ihre Großeltern geredet und über die verschollenen Bilder und dann über ihre beknackte Affäre mit Andreas. Sie genierte sich, und bevor sie sich auf die Zunge beißen konnte, fragte sie das Erste, was ihr in den Sinn kam.

»Welches Parkhaus?«

Rubi musste lachen.

»Das hat mich echt noch nie jemand gefragt. Rathaus-

Passagen. Ist ein Scheiß-Parkhaus. Also nur falls du selber mal eins suchst, kann es nicht empfehlen.«

»Sorry, blöde Frage. Ich weiß auch nicht.«

»Ach, geht schon. Ich bin okay. Und das Studium abzubrechen habe ich wirklich nie bereut, ich wäre echt keine gute Lehrerin geworden.«

»Und was machst du jetzt?«

»Oldie-Quiz. So was wie Kneipenquiz, nur für alte Leute. Du kannst mich buchen. Falls du irgendwann mal durch bist mit deiner Doktorarbeit und dich dazu entschließt, doch lieber ein Pflegeheim zu leiten.«

Oldie-Quiz war eine ziemlich gute Geschäftsidee gewesen, erzählte Rubi, jedenfalls gut genug, um davon einigermaßen leben zu können. Sie hatte zusammen mit ihrem Großvater eine Datenbank mit dreitausend Quizfragen erstellt, speziell für alte Menschen. Triviale Fragen zu Themen ihrer Kindheit und Jugend: Für welchen Hit bekam Rudi Schuricke 1949 die erste Goldene Schallplatte? Welcher deutsche Spieler schoss 1954 das 1:2 im Weltmeisterschaftsendspiel? Wer spielte neben Heinz Rühmann die beiden anderen Hauptrollen in »Die Drei von der Tankstelle«? Die Alten seien zwar schrecklich vergesslich, wenn es um das Hier und Jetzt ginge, erinnerten sich aber erstaunlich gut an Dinge von früher. »Es sei denn, du fragst sie, ob sie oder ihre Väter eigentlich bei der SS waren, da werden sie dann wieder sehr vergesslich. Aber ich glaube denen kein Wort, die wissen alles noch ganz genau.« Mit ihrer Quizfragen-Datenbank zog Rubi nun also durch Berliner Altenheime und veranstaltete bunte Abende, manche Bewohner buchten sie auch als Biografin und erzählten ihr ihre Lebensgeschichte, die Rubi auf Band aufnahm und dann zu einem kleinen Buch zusammenschrieb, Auflage zwanzig Stück, für die Kinder und Enkel. »Läuft echt gut, ich schaffe gar nicht alle Aufträge, die ich bekommen könnte. Willst du mit einsteigen? Kannst aber auch gern einfach mal so mitkommen, du könntest meine Bingo-Fee sein oder so. Das wäre lustig!«

Sie fuhren von der Autobahn ab, und Hannah dachte an Evelyn und wie die schnaufen und mit den Augen rollen würde, wenn sie ihr erzählte, sie werde beim nächsten Bingoabend im Seniorenpalais die Bingo-Fee spielen und die Trommel drehen. Schon für diese Reaktion, diese kleine Irritation in Evelyns Weltbild könnte es sich lohnen.

Sie hatte Hannah nicht mehr genau beschreiben können, wo das Forsthaus gestanden hatte, in dem sie die meiste Zeit ihrer Kindheit verbracht hatte. Beinahe direkt an einer Straße habe es gelegen und die Straße habe in Richtung Osten aus Güstrow herausgeführt, der nächste Ort habe Glasow oder Glasewitz oder so ähnlich geheißen, na ja, eher ein Weiler.

Sie fuhren ein wenig ziellos durch Güstrow, bis sie auf eine Glasewitzer Chaussee stießen, die in Richtung Osten führte.

Rubi fuhr so langsam, dass sie von ein paar genervten Autofahrern überholt wurden, aber sie wollten auf keinen Fall die Einfahrt verpassen. »Ich hab ein richtig gutes Gefühl«, sagte Rubi. »Wir finden jetzt diese Hütte und dann finden wir dein Bild. Müssen dann nur aufpassen, dass es uns keiner klaut, wenn wir auf der Rückfahrt bei McDonald's halten.«

Sie fuhren an einem Neubaugebiet vorbei, dann an einem Gewerbegebiet, einem Baumarkt und einem Autohaus, schließlich an einem Feld mit Solarpanelen, einer

Weide mit Galloway-Rindern, danach ging es durch einen Wald. Bei jedem Feldweg bog Rubi ab, aber die Wege führten ins Nichts oder waren irgendwann nicht mehr passierbar, weil eine Schranke den Weg versperrte, und es sah auch nicht danach aus, als führten sie zu einem Haus. Schließlich landeten sie tatsächlich in Glasewitz, einem kleinen Dorf. Weit und breit kein Forsthaus.

Rubi wendete den Twingo und fuhr zurück. In Güstrow parkten sie auf dem Markplatz und sahen sich um.

»Ich fürchte, wir müssen jemanden fragen«, sagte Hannah. »Irgendjemanden, der sich vielleicht noch an ein altes Forsthaus erinnern kann. Alte Leute am besten. Die sind doch eh dein Spezialgebiet.«

»Na dann«, sagte Rubi. »Hab eh Hunger.«

Sie gingen in ein Gasthaus etwas abseits des Marktplatzes, das so aussah, als würden sich hier die Einheimischen vor den Touristen verstecken, die hier zur Vogelbeobachtung in der Gegend waren oder das Schloss besichtigten. Rubi bestellte Würzfleisch, Hannah einen Thunfischsalat und eine Cola, und als die Wirtin das Essen brachte und Rubi keine Anstalten machte, ihr die Sache abzunehmen, fasste Hannah sich ein Herz und fragte nach. Ob sie schon länger in Güstrow lebte. Ob sie sich vielleicht an ein altes Forsthaus erinnern könne, irgendwo an der Straße in Richtung Glasewitz. Sie seien auf der Suche danach, aber hätten nichts gefunden, keinen Ort, der auf die Beschreibung ihrer Großmutter passte. Die Kellnerin rief »Vadder!« in Richtung Küche, und als ein alter Mann an einem Stock herausschaute, rief sie: »Da wo jetzt Obi ist, da war doch der Förster früher, oder?«

»Jo. Das war der Förster, ganz früher. Ist kurz nach der Wende abgebrannt, das Haus.«

»Hat eh keiner mehr drin gewohnt.«

»Nee, hat eh keiner drin gewohnt. Verfallen war das. Ganz kaputt.«

Auf dem Weg zurück in Richtung Berlin war Rubis Enttäuschung größer als Hannahs. Sie hatte sich offenbar tatsächlich ausgemalt, sie würden etwas finden, sie wären da einer großen Sache auf der Spur und am Ende ihrer Schatzsuche würden sie auf einen Topf voller Gold stoßen. Aber Hannah hatte ohnehin nicht wirklich daran geglaubt. Sie war nur überrascht, wie wenig sie sich Evelyn in dieser mecklenburgischen Kleinstadt vorstellen konnte. Sie hatte damit gerechnet, irgendeine Verbundenheit mit dem Ort zu spüren, eine Art unbewusste Verwurzelung, aber nichts dergleichen hatte sich eingestellt. Der Twingo schnurrte in Richtung Süden, durchgeschüttelt von den Audi-Fahrern, die auf der linken Spur der leeren Autobahn ihre übermotorisierten Angeberkarren ausfuhren, bis sie kurz vor Wittstock in eine Radarfalle gerieten und ihre Führerscheine loswurden. Sie hatten sich die letzten Schokoriegel geteilt und geredet, und Hannah fiel auf, dass sie den ganzen Tag über nicht ein einziges Mal an Andreas gedacht hatte. Andreas, der in ihrer Wohnung saß und dort auf sie wartete. Der am Morgen gefragt hatte, wann sie wiederkäme, ohne wissen zu wollen, wo sie eigentlich hinging, und sich dann noch einmal in ihrem Bett umgedreht hatte, um weiterzuschlafen, so als wäre es das Selbstverständlichste von der Welt. Der plötzlich so gar nichts mehr gemein hatte mit dem klugen, geheimnisvollen, charismatischen Mann, nach dem sie sich seit Monaten verzehrte, der ihr ab und an Audienzen gewährt und sich ansonsten rar gemacht hatte, dessen Aufmerksamkeitskrümelchen sie sich wie eine

Verhungernde einverleibt hatte, ohne je satt werden zu können. Dieser Mann hatte sich nun vor drei Tagen in eine Art Hausgeist verwandelt. In eine muffige, irgendwie auseinandergefallene Version seiner selbst. Oder vielleicht war das ganz genau, was er war.

»Und? Freuste dich auf deinen Macker zu Hause?«, fragte Rubi, als sie kurz vor Neuruppin waren. »Entschuldigung. Auf deinen Herrn Doktorvater. Sorry, Hannah. Aber die Nummer klingt echt total verkorkst.«

»Ich weiß«, sagte Hannah und hoffte, die Fahrt wäre noch nicht so schnell vorbei. Im Fußraum direkt vor ihr raschelten die leeren Schokoriegelverpackungen, im Radio lief irgendeine Gitarrenballade, die Rubi laut mitsang und bei der sie sich jedes Mal, wenn sich »love« auf »above« reimte, theatralisch ans Herz griff. Hoffentlich stehen wir noch ein bisschen zusammen im Stau, dachte Hannah. Dann wäre dieser Ausflug noch nicht so schnell vorbei. Dann müsste sie sich noch nicht so schnell mit der Tatsache auseinandersetzen, dass Rubi recht hatte. Dass das alles wirklich total verkorkst war. Diese Beziehung, ihre nicht vorhandenen Zukunftspläne, ihre Promotion. Ihr ganzes Leben. Die Tatsache, dass sie seit vier Tagen überfällig war. Die Vergeblichkeit ihrer Suche nach einer Familiengeschichte, nach einem Gefühl von Verbundenheit mit toten Vorfahren, nach gestohlenen Bildern, die vielleicht niemals auftauchen würden. Das alles war in Wahrheit nur eine Ablenkung von dieser großen Leere, die sie manchmal fühlte und die nun hier in Rubis altem Twingo nicht ganz so groß und allumfassend schien. Dieser Ausflug war zwar ergebnislos, aber trotzdem schön gewesen. Warum noch mal hatte sie sich so dazu überreden lassen müssen?

»Weißt du, was mich fertigmacht? Dass ich deine Frage nicht beantworten kann«, sagte Hannah, als sie über den nördlichen Ring in die Stadt fuhren, den Fernsehturm vor sich wie eine gigantische Stecknadel. »Ich habe keine Ahnung, was ich machen würde, wenn wir da jetzt ein Bild gefunden hätten und ich unermesslich reich wäre. Ich habe wirklich keine Idee und keine Sehnsucht, keinen Plan. Und es wäre gar nicht so anders als jetzt. Ich habe ja auch jetzt schon keine Not. Die Wohnung, in der ich wohne, gehört meiner Großmutter, ich brauche nicht viel Geld zum Leben, ich bin allein, niemand braucht mich, ich bin so frei, wie man es nur sein kann. Und trotzdem hocke ich hier rum und komme nicht weiter. Alles, was ich mache, ist nur ein Ersatz für etwas anderes, von dem ich nicht weiß, was es ist.«

Rubi hatte aufgehört zu singen und sah Hannah von der Seite an.

»Kenn ich«, sagte sie. »Ich weiß ganz genau, was du meinst. Aber darf ich dir einen Rat geben?«

»Klar.«

»Nimm nicht die Abkürzung übers Parkhaus. Wenn dir das Parkhaus jemals wie eine gute Option erscheint, wenn du auch nur eine halbe Sekunde über so was nachdenkst, dann ruf mich an, okay?«

»Klar, mach ich. Also: dich anrufen. Würde ich auch so. Wenn ich darf.«

»Eh klar, du Tulpe.«

Als Hannah aus Rubis Auto stieg, war es schon dunkel. Auf der Oranienstraße schoben sich die Touris in die Kneipen, vorm Nussladen spuckten junge Männer Sonnenblumenkernschalen auf den Boden, und Hannah sah in Richtung ihrer Wohnung auf der anderen Straßenseite, unschlüssig, ob sie hinaufgehen sollte. Sie fühlte sich gar nicht danach, vielleicht würde sie einfach noch ein bisschen spazieren gehen. Aber am erleuchteten Fenster stand jemand. Da stand Andreas und schaute nach draußen, in ihre Richtung. Er sah sie und winkte ihr, und anstatt zurückzuwinken, sich umzudrehen und einfach wegzulaufen, überquerte Hannah die Straße und schloss ihre Haustür auf.

34.

Berlin 2007

Evelyn hatte viele Talente, aber in nichts war sie so gut wie im Wegwerfen. Es war keine besondere Herausforderung für sie, ihren Besitz auf das Maß eines Ein-Zimmer-Apartments zu reduzieren. Seit Jahren hatte sie auf der Warteliste gestanden, nun endlich war ein Zimmer im Seniorenpalais frei geworden, ein besonders schönes, wie man ihr versicherte, mit Blick in den Grunewald und über die Havel in Richtung Teufelsberg. Rundumversorgung, hervorragendes Essen, ein Kulturprogramm, das auch höchsten Ansprüchen genügen dürfte, gutbürgerliches Publikum, keine Krankenhausatmosphäre. »Es wäre uns eine Ehre, Frau Doktor, Sie bei uns zu haben«, hatte der Direktor gesagt, und Evelyn gefiel das Unterwürfige in seiner Stimme.

Nicht, dass sie schon Hilfe und Versorgung gebraucht hätte, Evelyn kam ganz wunderbar allein zurecht, sie war »gut beieinander«, wie man so sagte. Aber sie wollte die Entscheidung über den letzten Umzug ihres Lebens selbst treffen und nicht Silvia überlassen. Ausgerechnet Silvia.

Aus ihrer Charlottenburger Wohnung würde Evelyn den Sessel, ein Sofa und ein TV-Möbel mit Regal mitnehmen, noch einen der Teppiche vielleicht und selbstverständlich ihre Uhren. Mehr nicht. Einen Koffer und maximal zwei

Kisten mit persönlichen Sachen. Bücher hatte sie ohnehin wenige, sie hatte ihre Bibliothek in den letzten Jahren schon immer weiter reduziert. So machte man das doch, dachte Evelyn. Wie bei einer guten Sauce: reduzieren, bis nur noch die Essenz übrig ist, das Beste.

Beim Aufräumen und Wegwerfen hatte sie auch endlich die alten Sachen von Karl entsorgt. Seine Briefe, seine Approbationsurkunde, den Zeitungsausschnitt mit der Traueranzeige vom 27. November 1972, die Kondolenzbriefe. So viele Menschen, die ihnen nahe gewesen sein mussten und an die sie sich nun, fast vierzig Jahre später, überhaupt nicht mehr erinnern konnte. Die schrieben, was für ein guter und großherziger Mensch Karl gewesen war, wie tragisch sein viel zu früher Tod, wie tapfer ertragen die Krankheit.

Die persönlichen Briefe von Karl an sie tat Evelyn ins Altpapier, die Kondolenzbriefe mit den Lobeshymnen über ihn legte sie seufzend auf Silvias Stapel. Das würde ihr sicher gefallen, noch einmal nachzulesen, was für ein feiner Mann ihr Vater gewesen war. Und jetzt, da Hannah kurz vorm Abitur stand und sicher bald ausziehen würde, hatte sie ja auch bald wieder genügend Platz in ihrer vollgerümpelten Wohnung, für noch mehr Erinnerungsmüll.

Ganz unten in der Kiste lag noch ein Stapel, von dem Evelyn nicht gleich auf den ersten Blick wusste, was für Briefe das waren. Erst als sie auf den Umschlägen die rundliche Mädchenschrift ihrer Tochter erkannte, fiel es ihr wieder ein. Das waren Silvias Briefe, die sie aus dem Internat geschrieben hatte. Anfangs noch mindestens zwei pro Woche, später wurden es weniger. Die ersten noch sehr sorgfältig mit Wassertropfen besprenkelt, die – wie die elfjährige Silvia geschrieben hatte – selbstverständlich

Heimwehtränen waren. Dramatisch war sie schon als Kind gewesen, dachte Evelyn. So voller widersprüchlicher Gefühle und Empfindungen. Immer hatte sie nach Hause gewollt in den ersten Internatsjahren. Und wenn sie dann zu Hause war, in den Schulferien und manchmal am Wochenende, war sie abweisend und schwierig gewesen, hatte ständig widersprochen, Streit angefangen, war wegen Nichtigkeiten in Tränen ausgebrochen. Evelyn hatte sich jedes Mal, bevor Silvia nach Hause kam, gefreut auf ihr Kind. Und dann heimlich das Ende dieser Zusammenkünfte herbeigesehnt. Dann würde sie wieder arbeiten, dann wäre sie wieder eingebunden in den Krankenhausalltag mit seinen klaren Strukturen. Dort wüsste sie immer, was zu tun ist.

Evelyn erinnerte sich nicht, warum sie Silvias Briefe überhaupt aufgehoben hatte. Aber gut, nun konnte sie ihrer Tochter diese Dokumentation ihres Teenagerunglücks zurückgeben, wenn sie gleich kam, um noch ein paar Dinge durchzusehen, bevor sie weggeworfen wurden. Vom ersten Heimwehbrief bis zur knappen Mitteilung an die Eltern, dass sie die Schule abbrechen und sich einer Kommune anschließen wolle. Alternative Lebensformen ausprobieren und sich nicht länger Konventionen beugen, all diese Dinge. Da war Karl schon krank gewesen, und sie hatten beide keine Kraft, um ihr Kind zur Räson zu rufen, sich zu engagieren oder Druck auszuüben. Wer weiß, ob es überhaupt eine Wirkung gehabt hätte, und nach Karls Tod hatte Evelyn nicht mehr gefragt und einfach regelmäßig kleinere und größere Summen überwiesen, immer dann, wenn Silvia wieder einmal in Schwierigkeiten steckte. Ihr das Rückflugticket aus Indien geklaut wurde. Der Bauwagen, in dem sie hauste, abbrannte. Wenn die Polizei sie bei irgendeiner Demonstration festnahm und sie einen Anwalt bezahlen musste. Als sie schwanger war, unverheiratet und ohne Wohnung dastand.

Das Geld hatte Silvia immer genommen, sich Einmischung jeglicher Art jedoch verbeten. Wie sie Evelyn eigentlich immer das Gefühl gegeben hatte, sie habe noch Schulden bei ihr zu begleichen. Schulden, die sich nicht mit Geld bezahlen ließen, aber Evelyn möge es ruhig weiter versuchen. Sie und Karl hatten ihr so viele Möglichkeiten eröffnet, sie hätte so viel machen können aus ihrem Leben und hatte doch wenig zustande gebracht.

Außer Hannah.

Dass Silvia dumm genug war, eine Affäre mit einem verheirateten Mann einzugehen und dabei schwanger zu werden, das hatte Evelyn nicht erstaunt. Aber Hannah hatte sie zu einem überraschend eigenständigen jungen Menschen erzogen, das musste man ihr lassen. Silvia war eine liebevolle, intuitive Mutter. Und Evelyn war gegen jede Wahrscheinlichkeit gern Großmutter. Da gab es etwas zwischen ihr und Hannah, was leicht und zwanglos war. Eine Art erwartungsfreie Zuneigung, ganz pur und unbefrachtet. Vielleicht sollte sie noch einen Erinnerungsstapel für Hannah machen, ein paar Dinge für ihre Enkeltochter aufbewahren. Andererseits: Hannah würde sich vermutlich nicht viel daraus machen, und das war ja im Grunde einer ihrer sympathischsten Charakterzüge.

Silvia kam am späten Nachmittag, eine Stunde später als vereinbart, wie meistens. Sie sah müde aus. Evelyn hatte ihr schon vor einer Weile gesagt, sie solle auf ihre Eisenwerte achten und sich mal die Schilddrüse untersuchen lassen. Die Müdigkeit, dass sie immer dünner wurde, das konnte sie vor Evelyn ja kaum verbergen. Aber immer, wenn sie ihrer Tochter einen jungen Kollegen empfehlen wollte, um sich mal richtig durchchecken zu lassen, bekam sie pampige Antworten.

Kein Bedarf, Mutter.

Ich bin in besten Händen.

Ich gehe das ganzheitlich an.

Lass mich in Ruhe.

Evelyn wusste, dass Silvia in letzter Zeit häufiger als sonst über Tage weg war. »Sie lässt irgendwas ausleiten oder so, keine Ahnung«, hatte Hannah ihr am Telefon gesagt, als Evelyn sich mal erkundigt hatte. Silvia hatte diesen fatalen Hang zu Schamanen, zu Schwitzhütten und Pendel-Heilern, zu jeder Form von Hokuspokus. Hauptsache, es hatte nichts mit Schulmedizin zu tun. Beziehungsweise: Hauptsache, es hatte nichts mit Evelyn zu tun. Aber jetzt stand sie so zerbrechlich und kraftlos in der Wohnungstür, dass Evelyn sich eine sarkastische Begrüßung verkniff.

»Möchtest du Tee?«

»Ja, bitte.«

Evelyn brühte einen Darjeeling auf, wunderte sich, weil Silvia nicht auf Grünem Tee oder Kräutertee bestanden hatte, und setzte sich zu ihrer Tochter an den Küchentisch. Hör auf, dir an den Haaren zu fummeln, dachte sie. Halt dich gerade. Hör auf, an den Nägeln zu knabbern.

Silvia zog die Nase hoch, friemelte einen Umschlag aus ihrer großen Handtasche und legte ihn vor Evelyn auf den Tisch. Jetzt erst sah sie, dass Silvia weinte.

»Ich brauche deine Hilfe, Mama.«

Mama. Das hatte sie schon seit Jahren nicht mehr zu ihr gesagt. Immer nur »Mutter«, und das immer abwehrend, distanzierend, ein Wort wie eine Grenzmauer. Der Brief war ein Arztbrief, ein Befund, und Evelyn spürte, wie ihr das Blut aus dem Kopf wich, als sie ihn überflog.

Silvia hatte Brustkrebs. Fortgeschrittenes Stadium, Metastasen in der Lunge, in der Leber und im Beckenknochen. Alle Werte katastrophal.

Das, was Evelyn da in der Hand hielt, war Silvias Todesurteil.

»Seit wann weißt du das?«

»Schon länger.«

»Seit wann, Silvia.«

»Hab vor einem Jahr was ertastet.«

»Und dann warst du gleich beim Arzt?«

Silvia zuckte mit den Schultern. Natürlich war sie nicht beim Arzt gewesen, und Evelyn fühlte eine kalte Wut. Sie musste gar nicht weiter fragen, sie wusste ganz genau, was Silvia getan oder eben nicht getan hatte, nachdem sie einen Knoten in ihrer Brust gespürt hatte. Jede andere Frau hätte sofort panisch in ihrer Frauenarztpraxis angerufen, um die Sache abklären zu lassen. Die Prognosen bei Brustkrebs waren so gut, wenn man ihn früh erkannte, Herrgott noch mal, Evelyn hätte mit ihren Kontakten Termine bei den besten Spezialisten für Silvia organisieren können, bei den Koryphäen der Krebsforschung, alles ehemalige Kolleginnen und Kollegen, einige hatte sie noch selbst ausgebildet. Aber Silvia hatte mit Sicherheit irgendeinen Handaufleger konsultiert, sich Kräutermischungen zusammenstellen lassen, wahrscheinlich Zauberedelsteine unter ihr Kopfkissen gelegt oder sich von irgendeinem Wellness-Guru erzählen lassen, sie müsse einfach positiv denken. Warum war sie nicht zu ihr gekommen?

»Ich dachte, ich kriege das in den Griff, ich wollte das alleine schaffen. Aber ich habe Schmerzen, Mama, und ich habe solche Angst. Jetzt war ich beim Arzt, und jetzt sagen sie, man kann nichts mehr tun. Aber man kann doch immer irgendwas tun, oder? Du kannst doch noch was tun.«

Evelyn sah ihre Tochter an, ein verweintes Häuflein Elend, jeder Trotz war aus ihrem Gesicht gewichen, all die spöttische Ablehnung, mit der sie Evelyn sonst gegenübertrat. Sie sah aus wie damals, mit sieben, als sie auf einen Baum geklettert und nicht wieder heruntergekommen war. Evelyn und Karl hatten stundenlang nach ihr gesucht und gerufen, sie hatten sich solche Sorgen gemacht und waren kurz davor, die Polizei einzuschalten. Und als sie Silvia endlich gefunden und sie gefragt hatten, warum sie nicht geantwortet habe, warum sie sich nicht bemerkbar gemacht hätte, da hatte sie gesagt: »Weil ich nicht wollte, dass ihr schimpft.«

Evelyn nahm Silvias Hand und strich mit dem Daumen über die rauen Fingerknöchel. Nein, sie konnte nichts mehr tun. Nicht mal sie konnte da noch etwas tun. Es berührte sie, dass ihre Tochter das annahm. Dass sie tatsächlich die Hoffnung gehabt hatte, wenn alles zu spät wäre, könnte ihre Mutter doch noch für ein Wunder sorgen.

»Weiß Hannah davon?«

»Nein. Ich will nicht, dass sie sich Sorgen macht.«

»Silvia. Du stirbst. Alles, was medizinisch jetzt noch möglich ist, ist, es dir zu erleichtern. Und vielleicht noch eine Weile hinauszuzögern. Aber du wirst nicht mehr gesund. Es ist zu spät. Du musst es Hannah sagen. Du musst deine Angelegenheiten regeln. Und zwar jetzt.«

Silvia schüttelte den Kopf, und da war es wieder, das trotzige Blitzen in ihren Augen.

»Ich will nicht, dass Hannah es weiß. Bitte misch dich da nicht ein.«

Sie entzog Evelyn ihre Hand, schnäuzte sich und steckte

den Arztbrief wieder in ihre Tasche. Silvia ging, ohne den Stapel durchzusehen, wegen dem sie ja eigentlich gekommen war. Evelyn nahm die alten Briefe und Unterlagen und warf sie ins Altpapier. Es würde nun niemand mehr Verwendung dafür haben. Sie holte ihr Telefonbuch hervor und blätterte darin. Dr. Limburg, Dr. Stresemann, Dr. Wendt, die würde sie anrufen und Termine für Silvia machen, sie in die richtigen Hände geben für die Zeit, die ihr noch blieb. Mehr konnte sie nicht tun für ihr Kind, außer, einen klaren Kopf zu bewahren, sich nicht übermannen zu lassen, Kurs zu halten, das Richtige zu tun.

Dann nahm sie ihr Telefon und wählte Hannahs Handynummer. Hannah ging nicht ran, die Mailbox sprang an, Hannahs fröhliche Stimme, »Hey, hinterlasst mir eine Nachricht, vielleicht melde ich mich!«. Evelyn räusperte sich und sagte: »Hannah, hier ist deine Großmutter. Bitte ruf mich an, wir müssen uns treffen. So schnell wie möglich. Es ist wichtig.«

Sie legte auf und sank in ihren Sessel, auf einmal erschöpft. Da wühlte sich etwas an die Oberfläche, etwas von ganz tief unten, lange weggesperrt und klein gehalten, jetzt plötzlich kräftig genug, um es bis in ihren Kopf und hinter ihre Augen zu schaffen, um dort zu schieben und zu drücken.

Aber es wollten einfach keine Tränen kommen.

Nichts als ein Ächzen, eine Art trockenes Schluchzen, das dann allein im Raum hing, bis endlich die Uhren die volle Stunde schlugen. Zeit, die vergeht: immer noch Evelyns größter Trost. Es ging schon wieder. Sie stand auf und widmete sich den Kisten und Stapeln.

Es gab noch so viel zu entsorgen.

35.

So überraschend, wie Andreas Sonthausen plötzlich in Hannahs Wohnung aufgetaucht war, so überraschend war er auch wieder verschwunden. Dagelassen hatte er nur ein Männerduschgel, das nach Zedernholz roch, sowie eine angebrochene Flasche Whiskey. Das Duschgel entsorgte Hannah direkt im Müll, die Whiskeyflasche stellte sie auf den Kühlschrank. Sie mochte keinen Whiskey, aber wer weiß, vielleicht konnte man damit ja mal etwas desinfizieren oder so.

Die Tage zuvor war Hannah noch um Andreas herumgeschlichen wie um einen kranken König. Bemüht, ihn nicht zu verärgern oder ungehalten zu machen. Sie hatte keine Fragen gestellt, Kaffee gekocht und geduldig zugehört, wenn er doch etwas erzählte. Dass seine Ehe nun doch möglicherweise keinen Sinn mehr habe. Vielleicht habe er sich da schon seit Jahren etwas vorgemacht. Die offene Beziehung sei im Grunde doch nur eine Trennung auf Raten gewesen. Im Job nichts als Neider und Quertreiber, die ihm das Leben unnötig schwer machten. Junge Menschen, denen er habe helfen wollen und die ihn nun respektlos behandelten. »Apropos, bist du noch mit dem Sudmann zugange? Totale Pfeife, der Typ. Tut mir leid, dass ich dir den überhaupt vorgestellt habe. Selten jemanden getroffen, der sich selbst so maßlos überschätzt.«

Hannah hatte Andreas zugestimmt, aber deutlich weniger enthusiastisch, als sie es noch vor ein paar Wochen getan hätte. Jetzt, da Jörg Sudmann nicht mehr permanent anrief, vermisste sie ihn fast ein wenig. Na, vermissen war etwas zu viel gesagt, aber es wurmte sie irgendwie, dass er sie plötzlich so im Regen stehen ließ und sich gar nicht mehr meldete. Er war vielleicht ein Spinner, aber irgendwas an seiner Beharrlichkeit und seinem Enthusiasmus für ihre Familiengeschichte hatte sie angerührt.

Hannah war verblüfft darüber, wie fremd ihr Andreas wurde, je mehr Zeit sie mit ihm verbrachte. Jetzt stand seine Zahnbürste im Glas neben ihrer, ein Szenario, das sie in ihren wildesten Träumen nicht für möglich gehalten hätte, und sie hatte viele Träume Andreas betreffend gehabt. Abends bestellten sie Essen bei einem Lieferservice oder kochten Spaghetti mit Pesto, sie schliefen miteinander, tranken morgens an ihrem Küchentisch Kaffee. Dann verließ Hannah ihre Wohnung, um in der Bibliothek zu schreiben oder in die Uni zu gehen, aber auch, weil Andreas in ihrer Wohnung so viel Raum einnahm, obwohl er meistens nur am Küchentisch saß. Wenn Hannah abends wieder nach Hause kam, saß er dort immer noch, umgeben von Unterlagen, wütend auf seinen Laptop einhackend. Er hatte sich krankschreiben lassen und Hannah auf absolute Verschwiegenheit eingeschworen. Niemand sollte wissen, wo er war. Und als er dann eines Tages nicht mehr am Küchentisch saß, sondern verschwunden war, nur Duschgel und Whiskey dagelassen hatte sowie den Zweitschlüssel und einen Zettel, auf dem »Danke, melde mich« stand, war Hannah traurig, aber mindestens genauso erleichtert.

Sie riss die Fenster auf und lüftete durch, zog das Bett ab und setzte sich dann mit einem Bier aufs Sofa.

Sie war nicht mehr verliebt.

Es hatte genau sieben gemeinsame Tage in ihrer Wohnung gebraucht, um diesen seit über einem Jahr andauernden Wahn zu kurieren. Fast tat Andreas ihr leid, er konnte ja irgendwie auch nichts dafür. Dass sie sich da in etwas reingesteigert hatte wie ein Teenager, der einen Popstar anhimmelt, endlich beim *Bravo*-Preisausschreiben ein *»meet and greet«* gewinnt und dann enttäuscht ist, wenn das Idol sich als menschliches Wesen entpuppt. Ein menschliches Wesen mit Badezimmerroutine und erstaunlich schlechten Tischmanieren. Solange sich ihre Beziehung nur in Hannahs Vorstellung und in den wenigen Hotelzimmerstunden abgespielt hatte, hatte Hannah ihr Bild von Andreas aufrechterhalten können – das unergründliche Genie, dem sie nie das Wasser würde reichen können und der sich ihr gegen jede Wahrscheinlichkeit doch zugewandt hatte. Aber diese eitle Weinerlichkeit der letzten Tage, dieses Zuviel an alltäglicher Nähe, hatte endlich dafür gesorgt, dass Hannah nicht nur ganz sicher wusste, dass diese Kiste verkorkst und falsch war – endlich fühlte sie es auch.

Das wäre eine Erleichterung gewesen, wenn da nicht noch die andere Sache wäre. Die Sache, die sie seit Tagen immer wieder beiseiteschob, weil es einfach nicht sein durfte. Sie war überfällig. Seit über einer Woche. Es konnte natürlich sein, dass ihr sonst so regelmäßiger und verlässlicher Zyklus ihr einfach nur einen Streich spielte.

Oder.

Zweimal war sie schon fast in die Apotheke gegangen, um einen Test zu besorgen, beide Male war sie doch nicht durch die Schiebetür getreten, so als würde es einfach nicht real, solange sie es nicht sicher wusste. Albern war das. Morgen würde sie es tun, morgen würde sie endlich auf einen Teststreifen pinkeln und Klarheit haben.

Um nicht länger darüber nachdenken zu müssen, schnappte sich Hannah ihr Handy und schrieb eine SMS an Jörg Sudmann. Ob er vielleicht Zeit für sie habe? Sie wollte ihm von der erfolglosen Schokoladenfabrik-Erstürmung erzählen und auch von ihrem Ausflug nach Güstrow. Vielleicht hatte er noch eine Idee, wo sie würde suchen können. Tatsächlich schrieb Jörg gleich zurück. Er wolle sie auch treffen und ihr etwas erzählen. Etwas sehr Wichtiges. Gleich heute Abend?

Hannah kam eine Viertelstunde zu spät in die Ankerklause und erkannte Jörg zuerst nicht, als sie sich nach ihm umsah.

Er saß in einer Ecke und schaute durchs Fenster auf den Landwehrkanal, die Haare nicht wie sonst streng nach hinten gegelt, sondern wirr vom Kopf abstehend, so als wäre er gerade aus dem Bett gefallen. Er sah aus, als hätte er sich seit Wochen nicht rasiert, als wäre alle Spannung aus ihm gewichen. Sonst war er Hannah doch eher wie ein Terrier vorgekommen, wach und alert und immer ein bisschen zu enthusiastisch bei der Sache.

»Was ist denn mit dir los?«, fragte sie, noch bevor sie sich setzte, und Jörg hatte aus müden Augen aufgeblickt und ihr ohne zu fragen direkt ein Schnapsglas rübergeschoben, das er offenbar schon mal geordert hatte.

»Heute nicht«, sagte Hannah. »Muss ein bisschen klar im Kopf bleiben. Also, erzähl. Was ist los?«

Jörg zog das Schnapsglas zurück und trank es in einem Zug leer. Dann hielt er Hannah einen langen Vortrag zum

Ende seiner akademischen Laufbahn, mit der Verteidigung seiner Doktorarbeit sei es für ihn aus. Er würde sich einfach einen Job suchen, in einem Museum oder einem Archiv oder einer Stiftung. Oder einfach umsatteln und bei einer Unternehmensberatung einsteigen. Er habe den Glauben an den Universitätsbetrieb verloren, alles drehe sich um Macht und Beziehungen und er steige da jetzt aus.

»Mach mal halblang, Jörg. Was genau ist denn passiert?«

»Professor Sonthausen, dein feiner Herr Doktorvater, der sich so intensiv um dich kümmert, ist ein Betrüger, Hannah. Ein Hochstapler. Ich bin ihm auf die Schliche gekommen. Ich habe zu Hause einen ganzen Ordner voll mit Plagiaten, die ich in seinen Arbeiten gefunden habe. Der Mann hat von Beginn seiner Karriere an abgeschrieben. Nicht alles, aber reichlich.«

Jörg rieb sich die Augen und die Bartstoppeln, als habe er seit Tagen durchgemacht.

»Ich habe ihn konfrontiert, und weißt du, was er gesagt hat? Er hat gesagt, dass er persönlich dafür sorgen wird, dass ich keinen Fuß mehr auf den Boden bekomme. Dass er mich zerstören wird. Dass ich ein Niemand bin, ein Wichtigtuer. Und das Schlimmste daran ist: Er hat recht. Ich bin ein Niemand. Weißt du, woher ich das weiß?«

Hannah schüttelte den Kopf.

»Ich bin zum Dekan marschiert. Ich habe ihm alles vorgelegt. Alle Beweise. Er hat sie an sich genommen und mir in die Augen gesehen und gesagt: Das vergessen Sie jetzt alles schön wieder, oder ich sorge persönlich dafür, dass sich hier alle Türen für Sie schließen. Und zwar für immer. Ich bin ein Niemand und Sonthausen ist ein Star, dem alle aus der Hand fressen. *Too big to fail.* Er kann sich gut verkaufen, alle lieben ihn. Und das ist offenbar wichtiger als die Wahrheit.«

Hannah sah Jörg in die müden Augen. Alles ergab plötzlich Sinn. Jetzt wusste sie, warum Andreas sich versteckt und warum er ausgerechnet bei ihr Zuflucht gesucht hatte. Sie war ja sein treuester Fan. Die, die ihn am wenigsten hinterfragen würde.

»Ich dachte einfach, du solltest das wissen.«

»Warum?«

»Ach, komm, Hannah, wir wissen beide, warum. Ich weiß von eurer Affäre. Ich habe euch gesehen, zufällig. Wie ihr zusammen ins Hotel seid.«

Jetzt hätte Hannah vielleicht doch gern einen Schnaps gehabt.

»Das ist vorbei«, sagte sie.

»Ist mir egal, Hannah, es geht mich auch nichts an. Ich hatte ehrlich gesagt überlegt, ob ich Sonthausen darauf anspreche. Oder den Dekan. Einfach um meine These zu untermauern, dass der Mann nicht sauber ist. Hab es aber doch gelassen.«

»Und warum?«

»Na, deinetwegen. Ich wollte dich nicht in Schwierigkeiten bringen. Ist nämlich nicht förderlich für so ein Promotionsvorhaben, wenn herauskommt, dass man mit seinem Doktorvater schläft.«

Jetzt einfach vom Stuhl rutschen, dachte Hannah. Wie eine Figur in einem Cartoon, die sich plötzlich verflüssigt. Einfach unter den Tisch rutschen und dort in einer Dielenritze verschwinden, in den Bauch des alten Kneipenschiffes, und von dort weiter direkt in den Landwehrkanal. Was zur Hölle hatte sie sich eigentlich gedacht, wie das alles enden würde, wo das hinführen sollte, was passieren würde, wenn es doch jemand mitbekäme. Sie wollte so schnell wie möglich weg, aber bevor sie aufstehen und gehen konnte, beugte sich Jörg zu seiner Umhängetasche und zog einen Stapel Unterlagen heraus, die er vor Hannah auf den Tisch legte.

»Hier, ich war noch mal in ein paar Archiven für dich. Wollte mich ablenken von der ganzen Sache und dir auch nicht nur schlechte Nachrichten überbringen.«

Es war wieder ein Stapel kopierter Seiten, einige aus dem *Diário de Notícias* und dem *Correio de Manhã*, brasilianische Tageszeitungen. Hannah blätterte: Die Artikel waren auf Portugiesisch, geschrieben von Senta und Julius Goldmann in den Fünfzigerjahren. Dazu Reiseberichte über Brasilien in deutscher und dänischer Sprache sowie ein Bericht über die Gründung eines Stefan-Zweig-Komitees zur Förderung von Publizisten im Exil, dessen zweiter Vorsitzender Julius Goldmann war.

Und schließlich eine Presseerklärung ebenjenes Komitees vom 12. Juli 1963, in dem mit Bestürzung der Tod der hochverdienten Mitglieder Senta und Julius Goldmann durch einen tragischen Autounfall und die Beerdigung auf dem Cemitério São João Batista im Süden Rios bekannt gegeben wurde.

»Sieht so aus, als hätten die beiden noch ein ziemlich gutes Leben im brasilianischen Exil gehabt. Lohnt sich bestimmt, das weiterzuverfolgen. Ich bin erst mal raus. Und die Wahrheit ist: Du brauchst mich gar nicht. So schwierig war es nicht, die Sachen hier zu finden, ich habe ziemlich übertrieben, was den Rechercheaufwand betrifft.«

»Ich weiß«, sagte Hannah. Es war ja nicht so, dass sie nicht wusste, wie Archive funktionierten. Und trotzdem hatte sie Jörg gebraucht, ihn vielleicht sogar benutzt, um ihr diese ganzen Informationen über ihre Urgroßmutter zu verschaffen. Weil sie zu beschäftigt war mit dem Nichtschreiben einer Dissertation über ein Thema, das sie eigentlich gar nicht so richtig interessierte, für einen Mann, der nicht der war, für den sie ihn gehalten hatte. Ziemlich üble Bilanz.

Zum Abschied hatte sie Jörg umarmt, sich bei ihm bedankt und ihm alles Gute für seine Verteidigung gewünscht. Sie ging nach Hause und setzte sich auf ihr weißes Sofa, klappte den Laptop auf und schrieb »Andreas Sonthausen« ins Google-Suchfeld. Eine tägliche Routine, von der sie seit zwei oder drei Wochen abgekommen war, aber jetzt hatte sie plötzlich ein Bedürfnis danach. Sie empfand ein diffuses Mitleid mit Andreas, sein dunkles Geheimnis machte ihn irgendwie menschlicher. Dass selbst jemand wie er eine Zeit lang das Gefühl gehabt haben musste, nicht zu genügen. Und der dann den falschen Weg gegangen war, indem er die Arbeit anderer benutzt hatte – das war eigentlich unentschuldbar, aber irgendwas in Hannah wollte glauben, dass es einen guten, nachvollziehbaren Grund dafür gegeben hatte. Sie wollte noch einmal das warme, vertraute Gefühl der Bewunderung in sich hervorholen. Etwas von Andreas Sonthausen lesen oder ihm beim Dozieren zusehen und ihn brillant finden.

Tatsächlich brachte ihre Google-Suche ein neues Ergebnis zutage, ein Video, heimlich aufgenommen von einem Zuhörer bei einer Fachtagung und bei YouTube eingestellt, es hatte bislang nur zwölf Aufrufe, das Thema war sehr speziell, Hannah hörte gar nicht richtig zu, sondern beobachtete nur, wie die wacklige Aufnahme einer Handykamera an Andreas heranzoomte, der auf dem Podium saß und den Ausführungen seines Gegenübers zuhörte, leicht nickend, mit diesem einnehmenden Ausdruck im Gesicht, so als verstünde er ganz genau, so als würde hier jemand exakt seine Gedanken formulieren. Hannah sah dem jungen Nachwuchswissenschaftler an, wie sehr ihn das anspornte, wie wichtig es ihm war, zu gefallen, das Richtige zu sagen, die richtigen Fragen zu stellen. Hannah war so sehr mit der Studie von Andreas' Mimik beschäftigt, dass sie nicht richtig zuhörte und erst dann aufmerkte, als es plötzlich um das Thema ihrer Doktorarbeit ging. Der junge Mann sprach vom »Utopiebegriff nach Cornelissen«, und Andreas hakte sofort ein: Ja, der Utopiebegriff nach Cornelissen, schön und gut, aber er halte es für möglich, dass sich Cornelissen bei seinen berühmten Ausführungen ganz klar auf den zu Unrecht in Vergessenheit geratenen Essayisten und Romanautor Georg Distelkamp beziehe, ihn möglicherweise sogar kopiert habe, er werde in Kürze vielleicht etwas dazu publizieren.

Hannah klappte den Laptop zu, mit Schwung.

Ihr war kalt. Sie starrte eine Weile vor sich hin und versuchte, dem, was sie da gerade gehört hatte, eine positive Deutung zu geben, aber es gelang ihr nicht. Das war kein Versehen. Andreas hatte sie verraten. Er hatte ihren Fund benutzt. Die These, die im Zentrum ihrer Doktorarbeit stehen sollte. Die er ihr gegenüber noch so abgetan hatte, als habe sie sich da etwas eingebildet, als seien die Stellen zu Cornelissen in Distelkamps Tagebüchern gar keine Sensation. Und jetzt hatte er das alles ohne jede Not als seine Idee dargestellt.

Jetzt wäre vielleicht doch eine gute Gelegenheit, den verdammten Whiskey zu trinken, den Andreas ihr dagelassen hatte, aber bevor sie aufstehen konnte, klingelte ihr Handy. Die Nummer auf dem Display war im Grunde schon die

Botschaft: Es war das Seniorenpalais, aber nicht die Durchwahl zu Evelyns Festnetzanschluss, sondern die Durchwahl der Direktion. Hannah drückte auf den grünen Hörer.

Müssen wir Ihnen leider mitteilen …
    Vom Nachtdienst gefunden …
    Im Sessel, ganz friedlich …
    Unsere aufrichtige Anteilnahme.

Die Worte liefen einfach so durch Hannah hindurch, ein Strom aus unfertigen Gedanken rauschte in ihrem Kopf. Etwas in ihr ließ los und als sie auflegte und nach unten schaute, sah sie das Rot, einen kleinen See aus Blut, der sich langsam auf dem weißen Stoff des Sofas ausbreitete.

36.

Der Flughafen Berlin-Tegel war kein Ort für große Gefühle. Hier kam man an oder man flog weg, aber es gab keinen Platz für ausgiebige Willkommens- oder Abschiedsszenen, keine Wartehallen, in denen es etwas einsamere Ecken gegeben hätte, in denen man weinen oder ein letztes Mal knutschen konnte, keine Duty-free-Shoppingmall, um sich abzulenken von all den wabernden Emotionen, die so ein Flughafen mit sich brachte. Berlin-Tegel war eher das Bushaltestellenhäuschen unter den Flughäfen, ein besserer Unterstand für Reisende, funktional und nüchtern. Für Hannah der beste Flughafen der Welt.

Rubi hatte sie hergefahren, hatte den Motor des alten Twingos laufen lassen und Hannah nur schnell sehr fest umarmt, ohne auszusteigen. »Viel Spaß, bring mir was mit, und wehe, du verknallst dich da in irgendeinen steinalten Macker und kommst nicht zurück.« Von hier würde Hannah nach Paris fliegen, und von dort nach Rio, drei Wochen lang. Hannah befühlte das kleine Säckchen in ihrer Manteltasche, während sie in der Schlange vor dem Security-Check stand, und verfluchte sich, weil sie es nicht einfach ins Aufgabegepäck getan hatte. Hoffentlich würde man ihr keine Fragen stellen. Es war nur ein bisschen

Asche, die sie in Rio auf ein Grab streuen wollte. Falls sie eines fand.

Eine Woche war es her, dass sie Evelyn auf dem Friedhof an der Heerstraße beerdigt hatten. Natürlich hatte sie genaue Anweisungen für dieses Ereignis hinterlassen, aber Hannah hatte beschlossen, das meiste davon zu ignorieren. Ein schlichtes Urnengrab, das konnte Evelyn bekommen und auf einen Pfarrer konnte Hannah auch gut verzichten. Aber keine Gäste auf ihrer Beerdigung, keine Reden, keine Blumen, keine Musik, keinen anschließenden Empfang – nein, diesen Wünschen wollte Hannah nicht entsprechen. Das könnte dir so passen, dass ich allein an deinem Grab stehe und dann einfach nach Hause gehe, dachte sie, als sie den Zettel las, den Evelyn auf die Innenseite des Ordners mit ihren wichtigen Dokumenten geklebt hatte.

Sie wusste nicht, ob Evelyn noch lebende Freunde hatte, sie konnte sich jedenfalls nicht an die Erwähnung irgendeines Besuchs erinnern. Aber möglich war es ja, dass es da draußen doch noch Menschen gab, die über Evelyns Tod würden informiert werden wollen. Also schaltete Hannah eine kleine Traueranzeige mit dem Datum der Beerdigung im *Tagesspiegel* und rief alle Leute an, mit denen sie in den letzten Monaten Zeit verbracht hatte: Jörg Sudmann, Rubi und Fritz Schuddekopf, Marietta Lankvitz.

Andreas Sonthausen rief sie nicht an. Stattdessen schickte sie ihm eine E-Mail und machte umfassend Schluss. Mit ihrer Promotion und mit ihm. Sie wollte diese Arbeit nicht mehr schreiben und ihn wollte sie auch nicht mehr sehen und diese E-Mail abzuschicken fühlte sich richtig und gut an. Geantwortet hatte er ihr nicht.

Die Beerdigung war an einem milden Frühlingstag, und es waren deutlich mehr Menschen dort, als Hannah erwartet hatte. Jörg war nicht gekommen, er war auf Reisen und musste seine Zukunft planen, aber er hatte ihr eine Kiste Orangen aus Israel geschickt und versprochen, sich zu melden, sobald er wieder in Berlin sei. Rubi war da, zusammen mit ihren Eltern und Fritz, ihrem Großvater. Marietta mit einem gigantischen schwarzen Hut, der selbst auf einer britischen Adelsbeerdigung für Aufsehen gesorgt hätte. Dazu etwa ein halbes Dutzend Gäste, die Hannah noch nie gesehen hatte. Sie alle schüttelten Hannah die Hand und stellten sich als ehemalige Kolleginnen oder Patienten vor. Sie erzählten Geschichten von Wundern, die Evelyn an ihnen vollbracht habe, ein Vorbild sei sie gewesen, eine so zugewandte und kompetente Ärztin, Kollegin und Vorgesetzte, immer klar in ihren Entscheidungen, auch den schweren. Auch Jahre nach ihrer Pensionierung sei sie eine wichtige Anlaufstelle und Ratgeberin gewesen, eine große, warmherzige Persönlichkeit. Und wie schade, dass sie irgendwann keinen Besuch mehr habe bekommen wollen.

Hannah hatte zwischendurch den Impuls nachzufragen, ob es sich da möglicherweise um eine Verwechslung handeln könnte. Es war, als hätte es zwei Evelyns gegeben und sie hatte nur die eine gekannt. Vielleicht hatte sie von der anderen manchmal etwas geahnt, immer dann, wenn ihrer Großmutter für einen kurzen Moment die Fassade verrutscht war.

Es gab eine kurze Andacht in einer Trauerhalle, ohne Rede, nur mit Musik. Hannah hatte in Evelyns CD-Sammlung gestöbert und schließlich eine CD mit Bach-Fugen ausgewählt, irgendeine traurige Klassik, zu der man gut weinen konnte. Dazu wählte sie noch »Blackbird« von den Beatles aus, aber das spielte sie eher für sich als für ihre tote Großmutter, das Lied über den schwarzen Vogel, der jetzt mit seinen gebrochenen Flügeln davonfliegen soll.

Danach versammelten sich alle vor dem kleinen Erdloch und warfen nacheinander Erde und Blumen auf die eierschalfarbene Urne, in der der kleine Rest von Evelyn lag. Und während Hannah weinte und Hände schüttelte und sich von Rubi den Rücken streicheln ließ, empfand sie fast ein bisschen Zufriedenheit bei der Vorstellung, wie indigniert Evelyn den Kopf schütteln würde, könnte sie diese kleine Versammlung beobachten.

Beim anschließenden Empfang drückte Marietta Hannahs Hand und versicherte ihr, dass die Suche noch nicht zu Ende sei. Sie sei optimistisch, dass die Bilder der Goldmanns eines Tages auftauchen würden. Dann, wenn niemand damit rechnete. Hannah solle nicht enttäuscht sein, sondern dankbar für diese Möglichkeit. »Vertrauen Sie dem Schicksal, Hannah. Und folgen Sie weiter den Spuren, aber vergessen Sie nicht, dabei selbst welche zu hinterlassen.«

Tja. Spuren hinterlassen. Was ihre Zukunft betraf, hatte sie noch keine ausgereiften Pläne, aber einen kurzfristigen hatte sie sehr wohl. Sie hatte vor, Spuren zu hinterlassen, und zwar sehr konkrete.

Sie hatte den Bestatter eher aus Neugier gefragt, ob sie etwas von Evelyns Asche würde behalten können. Nur ein winziges bisschen, vielleicht einen Fingerhut voll. Sie sei ihre letzte lebende Verwandte gewesen und es gebe da einen Ort, an dem sie gern ein wenig von dieser Asche verstreuen würde. Um eine zerbrochene Verbindung zu kitten.

Zunächst hatte er vehement abgewunken, deutsches Bestattungsgesetz, Friedhofszwang, strengstens verboten sei es, die versiegelte Aschekapsel in der Urne vor der

Bestattung noch einmal zu öffnen. Aber dann, als die letzten Gäste gegangen waren, hatte er Hannah doch eine gelbe Plastikkugel übergeben, das Innere eines Überraschungseis. »Es ist wirklich nur eine winzige Menge und Sie dürfen es niemandem erzählen. Alles Gute. Und mein Beileid noch einmal.«

Am Abend nach der Beerdigung hatten sich Hannah und Rubi im Görlitzer Park getroffen, Rubi hatte einen kleinen Kugelgrill mitgebracht und Hannah einen Rucksack. Darin eine Flasche Grillanzünder, einen Ausdruck ihrer angefangenen und abgebrochenen Doktorarbeit, ein Foto und eine Haarsträhne von Silvia sowie einen Abschiedsbrief an Evelyn, den Hannah in der Nacht zuvor geschrieben hatte. Es war ein Liebes- und ein Dankesbrief. Und eine Art Selbstbeschwörung. Die Ankündigung eines viel zu lange hinausgezögerten Aufbruchs.

Der Grillanzünder war gar nicht notwendig, alles brannte einwandfrei und als nur noch Asche übrig war, öffnete Hannah das kleine gelbe Plastik-Ei und streute den silbrigen Staub dazu, der einmal Evelyn gewesen war, oder wenigstens ein winziger Teil von ihr.

»Sehr gutes Hexenritual«, sagte Rubi anerkennend und holte zwei Dosen Bier aus ihrer Tasche. Sie tranken und schauten der Asche beim Verglimmen zu, und als alles abgekühlt war, schaufelten sie mit einem Teelöffel die Reste in ein kleines Baumwollsäckchen.

In dieser Nacht hatte Rubi bei Hannah übernachtet, damit sie nicht alleine war. Sie hatte ungläubig in der weißen Wohnung gestanden, war dann alle Zimmer abgeschritten, hatte mit den Fingern über die wenigen Möbel gestrichen und sich schließlich ihre pastellfarbenen Zuckerwattehaare gerauft. »Sag mal, du suchst nicht zufällig eine

Mitbewohnerin? Also, Platz wäre ja reichlich da. Sorry, schlechter Zeitpunkt vielleicht für so eine Frage.«

Nein, dachte Hannah, während sie übers Rollfeld zu ihrem Flugzeug lief und sich die kühle Kerosinluft tief in die Lungen sog. Das war kein schlechter Zeitpunkt für so eine Frage gewesen. Es war der beste, der allerbeste Zeitpunkt.

Und während die Maschine startete, immer schneller über den Asphalt rollte und abhob, kam es Hannah vor, als habe sie gemeinsam mit dem Flugzeug Anlauf genommen. Ihr wurde ganz leicht. Sie freute sich, in drei Wochen wiederzukommen. Dann würde Rubi in Kreuzberg auf sie warten, die schon angekündigt hatte, die Wände neu zu streichen, und dann würde sie etwas Neues anfangen, etwas Gutes, auch wenn sie jetzt noch nicht wusste, was es sein würde.

Hinter dem kleinen Fensteroval ging langsam die Sonne unter und das Abendlicht schien auf den Grunewald, die Havel, den Teufelsberg, auf die Stadt, die behütet unter einem weiten blauen Himmel lag.

Schön, dachte Hannah.

Wie unglaublich schön das alles ist.

Dank

Ich danke von Herzen allen Mitarbeiterinnen und Mitarbeitern des dtv und des Ullstein-Verlages, insbesondere Barbara Laugwitz und Katrin Fieber, für ihr großes Vertrauen und ihre Unterstützung.

Für wichtige Hinweise und Hilfe bei der Recherche danke ich Hermann Simon, Ruben Kühl, Cornelia Muggenthaler und Lisa Trzaska.

Helena Reschucha, Janet Wagner, Stephan Bartels, Maike Rasch, Stefanie Bruckwilder, Simone Baum, Nataly Bleuel, Simone Buchholz, Julia Karnick, Janina Nentwig, Johanna Richter und Marison Dantas da Silva danke ich für Inspiration und liebe Gesellschaft.

Till Raether möchte ich außerdem für sein ausdauerndes Zuhören, Fordern und Anfeuern danken.

Ohne Barbara Wenner wäre von Anfang bis Ende nichts, absolut gar nichts möglich gewesen. Danke!

Milan, Bruno und Christian danke ich für alles. Besonders für die Liebe.